耕林 Just Novel
就是小說

耕林 Just Novel
就是小說

Vampire Academy

吸血鬼學院

3．影之吻 Shadow Kiss

蕾夏爾．米德 Richelle Mead 著
吳雪 譯

將本書獻給我的姪子，約旦和奧斯丁

1

他的指尖沿著我的背遊走，力道很輕，卻激起我身上陣陣漣漪。慢慢地，他的雙手順著我身體的曲線滑到腰側，終於覆上堅實的臀部。他的唇從我耳後印上脖頸，輕啄一下，再一下，然後又一下……

他的唇從我的脖子一路來到臉頰，最終探到了我的唇。我們親吻，肢體緊緊地纏繞在一起，血液在體內沸騰。我從未像此刻一樣，深刻地感受到自己的存在。

我愛他，深深地愛著他，克里斯蒂安……

慢著！克里斯蒂安!?

哦……不！

殘存的理智立刻令我意識到現在是怎麼回事，可另一方面，我仍然沉浸在這個「美夢」裡，感同身受地體會著撫摸和親吻，無法自拔。

我和莉莎的連繫太緊密了！不管是從哪個角度來看，這都像是真實發生在我身上的事。

不可以！我厲聲喝斥自己。這是假的……好吧！是真的，可並不是發生在妳身上，快從這裡離開！

但是，當我的每一個細胞都被燃起了慾火之後，怎麼會輕易地聽從理性的聲音呢？

妳不是她，這也不是妳的感受，快離開！

我的整個世界此時此刻一片空白，只有他的唇……

他也不是他，快點離開！

和記憶中他的吻一模一樣……

不可以！他不是迪米特里，快滾！

迪米特里這個名字如同迎面潑來的冷水，我一下子從莉莎的腦海裡退了出來。

直直地坐在床上，我突然覺得胸悶，試著把身上的被子踢掉，結果它卻把我的腿裹得愈來愈緊。我的心突突狂跳，趕緊做了幾個深呼吸，命令自己冷靜下來，回到現實世界當中。

今日確實不同往日，以往將我從夢中驚醒的，總是莉莎的噩夢，而今，已然換成了她的性生活，若說這兩者之間沒有什麼區別，那絕對是在騙人！

其實，我是可以不捲進她的風流韻事中的，至少我清醒的時候可以辦到，可這一回，莉莎和克里斯蒂安給了我一個措手不及——當然是無心的！

睡夢中，我的防禦狀態十分微弱，強烈的情感得以藉機透過我和我最好朋友的心電感應傳達過來。當然，如果這兩個人像普通人一樣在床上躺著，絕對不會造成我的困擾——我說的「在床上躺著」，是指「規規矩矩地睡覺」。

「老天……」我喃喃低語，尾音被一個大大的哈欠所吞噬，挺直身板坐在床邊，任由雙腿在床沿晃來晃去。

莉莎和克里斯蒂安就不能管住自己的雙手，老老實實地等到天亮嗎？

比被驚醒更糟的是，那種感覺仍然在，當然，那些事肯定不是真實發生在我身上的，沒人輕撫我的肌膚，也沒人吻我的唇，我的身體仍然十分空虛。

離上一次有這種體會，已經很長一段時間了，這令我心痛，也令我渾身燥熱。雖然有點蠢，可突然之間，我的確異常渴望有個人能摸摸我，就算只是一個擁抱也好。

當然了，這個人絕對不是克里斯蒂安！

我腦中閃過片片記憶，那落在我身上的吻、那吻喚起的慾望，還有在睡夢中，我是怎麼確定吻我的那個人一定是迪米特里。

我哆哆嗦嗦地站起來，感到疲倦而悲傷。我必須要擺脫這種奇怪的情緒，於是披了件睡袍，趿著拖鞋走出房間。

下樓來到浴室，我往臉上潑了幾捧涼水，抬頭瞪著鏡子。鏡中人也在看我，她的頭髮亂糟糟的，眼睛佈滿了血絲，看起來嚴重睡眠不足，可卻一點都沒有繼續回去躺下的慾望——我可不想冒著再發生那種事的風險繼續睡，我需要讓自己清醒，忘記自己看見的。

出了浴室，我轉身來到樓梯口，踮著腳走下樓。

宿舍的一樓鴉雀無聲。此刻雖然正值「正午」，但對吸血鬼來說卻是「子夜」，他們通常都在夜間出沒。我悄悄走到門廊邊，向大廳張望，大廳裡空無一人，只有一名莫里族的守衛坐在櫃台後面打著哈欠。

他漫不經心地翻著一本雜誌，眼睛幾乎瞇成了一條縫，很快翻完這本雜誌後，他又打了一個哈欠，轉了轉自己的椅子，將雜誌扔在身後的桌子上，伸手拿起一本沒看過的。

趁他轉過身的工夫，我壯起膽子，從他身邊溜過去，來到宿舍的大門前。我小心地將大門推開一條縫，心裡暗自禱告，希望不要發出聲響。在將門推開到可以通過一人大小的時候，我側身鑽了出去，一站到戶外，我立刻回身，輕輕地關上門，走進明媚的陽光下。

漂亮！那個傢伙頂多只會感到有一陣微風吹過而已。

凜凜的寒風撲面而來，帶來刺骨的痛，而這正是我需要的！

樹葉凋零的枝椏隨風搖擺，抽打著一旁宿舍的石牆，發出像指甲刮牆般的聲音。陽光穿透厚厚的雲層照著我，不斷提醒此時的我應當躺在床上，酣然入夢。

我瞇著眼睛看了一下太陽，拉了拉身上的袍子，緊貼著宿舍的牆，向它和體育館之間的那一塊地方走去，那裡的陽光沒有這麼強烈。

路上的融雪浸濕了我的拖鞋，可我一點也不在乎。身體的寒冷總好過不停地回憶克里斯蒂安的撫摸帶來的悸動吧！沒錯，現在正值蒙大拿典型的糟糕冬季，但我卻很喜歡。凜冽的寒風可以令我徹底清醒，幫我驅走那些殘存在腦海中的親暱場景。

我就這麼站著，出神地望著眼前的一叢灌木，驚訝地發現自己對莉莎和克里斯蒂安居然有了一絲妒意！

可以隨心所欲的感覺，一定是該死的好！莉莎一直說她也希望能夠像我能感應她一樣，感應到我的想法和感受，但事實上，她根本不知道自己有多麼幸運。

別人的想法侵入自己的腦中，自己的感受被他人的感受所代替的滋味，她一點都不瞭解；她也不知道當自己的愛情一無所成，卻分分秒秒都體驗著別人幸福生活的這種日子，是多麼的痛苦；她更不明白那種濃烈到讓人心痛的愛情，看得見卻摸不著，究竟是一種怎樣的煎熬。

我早已省悟了，埋藏自己的愛情便如同抑制自己的怒火，都在不停地囓噬自己的內心，直到終於受不了的那一天來到，徹底崩潰。

不，這些感受莉莎一點都不明白，她也無需明白。她可以繼續去享受她浪漫的愛情，不必考慮我的感受。

我的呼吸再次變得急促，曾經感受到的莉莎和克里斯蒂安深夜約會的甜蜜已經消失殆盡，這次是徹底的憤怒——憑什麼我苦苦追尋都無法得到的東西，對她來說卻是輕而易舉？

「妳在夢遊嗎？」突地，一個聲音從身後傳來。

我嚇了一跳，轉過身，迪米特里正看著我，滿是戲謔的神情。

這是什麼情況？正當我為自己待遇不公的愛情而煩惱時，這些煩惱的根苗卻自己送上門來了！我根本就沒發現他走過來，看來，我的「忍者功夫」不過爾爾。話說回來，我在出門前帶一把梳子會死嗎？我慌慌張張地用手耙梳著一頭長髮，動作滑稽得好像有隻死掉的小鳥掉在我頭上。

「我在檢查宿舍的保全，」我說，「真是糟透了！」

他微微一笑。我此時才真正感受到沁入體內的寒意，不禁開始想像他的長版皮大衣裡究竟會有多溫暖，我幾乎忍不住要撲過去，鑽進他的懷裡。

他像是一眼看穿了我，問道：「凍僵了吧？要披上我的大衣嗎？」

「我沒事。你在這裡做什麼？也來檢查保全嗎？」我搖了搖頭，打定主意不告訴他我的雙腳已經凍麻了。

「我就是保全，現在是我値班。」

學校的守護者經常在其他人都進入夢鄉的時候輪流巡視校園。血族這些不死的吸血鬼一直覬覦著莉莎這樣的活吸血鬼，也就是莫里族，但他們不會在大白天出現。反而是那些不守校規的學生一天到晚淨惹麻煩，比如說睡覺時間偷偷從宿舍裡溜出來。

「哦，幹得漂亮！」我說，「我很高興能爲驗證你了不起的跟蹤技巧而盡自己的微薄之力，現在我該走了。」

「蘿絲，」迪米特里抓住我的胳膊，雖然現在寒風徹骨、雪水凍人，我還是感受到一絲暖意。他身子一震，放開了我，好像被那暖意灼到了。「妳到底來這裡做什麼？」

他的語氣像是在警告我他不是傻子，沒那麼容易矇騙過關，我只好給他一個最接近事實的答案：「我作了個噩夢，需要出來透透氣。」

「於是妳就這麼出來了？沒想過自己會觸犯校規，也沒想到要穿件大衣？」

「就是這樣，」我說，「一語中的！」

「蘿絲……」此時的語氣表明他有些懊惱，「妳爲何總是這麼莽撞？」

「才沒有！」我反駁說，「我已經改了很多了！」

忽然間，他臉上戲謔的神情不見了，取而代之的是隱隱的憂愁。他仔細地看了我好久，久到我幾乎認爲那雙眼能夠望進我的靈魂。「說得對，妳確實變了！」

承認這點令他頗爲不快，可能是因爲他想起了三個星期之前發生的事情。當時，我和幾個朋友落入了血族的手中，我們能夠逃出來可以說是走了狗屎運，但這樣的狗屎運並不是每個人都有的……

梅森，這個對我一往情深的男孩遇害了！在心底深處，我恐怕永遠也無法原諒我自己，哪怕我已經手刃殺了他的傢伙。

我的人生因此又蒙上了一層陰影……好吧！是聖弗拉米爾學院的每個成員都因此而蒙上了一層陰影，只是我的陰影尤其黑暗。所有人都注意著我有什麼變化，可我並不希望迪米特里也是如此，於是隨便說了個笑話來分散他的思緒。

「不用擔心，馬上就是我的生日了，滿十八歲就是個成年人了，對吧？我保證當我那天醒來的時候，會是個成熟的好女孩。」

如我所願，他皺緊的眉頭舒展開，露出一抹不易爲人察覺的微笑。「當然，對此我深信不疑。還要等多久？一個月？」

「三十一天。」我一本正經地更正道。

「看來妳對它『一點都不重視』！」

我聳了聳肩，他笑了起來。

「我猜妳還很『不重視』地列了張想要的禮物清單，有十頁這麼多嗎？是不是還特別調整了單行間距？我猜妳肯定還編了號碼，列出輕重緩急。」他仍然笑意盈盈，這種輕鬆且發自肺腑的笑容，很少在他臉上見到。

我本想順著他的話繼續開玩笑，腦海中卻又浮現出莉莎和克里斯蒂安的那一幕，悲傷和空虛再次填滿了我。所有我曾渴望過的禮物，比如新衣服、新電腦什麼的，突然間都失去了它的意義。和我心底唯一的渴求比起來，物質上的滿足又算得了什麼呢？

老天！看來我是眞的變了！

「不，」我用幾乎聽不見的聲音說道，「我沒有想要的生日禮物。」

爲了能看到我的表情，他微微低下頭，幾綹及肩的髮絲落到他的臉上。他的頭髮和我一樣是褐色的，但沒有我的顏色那麼深，我的頭髮有時看起來幾乎像是黑色。他將滑落的頭髮攏到一邊，但那些調皮的髮絲馬上又滑了下來。

「我不相信！那樣的生日會有多無趣？」

自由。我在心底嘆息，那才是我長久以來唯一渴望的生日禮物，能讓我自主選擇的自由、能讓我愛我所愛的自由。

「也還好啦！」我敷衍地說道。

「妳是怎麼……」他沒再說下去。

他懂了！他總是如此懂我！這也是我們之間爲何一直羈絆不清的原因。要知道，我們的年紀相差了足足七歲，但去年秋天，從他成爲我的格鬥老師那一日起，我們便淪陷了！

隨著我們之間情感的激蕩，有更多比年紀還重要的事需要去考慮。

莉莎畢業後，我們都會成爲她的守護者，我們絕不能因爲私情，而分散了應該放在她身上的注意力。當然了，我從不認爲我們的愛會因此而消失得無影無蹤。

我們都有脆弱的時候，而那時，我們會偷偷親吻，或者說一些本不該說的話。在我從血族手裡逃出來之後，迪米特里曾經對我說他愛我，而且發誓他只會愛我一個人，可事實是，我們仍然不能在一起！我們只能退回原來的位置，彼此保持距離，假裝我們之間只是嚴格的師生關係。

他企圖不著痕跡地轉移話題，說道：「妳可以不承認，但我知道妳凍壞了！我們回去吧！我帶妳從後門進去。」

我忍不住感到驚訝。一般我們碰到這種令人尷尬的話題時，企圖迴避的那個人很少會是他。事實上，他在強迫我和他討論我不願面對的問題這方面，可以算得上是「臭名昭彰」，可一旦涉及我們之間的禁區，亦即我們之間糾纏不清的關係時呢？很顯然，他今天不想對此發表意見。

沒錯！今時確實已經不同往日了。

「我認爲怕冷的人是你，」我們繞過實習生的宿舍時，我揶揄他說，「你在西伯利亞住過，不是應該習慣了嗎？」

「西伯利亞可不是妳想的那樣。」

「在我的想像中，西伯利亞是非常寒冷的一片荒原。」我老實承認。

「果然不是妳想的那樣。」

「你會想念那裡嗎？」我偷偷向後瞥了一眼，問道。

我以前從來沒想過這件事，在我的想法裡，所有人都希望住在美國……呃，好吧！至少沒有人希望住在西伯利亞。

「每時每刻都在想。」他說，聲音裡帶著淡淡的哀愁，「有時我希望……」

「貝里科夫！」突地，在我們身後，一個聲音隨風飄來。

迪米特里喃喃地說了些什麼，然後一把將我推得遠遠的，推回了我們剛剛繞過來的轉角後面。

「別出來！」

我蹲下身，藏在宿舍旁邊種著的一排冬青樹的後面，茂密而又鋒利的葉片劃傷了我身上裸露出來的部分，不過，比起外面的天寒地凍和我的午夜散步有可能被發現，這些小傷就算不上什麼了。

「妳沒在崗位上。」過了一會兒，我聽見迪米特里說。

「嗯，因爲我有話要對你說，」我認出了這個聲音，是奧伯黛——學院守護者的隊長。「你參加公審的時候，我們需要重新安排守衛的值班表。」

「知道了，」他說，聲音顯得很滑稽，幾乎可以說是窘迫。「這會給大家添麻煩，時間安排得太不湊巧了！」

「誰叫女王只按自己的行程來定呢！」奧伯黛的聲音聽起來有些鬱悶，我想知道這到底意味著什麼。「莎莉斯特會接替你值班，在訓練期裡，你的任務則由她和埃米爾共同分擔。」

訓練期？下個星期迪米特里沒有任何訓練課程要上，因爲……啊！是實戰演習！那是從明天開始算起的六個星期裡，所有實習生都要參加的一次演習。我們不用上課，只需要晝夜不眠地保護莫里族，接受老師們對我們的測試。

訓練期一定是和迪米特里要外出的時間撞上了，可是，奧伯黛說的「公審」是什麼意思呢？是指學年末我們要接受的最終測驗嗎？

「她們說不介意多做一些工作，」奧伯黛繼續說，「不過我還是想問問看，你是不是可以在走之前替她們多分擔一些工作？」

「當然。」他說，仍然是言簡意賅。

「謝了！你幫我了一個大忙。」她嘆了口氣，「眞希望我知道這次公審要持續多久，我可不希望離開這裡太久。你肯定認爲達什科夫的罪名必然成立了，可我最近聽說女王對於囚禁一名身分如此顯赫的貴族，也感到很苦惱呢！」

達什科夫!?我一下僵住了，身上的寒意與此時的氣溫毫無關係。

「我相信他們會作出公正的裁決。」迪米特里說。那一刻，我明白了他爲什麼不願談論此事，這些事本不是我應該知道的。

「但願如此。我只希望他們說話算話，用不了幾天公審就可以結束。呼……這外面太冷了，你要不要去我那兒喝杯咖啡，順便再確認一下値班表的安排？」

「當然，」他說，「我先處理完這裡的事。」

「沒問題，一會兒見。」

一切又恢復平靜，但我必須等奧伯黛走遠了才可以出來。

奧伯黛的背影消失在遠處，迪米特里這才轉過身來，走到我藏身的冬青樹前。我從樹後跳起來，他的表情告訴我，他已經知道接下來我想做什麼了。

「蘿絲……」

「達什科夫!?」我喊道，但仍然記得壓低聲音，以免驚擾到奧伯黛。「是指維克多．達什科夫嗎？」

他沒打算否認。「對，就是維克多．達什科夫。」

「你們剛才說的是……你是說……」我太震驚、太激動了，幾乎無法完整地將自己的想法拼湊在一起。「我以為他已經被關起來了！你們是說，他還沒有被定罪？」

眞是太令人難以置信了！他們說的是維克多．達什科夫，那個綁架了莉莎、對她的身體和心靈進行雙重折磨，只為了得到她的能力的老傢伙!?

所有的莫里族都有一種與生俱來的能力，可以控制土、氣、水、火四種元素中的其中一種，但莉莎不同，她的能力非常罕見，是屬於第五種元素——精神能力。她能夠治癒任何傷痛，包括起死回生，而這正是我和她之間有心電感應的原因，也有人稱我是她的「影吻者」。

在一場車禍中，她將我從死神手裡搶了回來，卻永遠地失去了自己的雙親和哥哥，就這樣，我們兩個被緊緊地綁在一起，我可以感受到她的想法、體驗到她的感受。

維克多比我們兩個還早發現莉莎的這種能力，他想把她囚禁起來，為己所用，成為自己的「不老泉」。為此，他不惜殺掉所有妨礙到他的人，而他在對付我和迪米特里的時候，使用的手段更加卑劣！

這十七年以來，我樹敵無數，但是從沒有人能像維克多．達什科夫一樣，令我對其恨之入骨——至少在「活人」當中，無人可出其右。

迪米特里的這種表情，我再熟悉不過，每當他認為我有可能暴走的時候，都是這副樣子。

「他已經被關起來了，不過還沒有接受公審。有時候，法律程序會花上一段很長的時間。」

「這麼說，公審就要開始了？你也要參加？」我從牙縫裡一個一個擠出這些字，盡量表現得克制冷靜，可我懷疑自己臉上仍然掛著那副「我想揍人」的表情。

「下星期。他們要求我和其他幾名守護者出庭，爲那天晚上發生的事情作證。」他在提到四個月之前發生的那件事時，臉色變了一下，這表情代表著什麼我也知道，那是當他關心的人身陷危難時，才會出現的可怕並充滿保護慾的表情。

「你或許會覺得我瘋了，不過……呃……我和莉莎可以跟你一起去嗎？」我已經猜到了他的答案，而我討厭這答案。

「不可以。」

「不可以嗎？」

「不可以。」

我雙手扠腰。「聽著，既然你要說的是關於我們的事，那我請求你帶我們一起去，難道不是很合理嗎？」

迪米特里現在又切換到了絕對的「嚴師模式」，他搖了搖頭。「女王和其他的守護者都認爲妳們最好不要出現。我們提供的證據已經足夠了，而且，不管他的罪名是否成立，他都是……『曾經是』現今最有權勢的貴族之一，那些知道這次公審的人，都希望能夠低調進行。」

「那又怎麼樣？難道你認爲帶我們去，我們會大嘴巴得搞得人盡皆知？」我喊道，「去你的！你眞的認爲我們會做出這種事嗎？我們只是想親眼看見維克多被判有罪，然後在監獄裡待一輩子……不對！最好比一輩子還要久！更何況，他還有一線希望能夠逃脫罪責，因此你更應該帶我們去了！」

在維克多被捕之後，他被關進了監獄裡，我本以爲故事到這裡便可以收尾結束，想當然地認爲他會被關起來一直到死，從來沒有想過還要先接受公審。

在當時，他的罪行根本就毋庸辯駁，然而，雖然莫里族的政府非常神祕，與人類的政府各行其道，但在實際運作的時候，有許多地方還是十分相似的，比如司法訴訟那一套。

「這不是我能決定的事。」迪米特里說。

「但是你有影響力，你可以幫我們求情，特別是如果……特別是如果他眞的有可能逃脫法律的制裁。」我的怒火稍稍減了些，突如其來的恐懼迅速蔓延心頭，我幾乎不敢說下去。「會嗎？女王眞的有可能把他放了嗎？」

「不知道，沒有人知道女王和那些貴族們心裡是怎麼想的。」一瞬間，他顯得有些疲憊。

他伸手從大衣的口袋裡掏出一串鑰匙，在手裡晃著。「我知道妳很生氣，但是我們現在不能再爭下去。我必須去找奧伯黛，妳也必須回去了。那把方形的鑰匙是後門的，妳知道是哪扇門吧？」

「好吧！謝啦！」我臭著臉，一點都不喜歡這樣，特別是在他幫我躲過了麻煩之後，可我就是控制不住自己。

維克多·達什科夫是個罪犯，甚至是魔鬼，他野心勃勃又貪得無厭，不惜踩著別人的屍骨往上爬。如果他重獲自由的話，眞不知道會怎麼對付莉莎和整個莫里族？這令我更加憤慨，渴望在他後面再踹一腳，讓他待在牢裡直到生命終止，可惜沒人給我這個機會。

我走了幾步，迪米特里從後面叫住我。

「蘿絲，我很抱歉……」他說完停了一下，懊悔的神情變得很小心。「妳最好明天就把鑰匙還給我。」

我轉回頭繼續走。這麼說可能不太公平，但我心底某處仍然很孩子氣地認為他是無所不能的，如果他眞的想帶我和莉莎去參加公審，我打賭他一定辦得到。

我快走到側門的時候，眼角餘光瞥見有什麼閃過，頓時垂頭喪氣起來。好極了！迪米特里給我鑰匙讓我偷偷溜回去，現在我卻被另一個人抓住了，這就是典型蘿絲．海瑟薇式的好運！

我做好了被老師審問在這裡做什麼的心理準備，轉過身打算為自己辯解，但是並沒有看到什麼老師。

這肯定是誰搞的惡作劇！

恍惚間，我懷疑自己是不是眞的已經起床了，也許我其實仍然躺在床上蒙頭大睡，噩夢連連，因為只有這個解釋能夠說明我面前的一切。

學院的草坪上，那棵盤根錯節的老橡樹下，有一個人影正對著我——

是梅森！

2

那是梅森！或者說……呃……看起來像是梅森！

他……或者是它，不管是什麼，總之很難辨認。我不得不盡力地瞇起眼睛，眨來眨去，才能勉強看清楚。他的身形影影綽綽，幾乎是透明的，在我眼前忽隱忽現。

從我見到的來判斷，沒錯！他絕對就是梅森！他單薄的身形，襯得他的膚色比我記憶中還要白，原本淡紅色的頭髮變成了水洗褪色後的橘紅，臉上的雀斑也幾乎都消失了。他身上的衣服還是我最後見到他時他穿的那一身——黃色的羊毛外套和牛仔褲，外套下面露出裡面綠色毛衣的邊，那些顏色同樣也是淡淡的。

他就像一張被人丟棄的照片，陽光的曝曬使其褪去了顏色，一圈非常微弱的光暈勾勒出他的身形。

最令我感到震驚的，並不是他已經不在人世的現實，而是他的表情——悲傷！非常非常悲傷！看到他的眼神，我的心都碎了，幾星期之前的記憶又如潮水般湧上心頭，悲慘的往事歷歷在目——他下墜的屍體、臉上屬於血族的那種殘忍的表情……我哽咽著，愣愣地站在那裡，動彈不得。

他也在認眞地看著我，表情是一如既往的悲傷、堅韌、肅穆。他張開嘴，好像要說話，然而又沒說出口。氣氛好似頭頂上懸了個千斤頂般沉重，他抬起手伸向我，我被這突如其來的舉動嚇得清醒過來。

不！這不是眞的！我什麼都沒有看見！梅森死了，這是我親眼見到的，我還抱過他的遺體！

他的手指輕輕地彎曲，好像在召喚我。我感到害怕，退了幾步，與他保持更遠的距離，等著看看會發生什麼。他沒有跟過來，只是站在那裡，伸著手。我在心裡默數了幾下，然後轉身就跑，差不多跑到門口的時候，我才停下來，朝身後瞥了一眼，同時平復自己的呼吸。

他剛剛站的地方……什麼都沒有！

我狼狽地跑回房間，把門緊緊關上，跌在床上，雙手仍在顫抖，腦袋裡不停地回想著剛才的事。

該死的！到底是怎麼回事？這不是眞的！不可能！絕對不可能！梅森死了，大家都知道死人是不可能復活的。哦……好吧！我活過來了，可是我們的情況並不相同。

毫無疑問，這都是我的幻覺，僅此而已。我不僅累昏了頭，而且還受到莉莎和克里斯蒂安的驚嚇，更不用說關於維克多．達什科夫的這條爆炸性新聞……也許，外面的嚴寒也凍壞了我的大腦。

沒錯！我越想就越覺得，對這件事的解釋可以有幾百種之多！

但是，不管怎樣寬慰自己，我仍然無法入睡。

我躺在床上，把被子拉到胸口，試圖將那幻覺從腦海中抹掉，不過卻是白費力氣，浮現在我眼前的，仍然是那雙充滿了深深悲傷的眼，它們似乎在說：蘿絲，爲什麼妳允許這種事發生在我身上？

我緊緊閉上眼睛，努力不再去想梅森。自從他的葬禮之後，我就一直很努力地思考將來，表現出堅強的樣子，可事實上，我總會情不自禁地想起他的死。我不分白天黑夜地自責，以此折磨自己——如果我在和血族戰鬥的時候，速度再快一點、力道再重一點，該有多好？如果我沒有告訴他血族的藏匿地點，該有多好？爲什麼我就不能對他的愛有一點回應呢？任何一種假設都有可能保住他的命，可我全沒做到，都是我的錯。

「是幻覺！」我的聲音迴蕩在黑漆漆的屋子裡。一定是我對他的思念太厲害了！但我已經每天晚上都夢見他，不需要在醒來之後再看見他。「那不是他！」

那不可能是他，因爲如果是的話，那只有一種解釋……好吧！那是我永遠都不願去想的事情。我會相信有吸血鬼、有魔法、有心電感應，可我堅信不會有鬼魂。

很明顯，那也不是夢。我在床上輾轉反側，腦子裡亂哄哄的，怎麼也停不下來。不過慢慢地，我好像還是睡著了，但，經過這樣一番折騰，我也沒辦法睡多久，最多不過幾分鐘。

對人類來說，白天的陽光可以幫他們驅逐噩夢和恐懼，我雖然無緣享受日光，醒來的時候天已經黑了，但是出門加入眞實的、生氣勃勃的人群中，也能收到同樣的效果。

我去吃了早餐，參加晨練，昨天晚上看見的，或者說「我自以爲看見」的那一幕，已經逐漸被我淡忘，那場際遇之後的怪異感受也變成了興奮。

終於來臨了！我們的實戰演練終於要開始了！

從今天起的六個星期之內，我都不必再去上課，可以整天和莉莎一起進進出出，唯一需要做的，就是每日塡寫半頁長的演練報告，但，那只是小意思而已！

當然，我要肩負起守護者的職責，不過這點我並不擔心，這根本就是我的第二天性。我們兩個曾經一起在人類的社會裡住過兩年，一直是我負責保護她。而在那之前，在我還是個新生的時候，曾經見過成年的守護者是如何在實戰演練中刁難實習生的。

處處都是陷阱，實習生必須小心提防，不能有絲毫懈怠，同時要作好在必要的時候進行防衛和進攻的準備。不過這些都難不倒我，我和莉莎雖然在二年級的時候就從學院逃跑，功課遠遠落在其他人後面，但多虧迪米特里為我進行的額外訓練，我很快就趕上了他們，現在已經是班上的優等生之一。

「嘿！蘿絲。」愛迪．卡斯托趕上我，和我一起走進了體育館。

這裡即將舉行實戰演練的配對，有一刻，我看著愛迪，心情沉重無比，覺得自己彷彿又面對著梅森那張悲傷的臉。

愛迪曾經跟我們一起被血族抓走了，同時被抓的，還有莉莎的男朋友克里斯蒂安，和一名叫作米婭的莫里族女孩。愛迪雖然僥倖活了下來，不過，當時他差一點也受到了死神的召喚。

看管我們的血族曾經以他的血為食，在我們被關押的期間，一直從他身上吸食血液，一方面是為了恐嚇我們，另一方面，則是為了刺激莫里族對獻血的渴望。血族的這種作法很成功，我被嚇壞了！

愛迪是梅森最好的朋友，也和梅森一樣活潑有趣，不過，自從我們獲救之後，他整個人都變了，如同我一樣。他仍然對人有說有笑，但是他的內心變得十分堅強，眼神中總是透著一絲陰鬱和肅穆，時刻警惕著會有最糟的事情發生。這改變完全可以理解，畢竟他親身經歷過這一切。

如同我對梅森的死非常自責一樣，我也一直爲愛迪的這種改變，和當初沒能幫他躲過血族的迫害，而感到內疚不已，我覺得自己虧欠了他，應該要保護他，或者盡量補償他什麼。

這事說起來也好笑，因爲我猜愛迪也想要保護我，他並沒有與我寸步不離什麼的，可還是被我發現他一直注意著我的一舉一動。在經歷了這麼多之後，他可能覺得他對不起梅森，所以要幫他看好他的女朋友。

我從沒想過要告訴愛迪我不是梅森的女朋友，正如我從沒有拒絕過愛迪儼如兄長一般的照顧。我當然可以照顧好自己，不過每當我聽見他警告其他人離我遠一點，告訴他們我還沒準備好再談戀愛的時候，我不覺得有必要去阻止他。

他說的都是眞的，我還沒有準備好。

愛迪揚起一邊的嘴角，令他拉長的臉顯出一點男孩子的淘氣。「妳很激動吧？」

「當然。」我回答。

同學已經在體育館一邊的長椅上落坐，我們找了個靠近中間的空位坐下來。

「這六個星期像是在度假，我和莉莎可以一直待在一起。」雖然有時我們的心電感應也會帶來困擾，但並不影響我成爲她的最佳守護者。我對她的行蹤和舉動瞭若指掌，一旦我們畢業走出校園，我便會被官方指定成爲她的守護者。

他一副了然的樣子。「是呀！我想妳用不著太操心，妳已經知道了畢業之後的去向，但我們這些人可就沒這麼幸運了！」

「你想要保護皇室嗎？」我揶揄他道。

「最近大部分的守護者，不是都被分派給皇室成員嗎？」

這話不假，像我這樣身上有著一半吸血鬼血統的拜爾族，人數已經不多了，而皇室成員在挑選守護者時，總是享有優先權。過去當莫里族的數量還很多的時候，皇室和平民的待遇相差無幾，都可以擁有自己的守護者，那時，像我們這樣的實習生如果想要被分派給身分顯赫的大人物，是需要搶破頭的！不過現在，幾乎所有的守護者都效忠於皇室家庭，因爲雖然我們族人的數量急劇下降，但皇室的人數跟我們比起來，更是少得可憐！

「不過，」我說，「我猜你仍然想知道會被分派給什麼人，對吧？我是說，確實有幾個捉襟見肘的莫里族人，不過大多數都還好，如果把你分派給一個特別有錢有勢的，你就可以生活在皇宮、去很多很棒的地方。」後面那句對我來說很讚，我經常幻想自己和莉莎去環遊世界的情景。

「沒錯！」愛迪贊同道，看向坐在前面的三個人，「妳肯定不會相信，那三個人覬覦伊瓦什科夫家的人和斯澤爾家的人很久了，雖然這回可能不會如他們所願，不過，我敢說他們已經開始爲畢業之後鋪路了！」

「嗯，不過實戰演練也會影響到最終的安排，我們的表現會被記入檔案的。」

愛迪又點了點頭，正準備再說些什麼，一個響亮的女聲打斷了我們的交頭接耳，我們都抬起頭來。原來，在我們聊天時，老師們已經聚齊在前面的主席台上，面對我們，筆直地站成一排。迪米特里也在其中，莊嚴肅穆、不可抗拒。

「好了。」奧伯黛正忙著集中學員的注意力，人群果然漸漸安靜下來。

她已經五十出頭了，身材削瘦又結實。看到她，我想起了昨晚她和迪米特里的談話。還是暫時將它拋諸腦後好了，不能讓維克多．達什科夫毀了這一刻！

「你們都知道今天坐在這裡的原因。」因爲既緊張又興奮，所有學員都不出聲，奧伯黛的聲音得以響徹整個體育館。「在進行最終測試之前，今天是你們學業生涯中最重要的一天。今天，你們將獲悉確切的人員安排。上個星期，我們已經將寫有後面六個星期詳細安排的手冊發了下去，你們應該已經都讀過了。」

我看完了，眞的，這輩子我恐怕沒有這麼認眞地讀過什麼手冊。

「爲了保證你們明白無誤，阿爾托守護者會詳細介紹有關本次演練的幾條主要守則。」

她將一個檔案夾交給守護者斯坦．阿爾托，他是我最不喜歡的老師之一，不過自從梅森走後，我們之間的關係緩和了一些，對彼此的瞭解也加深了一些。

「那麼，聽好了，」斯坦生硬地說，「負責守護的工作日爲星期一到星期六，這麼安排對你們這些傢伙已經很寬厚了，在眞正執行任務的時候，幾乎是沒有休息日的。你和接受你保護的莫里要寸步不離，不管他是去上課、回宿舍，或者是去進食。至於要如何融入他的生活，這是你們自己要調整的，有的莫里將自己的守護者當成朋友，但是有的認爲你的存在應該像幽靈，而且不能隨便跟他們交談。」

呃……他一定要用「幽靈」這個字眼嗎？

「每個人遇到的情況都不同，你和接受你們保護的人應該共同合作，找出對他們的安全最有保障的相處之道。你們隨時隨地都有可能會受到突襲，襲擊你們的人會穿一身黑色，記住，就算你們心裡很清楚襲擊的人是我們假扮的，而不是眞正的血族，也必須當作生命眞的受到了威脅，陷入緊急情況來處理，別害怕打傷我們。我想，有幾個人一定會連眉頭都不皺一下，想趁此機會報仇……」

底下的學生聽了，都笑了起來。

「不過有的人可能會手下留情，因爲害怕給自己惹上麻煩。不需要！如果你們沒有用盡全力，那麼惹的麻煩會更大！別害怕，我們招架得住。」

他將手上的文件翻到下一頁。「你們的工作時間不分晝夜，六天一歇，不過莫里睡覺的時候，你們也可以睡，只是要警惕。雖然血族很少在白天出現，也不大可能在學院的宿舍裡發動進攻，不過這些時候你們也不是『絕對安全』。」

斯坦又讀了幾條要注意的事項，可我已經聽不進去了。我知道這些，而且大家都知道，因爲環顧四周，我發現自己不是唯一一個心不在焉的人。興奮躁動的情緒在人群中暗湧，每個人都摩拳擦掌，睜大了眼睛，只想知道自己被分派給誰，大家都在等著這一刻。

斯坦終於結束了發言，將檔案夾交還給奧伯黛。

「好的，」奧伯黛說，「現在我開始點名，一個一個宣佈你們將會被分派給誰。我唸到名字的人請站到台前，柴思守護者將會發給你一個資料袋，裡面有你需要守護的莫里族資訊，包括行程安排和背景資料等等。」

我們都坐直了身子，交頭接耳，看她翻著手中的文件。

我身邊的愛迪喘著粗氣。「哦，老天！我希望他們能分給我一個好相處的，」他喃喃低語道，「我可不希望在未來的六個星期裡，過著地獄般的日子。」

我撞了撞他的胳膊，向他保證：「你會的。」我悄悄對他說：「被分派給一個好相處的人……我是說，你不會過得很痛苦。」

「瑞恩．埃利沃斯。」奧伯黛開始叫名。

愛迪哆嗦了一下，我也立刻想到了。從前，梅森．亞希弗德總是名單上的第一個，不管是在哪個班。可這種情況永遠不會再出現了！

「你被分派給卡米莉．康塔。」

「該死！」我們身後有人小聲說，很明顯，他希望和卡米莉一組。

瑞恩是坐在最前排的那幾個馬屁精之一，他走上去領資料袋的時候，嘴巴咧得大大的。康塔家是最近新崛起的一個皇室家族，有傳言說，他們家的其中一個成員是莫里族王儲的候選人之一，而且，卡米莉很漂亮，跟在她後面，對每個男生來說都不是件苦差事。

瑞恩昂首闊步的走路姿勢，顯示出他很是得意。

「迪恩．巴恩斯。」奧伯黛繼續唸道，「你分派給傑西．齊科洛斯。」

「呼……」我和愛迪同時吐了一口氣。如果我被分派給傑西，他可能需要再多加一個守護者——專門用來看守我。

奧伯黛繼續一個一個地唸名字，我發現愛迪微微滲出了汗珠。

「拜託！拜託分派給我一個好的！」他悄悄地說。

「會的，」我安慰他說，「會的。」

「愛迪．卡斯托。」奧伯黛唸道，愛迪緊張地嚥了口唾沫。「分派給瓦西莉莎．德拉格米爾。」

我和愛迪都愣住了。

因爲唸到了他的名字，愛迪不得不起身向講台走去。他停在講台前，飛快地回頭看了我一眼，有些驚慌失措，表情像是在說：我也不清楚是怎麼回事！眞的不清楚！

我開始變得慌亂，似乎整個世界都圍著我慢慢旋轉。奧伯黛繼續唸著名單，可我一個都聽不清。

到底出了什麼事？一定是有人搞錯了！莉莎應該是分派給我的，她必須分派給我，畢業以後，我就成爲她的守護者了，這麼安排根本說不通！

我的心怦怦地跳，看著愛迪走到柴思守護者面前，接過資料袋和訓練用的銀樁。他立刻低頭看了一下資料袋，我猜他是想要確認人名，看看是不是搞錯了。當他抬起頭時，那表情告訴我——那上面寫的確實是莉莎。

我深吸一口氣。沒關係，現在還不用慌，一定是哪裡弄錯了，可以改過來的。事實上，他們很快就會發現並且更正，當輪到我的時候又唸到了莉莎的名字，他們就會知道爲同一名莫里安排了兩個守護者。他們會立刻改正，將愛迪分派給別人的。

總而言之，學院裡還有很多莫里，數量比拜爾族要多得多！

「蘿絲瑪麗．海瑟薇。」我繃起身子，「分派給克里斯蒂安．歐澤拉。」

我只能眼睜睜地瞪著奧伯黛，不能動，也不知道該怎麼反應。不！她剛剛說的不是我想聽的！有幾個人發覺我沒有動，都回過頭來看我，可我仍然沒有回神。

這不可能！比起這件事，我昨天晚上看見梅森的幻覺還更眞實一些。

過了一會兒，奧伯黛也發現我沒有上去，她不耐煩地從檔案夾前抬起頭，環視著底下的學員。

「蘿絲．海瑟薇！」有人用手肘撞了我一下，覺得我可能沒聽見自己的名字。

一定搞錯了！他們肯定搞錯了！

我艱難地呑嚥了一下，起身走到柴思守護者面前，好像一個被人操控的提線木偶。他交給我一個資料袋和一根銀樁，我轉身走向一旁，爲下一個人騰出位置。

我仍然不敢置信地看著資料袋上的名字，再三確認：**克里斯蒂安．歐澤拉**。打開袋子，我看見他的生平，裡面還有一張近照、他的課程安排、他的家譜、他的個人簡歷，甚至還詳細地寫了他父母的悲劇，例如他們是如何選擇成爲血族，然後殺了許多人，最後終於被追殺直至死亡。

按照指導手冊上所說，到了這個時候，我們應該讀完資料、背上背包，然後在午餐時間去見我們要守護的莫里族人。隨著名單的公佈，許多同學都三三兩兩地在體育館裡徘徊，一邊熱烈地討論，一邊向自己的朋友展示自己手中的資料袋。

我逗留在一組人旁邊，謹愼地等著機會跟奧伯黛或者迪米特里談一談，由此可以看出我的耐心最近有長進，沒有在第一時間跳到他們的面前要求解釋。相信我，我眞的很想這麼幹，不過我卻捺著性子等他們將名單唸完，可那名單長得好像永遠都唸不完似的。唸這麼幾個人名，幹嘛花那麼長時間啊？

當最後一個實習生也被分派完畢，斯坦用蓋過我們議論紛紛的聲音，宣佈本次大會的下一項進程，並試圖重新將人群聚攏在一起。

我擠過人群，站在迪米特里和奧伯黛面前，他們兩個正輕鬆愉快地聊著天，談論著有關管理方面的問題，並沒有注意到我。

當他們終於看到我，我舉起手中的資料袋，指了指上面的名字。「這是怎麼回事？」

奧伯黛不明所以，有些疑惑。而迪米特里的表情告訴我，他也沒有想到會有這種安排。

「這是妳實戰演練的安排，海瑟薇小姐。」奧伯黛說。

「不對！」我咬著牙把話從牙縫中擠出來，「這不是！這是給別人的安排！」

「實戰演練的分派安排是不能隨意更改的，」她嚴肅地說，「正如在現實當中，妳的分派也不可以隨意更改。妳無權憑著個人的喜好和興趣去挑選要保護誰，現在不可以，畢業之後當然也不可以。」

「可是畢業之後，我就是莉莎的守護者了！」我喊道，「所有人都知道這件事，所以在實戰演練中，我也應該被分派給莉莎！」

「我知道畢業以後安排妳們兩個在一起已經得到了公認，可我不記得有規定說妳在學院的這段期間『只能』分派給她，妳要服從安排。」

「克里斯蒂安？」我將手中的資料袋狠狠摔在地上，「妳瘋了嗎？怎麼會認為我同意去守護他呢？」

「蘿絲！」迪米特里喝住了我，終於也加入這場爭論中。他的聲音那麼嚴厲、那麼尖銳，我顫抖了一下，有那麼一瞬甚至忘了自己剛剛說過什麼。「妳太過分了！不可以用這種態度和妳的老師說話。」

我討厭輸的感覺，尤其討厭輸給他，特別討厭在輸給他之後，還認爲他說得對。可我不得不承認，我氣昏頭了，而且還有嚴重的睡眠不足在雪上加霜。

我的神經繃得緊緊的，異常敏感，經常突然就覺得一點小事便令人難以忍受，那麼，像這種大事件呢？我要是能忍下來，簡直就是天方夜譚！

「對不起，」我極其不情願地說，「但這種安排還是蠢斃了！差不多與不帶我們去參加維克多．達什科夫的公審一樣蠢！」

奧伯黛詫異地眨眨眼。「妳是怎麼知道……算了，這件事我們待會兒再談。至於現在，對妳的分派就是這樣，妳必須服從。」

愛迪突然在我身邊開了口，聲音充滿了不安：「我不介意……我們可以換一下……」

奧伯黛用嚴厲的目光來回掃視了我們一遍。「不，完全沒有這個必要。瓦西莉莎．德拉格米爾已經分派給你了。」她又看向我，「而妳負責保護克里斯蒂安．歐澤拉。討論結束！」

「這蠢斃了！」我強調說，「我爲什麼要在克里斯蒂安身上浪費時間？畢業之後我要保護的那個人是莉莎。妳看起來好像希望我有良好的表現，那麼妳應該讓我和她一起進行實戰演練！」

「如果妳和她一起，妳的表現肯定會很好，」迪米特里說，「因爲妳瞭解她，而且妳們兩個還有心電感應。但是在某一天、某一個地方，妳可能需要去保護另一個莫里，妳必須學會如何去保護一個對妳來說完全陌生的人。」

「可我認識克里斯蒂安。」我嘟囔著說，「這就是問題所在——我討厭他！」

好吧！這種說法確實誇張了。我不喜歡克里斯蒂安，這是眞的，不過我也沒有那麼討厭他。正如我說過的，同心協力與血族抗爭的經歷，改變了許多事情。

再一次，我覺得自己的睡眠不足和越來越常見的暴躁，令我在許多事情上都反應過度了。

「這樣更好！」奧伯黛說，「不是每個妳保護的人都會是妳的朋友，也不是每個妳保護的人都是妳喜歡的——妳需要明白這點。」

「我要學的是怎麼跟血族戰鬥，」我用嚴厲的目光看著他們，準備亮出自己手裡的王牌。「而且，我曾經親手殺死過幾個。」

「比起技巧來，守護者的工作還有很多是妳需要學習的，海瑟薇小姐，比如說和藹的態度——如果妳有的話。關於這些，我們在課堂上並沒有提到很多，我們只教你們如何對付血族，你們需要自學如何應對莫里，對妳來說，特別要學一學如何與那些與妳交情不深、不是妳閨中密友的人交往。」

「而且妳還要學會如何保護那些當他陷入危險時，妳卻不能用心電感應來感應到的人。」迪米特里補充說。

「沒錯！」奧伯黛點頭同意，「那是妳的不足。如果妳想成爲一名優秀的守護者，那妳就要按照我們說的去做。」

我張大嘴巴想要反駁，告訴他們，比起保護別的莫里，保護一個我瞭解透徹的人更會讓我成爲一個優秀的守護者，但，迪米特里沒容我說出口。

「保護其他的莫里也能對莉莎的生命安全有幫助。」他說。

這句話成功地令我閉上了嘴，這是唯一一個能夠令我閉嘴的理由，該死的！他顯然清楚這一點。

「你這是什麼意思?」我問道。

「莉莎也有弱點，就是妳。如果她從來沒有機會與一個跟自己沒有心電感應的守護者相處，那麼萬一遭到襲擊，她就要冒極高的風險!守護者的工作重點是兩個人之間的關係，這次實戰演練，同時也是對她的一種考驗。」

我默不作聲，想著他說的這些話，覺得聽起來很有道理。

「而且，」奧伯黛補充說，「這是妳唯一的一個任務，如果妳不接受，那麼就退出這次實戰演練!」

退出?她瘋了嗎?這可不是隨便蹺堂課這麼簡單，如果我沒有參加實戰演練，那麼根本就畢不了業!

我想大喊說這不公平，但是迪米特里用眼神阻止了我，他黑色眼睛中的那抹堅韌冷靜，令我把想說的話嚥了回去，鼓勵我優雅地將這項任務接下來——至少盡我所能地優雅!

我不情不願地撿起資料袋，冷冷地說:「好吧!我會服從，但是我要先聲明，這不是我心甘情願的。」

「我想我們已經知道得很清楚了，海瑟薇小姐。」奧伯黛毫無感情地說。

「隨便!我還是認爲這個主意不怎麼樣，你們也會逐漸意識到的。」

我轉過身，氣沖沖地穿過體育館，沒等其他人再說什麼，與此同時，我也非常清楚自己這麼說有多像個潑婦，但是如果他們也闖入最好的朋友的閨房密事、撞過鬼、徹夜失眠，他們也會像個潑婦的。

再說，我還必須忍受和克里斯蒂安・歐澤拉一起度過六個星期，他刻薄、陰險，還喜歡挖苦見到的一切！

特別是……他和我太像了！

那將會是十分漫長的六個星期！

3

「妳的臉怎麼拉得這麼長？小拜爾。」

我正穿過廣場，向學校大廳走去，這時，空氣中飄來一股帶有丁香味道的香煙味，我嘆了口氣。

「艾德里安，我現在最不想看見的人就是你。」

艾德里安．伊瓦什科夫緊追幾步，趕上來與我肩並肩走著，向空中噴了一口煙，正好隨風飄到我面前。我伸手將煙揮散，極其誇張地假裝咳嗽起來。

艾德里安是我在上次滑雪旅行時「撿到」的一名莫里皇室，他比我大幾歲，和我們一起回到聖弗拉米爾學院，與莉莎一起研究精神能力，截至目前爲止，他是我們僅知的另外一名會使用精神能力的人。他狂妄自大、自私任性，大部分的時間都拿來抽煙喝酒和泡妞。他還對我展開熱烈的追求，希望把我騙上他的床。

「早看出來了！」他說，「自從回來之後，我就很少見到妳。如果我不是清楚這裡面的緣由，還以爲妳在躲著我呢！」

「我就是在躲著你。」

他重重地哀嘆了一聲，一隻手耙過他刻意保持凌亂，以顯自己時尚風範的油亮棕髮。「瞧，蘿絲，妳用不著時刻保持『我很難追』的樣子吊我胃口，妳早已俘獲了我的心！」

艾德里安心裡非常清楚，我才沒有跟他玩什麼欲擒故縱的愛情遊戲，可他就是喜歡說這種話逗弄我，以此取樂。

「我今天真的沒心情看你施展所謂的魅力。」

「到底出了什麼事？妳已經踩遍了每一個能踩的水坑，臉上還一副想把看見的第一個人狠揍一頓的表情。」

「那你怎麼還賴在這裡？不怕挨揍嗎？」

「噢，妳永遠都捨不得揍我的，我長得這麼英俊。」

「還沒英俊到可以補償將難聞有害的煙噴到我臉上的罪過！你膽子怎麼這麼大？學院是不允許吸煙的。艾比．巴蒂卡在她吸煙被發現之後，可是被關了兩個星期的禁閉呢！」

「我比校規大，蘿絲，我既不是這裡的學員，也不是老師，僅僅是憑自己喜好，遊蕩在你們美麗學院裡的一抹自由的靈魂罷了。」

「也許你現在應該繼續遊蕩到別處去了。」

「妳想讓我聽話，就要告訴我到底出了什麼事。」

看來我是躲不掉了！算了！反正他很快也會知道，每個人都會知道的。

「我被分派給克里斯蒂安，一起完成實戰演練。」

他聽完我說的話之後，短暫地沉默了一會兒，緊接著便爆發出一陣狂笑。「哇哦！現在我明白了。照這樣看來，妳的表現已經算很冷靜了！」

「我本來應該被分派給莉莎的！」我咆哮道，「眞不敢相信他們居然這麼對我……」

「他們爲什麼這麼做？是因爲畢業以後妳可能會被分派給別人嗎？」

「不是，他們只是認爲這樣做可以令我得到更好的鍛練，我和迪米特里還是會在畢業之後成爲她的正式守護者。」

艾德里安瞥了我一眼。「哦，我相信這對妳來說不是件容易的事。」

這絕對是全宇宙最詭異的事情之一——莉莎從來沒有懷疑過我對迪米特里會產生什麼特殊的情愫，艾德里安竟然察覺到了這點！

「我說過了，今天你說什麼都是不受歡迎的。」

我有一種預感，他可能已經喝過酒了！要知道，就算是在午餐時間，喝酒也還太早了些。

「這麼安排究竟有什麼不妥？反正克里斯蒂安和莉莎整天都形影不離。」

艾德里安一語道出了重點，但我可不會承認，他也點到即止，在快走到學校大廳的時候轉換了話題。

「我對妳說過妳的靈光嗎？」他突然問，聲調有些奇怪，似乎猶豫又好奇，這可不像他的作風。一般來說，他說話總是冷嘲熱諷的。

「記不清了。哦，對，說過一次，你說我的靈光好像變得很暗。怎麼了？」

靈光就是一圈光環，每個人都有，它的顏色和亮度，取決於每個人的性格和能量，只有精神能力的使用者才可以看見它。艾德里安自從有記憶之後便可以看到，但是莉莎還在學習中。

「很難向妳解釋，也許是我多慮了。」他在門邊停了下來，深深地吸了一口煙，然後向不會影響到我的方向吐出去，但是煙又被風吹了回來。「靈光是很奇妙的，它們飄忽不定，顏色和亮度隨時都會改變。有的生機勃勃、有的蒼白無力。每個人的靈光每隔一段時間便會穩定下來，持續同一個顏色，這靈光愈變愈烈，妳甚至可以……」他微微仰頭看著天空，我知道，這個姿勢代表著他陷入一種奇怪的「出竅」狀態。「妳甚至可以立刻參透它的含義，就像望進了人們的靈魂。」

我微微一笑。「但是你還沒看清我的……或者說『參透』我的顏色代表的含義？」

他聳聳肩膀，說道：「我正在參悟。當妳見識過各種各樣的人，透過交談摸清他們的個性，便能夠歸納出哪一種類型的人會擁有哪一種顏色，用不了多久，某個顏色所代表的含義，便不言自明了。」

「我的靈光現在是什麼樣的？」

他掃了我一眼。「呃……我今天的注意力不夠，看不清楚。」

「我就知道，你已經喝了酒了！」酒精以及特定藥物是會影響精神能力的效用的。

「只喝了一點，用來驅寒的。不過我能猜出妳靈光的樣子，基本上和其他人的差不多，都是一圈帶有顏色的光暈，只不過邊緣已經變黑了，就好像妳身後總跟著的影子。」

他說的這些令我心驚膽戰，儘管我聽過他和莉莎一起談論靈光，但從沒想過自己需要爲此擔心。

「眞令人感動！」我說，「你有沒有想過當一個人生導師？」

他恍惚的神情褪了去，又回到平時嘻皮笑臉的樣子。「別擔心，小拜爾，妳也許被烏雲籠罩，但對我來說卻永遠如陽光般燦爛。」

我翻了個白眼。

他扔掉手裡的煙頭，用腳踩了踩。「我該走了，待會兒見。」他非常殷勤地深深鞠躬，接著向他住的飯店走去。

「你剛剛亂丟垃圾！」我喊道。

「我可是比校規還大，蘿絲。」他喊回來，「比校規還大喲！」

我搖搖頭，撿起已經熄滅的煙頭，把它扔進大廳外的垃圾桶裡。

踏進室內，我甩了甩靴子上的污泥，溫暖的大廳令人變得心情愉悅。

沿著餐廳走過去，我發現吃午餐的人已經爲下午的活動作好了準備。在這裡，拜爾和莫里肩並肩地坐著，形成了鮮明的對比。

拜爾族因爲擁有一半的人類血統，身材較壯碩結實，雖然並不見得比較高。女實習生的身材比較豐滿，不像莫里族的女生那樣，苗條得過了頭，而男實習生的肌肉則比他們的吸血鬼主人更發達。莫里族的面容蒼白精緻，仿若瓷器，而拜爾族則因爲經常曝露在陽光下，皮膚曬成了古銅色。

莉莎自己坐在餐桌旁，亞麻色的秀髮披在肩頭上，加上身穿一襲白色的毛衣，令她看起來像是靜謐的天使。她抬頭看見我走過來，高興的心情透過心電感應傳了過來。

她微微一笑，「瞧妳拉長的臉。這麼說，傳聞是眞的了？妳眞的被分派給克里斯蒂安？」

我瞪了她一眼。

「殺了妳會不會令妳比較好過一點？」她舔掉勺子上最後一點草莓優酪，責備又好笑地看著我，「我是說，畢竟他是我的男朋友，我每天都和他在一起，所以事情並沒有糟糕到那個地步嘛！」

「妳的耐心多得像是聖母！」我咕噥著拉過一把椅子，無精打采地坐下來。「而且，妳也不必一天二十四小時地跟著他一個星期。」

「妳也不用，妳只要一天二十四個小時地跟著他六天就夠了。」

「沒什麼區別。」我揮揮手，不再胡說八道，轉頭茫然地環顧著餐廳。

餐廳裡，人聲鼎沸，討論著關於即將開始的實戰演練，估計要到午休時間結束才會停止。

卡米莉最好的朋友分到了瑞恩最好的朋友，他們四個人興高采烈地聚在一起，好像他們要開始的是長達六個星期的四人約會。

好吧！這場實戰演練至少還有人是樂在其中的！我嘆了口氣。

克里斯蒂安，我即將要負責守護的人，此刻正與餵食者在一起，餵食者是一些自願爲莫里族提供血液的人類。

透過心電感應，我發覺莉莎有事想對我說，因爲顧慮到我的壞心情，她強忍再三，沒有說出口，希望先確定我得到了充分的安慰。

「不用擔心我。妳想說什麼？」

她對我笑了笑，粉嘟嘟的嘴唇藏起了她的尖牙。「我獲得特許了！」

「特許？什麼特……」答案透過心電感應，比聲音更快地傳達給我。「眞的？」我大喊起來，「妳可以停藥了!?」

精神能力是一種非常奇特的力量，它酷斃了的能力才剛剛顯露冰山一角。但是，它卻有非常嚴重的副作用——令人變得抑鬱而瘋狂。艾德里安酗酒，拋開他熱愛狂歡的本性不說，有一部分原因也是爲了減弱他的能力帶來的副作用。莉莎用來抵禦副作用的方法就健康多了，她服用抗抑鬱的藥物，而這令她完全失去了施展魔法的能力。

她討厭這種不能使用能力的日子，可爲了不再發瘋，這樣的結果也可以讓人接受……好吧！我是這麼認爲的。要是莉莎將此當作一次瘋狂的實驗，她顯然不會認同我的想法，我知道，她一直等著可以重展魔力的那一天，可我並不認爲她已經作好了準備，也沒想到有誰會同意她這麼做。

「我必須每天去卡馬克夫人那裡報到，還要定期跟輔導員會談。」莉莎在說後面那句話時扮了個鬼臉，不過整體來看，她還是很高興的。「我已經等不及要看看我能從艾德里安那兒學到什麼了。」

「艾德里安只會教妳學壞！」

「他沒有強迫我這麼做，蘿絲，我是自願的。」我還來不及回答，她便輕輕地搖著我的胳膊。「嘿！聽著，別擔心，我已經好多了，而且還有許多人會照顧我。」

此時，克里斯蒂安穿過一排排桌子，從大廳那邊向我們走過來。時鐘上的指針顯示，離午休時間結束還有五分鐘。

「哦，上帝！苦難的歷程就要開始了。」

克里斯蒂安拉過一把椅子，坐到我們的桌子旁，調轉椅子，讓自己的下巴抵在椅背上。他撥開擋在藍眼睛前面的黑髮，朝我們露出沾沾自喜的微笑。我感覺到莉莎的心在他出現時，便已經飛走了。

「我已經迫不及待地想看好戲上演了！」他說，「妳和我一起會找到很多樂子的，蘿絲。我們可以一起挑挑窗簾、弄弄頭髮、講講鬼故事。」

聽他提到「鬼故事」，我像被觸動了什麼心事一般，有些不安，但這並不意味著我對挑窗簾和給克里斯蒂安弄頭髮有興趣。

我用力搖搖頭，站了起來。「我走了，給你們兩個留點時間，度過最後的兩人世界。」他們都笑了起來。

我向自助餐區走去，想看看還有沒有早餐剩下的甜甜圈，但只看見牛角麵包、餡餅和梨子口味的果泥。今天一定是餐廳最引以為傲的一天，那些油炸的麵團真的搶手到需要開口點餐了嗎？

突然，愛迪站到我面前，面帶愧疚地看著我。

「蘿絲，我真的很抱歉……」

我伸手示意他不要再說下去。「不用道歉，這不是你的錯，只要答應我你會盡全力保護她。」

雖然我這麼想很傻，因為她並非真的處於危險中，可我並不能停止對她的擔憂，特別是現在她的治療有了新的進展。

愛迪仍然非常嚴肅，很顯然，他不覺得我的請求有多麼愚蠢。他是少數幾個知道莉莎有特殊能力，而且她的能力還會有副作用的人，也許這正是為什麼選他來守護莉莎的原因。

「我不會讓任何人傷害到她的，我保證。」

我忍不住笑了起來，雖然我的心情並沒有變好。

愛迪跟血族相處的經歷，使得他在對待實戰演練這件事上，比任何一個實習生都要認真嚴肅。

除了我以外，他可能是負責守護莉莎的最佳人選了！

「蘿絲，妳真的揍了奧伯黛守護者？」

我轉過身，迎面走來兩個莫里，其中一個是傑西・齊科洛斯，另一個是拉爾夫・薩克茲。他們跟在我和愛迪身後，也走到了自助餐區，看起來比平時更加得意。

傑西擁有古銅色的皮膚、英俊的面容，以及敏捷的思維；拉爾夫沒有他來得有魅力，也沒有他那麼聰明。他們可能是整座學院裡我最痛恨的兩個人了，最主要的原因是，他們兩個曾經散播一個關於我的謠言，說我曾和他們兩個有一腿，後來還是梅森對他們施以老拳，才迫使他們向眾人澄清了眞相，但，我可不認爲他們會從此罷手，放棄報復我。

「揍奧伯黛？太難了吧！」我想回過身，但是拉爾夫還在滔滔不絕。

「我們聽說妳知道了被分派給誰之後，在體育館裡發瘋。」

「發瘋？我所做的只是……」我停了一下，謹愼地琢磨著措辭。「……表達我的意見。」

「好吧！」傑西說，「我猜如果需要有人一直盯著那個想墮落成血族的人，可能也只有妳了。妳可是這裡的大姊大！」

他勉強的語氣令他的話聽起來好像是在恭維我，可是我根本不這麼想。在他說出更多難聽的話之前，我便站到他的面前，近得幾乎可以碰到他的臉，他驚訝得瞪大了雙眼。

「克里斯蒂安和血族一點關係都沒有！」我壓低了嗓音說。

「他的父母……」

「他的父母是他的父母，他是他，千萬不要搞混了！」傑西曾經在我憤怒時作出了錯誤的選擇，很顯然，他對此印象深刻，恐懼與他想在我面前侮辱克里斯蒂安的念頭進行著激烈的戰鬥，出人意料的，後者勝出了！

「之前妳表現得好像被分派給他就是面臨了世界末日，現在妳又為他辯護？妳知道他是什麼樣的人嗎？他向來不喜歡循規蹈矩。妳敢說妳眞的不相信他會像他的父母一樣，一有機會便變成血族？」

「不相信！」我說，「絕對不相信！克里斯蒂安比學院裡任何一個莫里都更願意站出來對抗血族。」

傑西好奇地向拉爾夫擠了擠眼，然後才看回我。

「在斯波坎，他甚至和我一起跟血族戰鬥。他永遠不會變成血族！」

我絞盡腦汁，努力回想實戰演練中誰被分派給了傑西。對了，是迪恩！

「如果我聽見你散播這種謠言，迪恩可沒有能力從我手裡救出你！」

「還有我。」愛迪補充說。他也跟了過來，站在我旁邊。

傑西嚥了口唾沫，向後退了一步。「妳這個大騙子！妳不可能動我一根手指頭。如果妳現在動手，就永遠都畢不了業了！」

他說得對，不過，我仍然保持著笑容。「也許這麼做是值得的，我們何不試試看呢？」

話說到這裡，傑西和拉爾夫認為已經不宜在自助餐區再待下去了，他們轉身，大踏步離開，我隱約聽見幾個類似「瘋婆子」之類的詞飄過來。

「一群混蛋……」我喃喃自語，突然間，我高興了起來。「嘿！甜甜圈來了！」

我挑了一個巧克力口味的，隨後便和愛迪一起匆匆忙忙地去找我們要守護的莫里，準備上課。

他對我微微一笑。「如果不是我知道事情的原委，我得說，妳剛剛維護了克里斯蒂安的名譽。他眞是個大麻煩，不是嗎？」

「當然是，」我舔了舔手上沾著的巧克力，「他就是個大麻煩！但是在接下來的六個星期裡，他只是我一個人的大麻煩！」

4

終於開始了！

起初，一起照舊，和平時並沒有什麼不同。拜爾和莫里在上午分開，各自去上課，然後在午餐時會合，一起度過下午的時間。克里斯蒂安下午上的課和我上學期上的差不多，所以整個行程安排好像仍然依循著我自己的行程表，區別只是我不再是選修那些課的學生了。

我不必坐在課桌後，也沒有任何功課，但是整堂課都要和其他的實習生一起站在教室後面守護莫里，也讓我感到很不舒服。走出學院之後，這種狀態就會變成常態，莫里永遠是第一位，守護者只是他的影子。

我們這群守護者都有很強的衝動想要和周圍的實習生交談，特別是在莫里做自己的事情，或者他們自己聚在一起聊天的時候。但是我們沒有這麼做，頭一天執行任務的壓力和興奮，讓我們都希望自己有優秀的表現。

生物課之後，我和愛迪開始使用一種叫作「雙人守護」的貼身守護技巧。我擔任近身守衛，與莉莎和克里斯蒂安一起同行，以便迅速防衛；而愛迪則擔任遠程守衛，與我們保持一定的距離，以便擴大監視範圍，揪出任何潛藏的威脅。

我們按照這種模式度過了整個下午，今天的最後一堂課馬上就要開始了。莉莎飛快地輕啄了一下克里斯蒂安的臉頰，我知道，他們要分開了。

「你們兩個這學期沒有選相同的課嗎？」我沮喪地邊問邊走到大廳的一邊，避開擁擠的學員。愛迪已經看出我們要分開行動，停止了遠程守衛，走來與我們道別。我不知道莉莎和克里斯蒂安這個學期的課程安排為什麼會不一樣。

莉莎看出我的失望，安慰地對我笑笑。「對不起，我們下課之後還會在一起做功課，不過，現在我要去上創意寫作課了。」

「而我，」克里斯蒂安驕傲地說，「也必須要去上烹飪技巧課了。」

「烹飪技巧？」我失聲叫道，「你選修了烹飪技巧？那恐怕是有史以來最愚蠢的課了！」

「才不是呢！」他反擊道，「就算它很愚蠢……嗯嘿，反正這是我最後一學期了，對不對？」

我發出不滿的呻吟。

「算了！蘿絲。」莉莎笑道，「只不過一堂課而已，不會那麼……」

她的話被大廳遠處的騷動打斷，我們和附近的所有人都停下了自己的事，目不轉睛地看著。我的守護者老師埃米爾不知道從什麼地方跳出來，她扮成血族，正迅速向一名莫里族的女生接近。

她將她拉過來，壓在自己的胸口上，露出她的脖子，做出要咬她的樣子。我看不出那個女生是誰，只看見她一頭亂糟糟的棕髮，不過倒是看清了分派給她的實習生是肖恩．瑞易斯。

這次突襲令他目瞪口呆，要知道，這可是實戰演練的第一天。不過他立刻回過神來，從旁邊向埃米爾進攻，將女生奪走的時候，動作只是稍顯笨拙。他們兩個人打成一團，所有人都看得熱血沸騰，甚至有幾個吹起口哨，大喊大叫，興高采烈地為肖恩加油。

其中一個起鬨的人就是瑞恩．埃利沃斯，他全神貫注地看著這場打鬥——肖恩正揮舞著他訓練用的銀樁，已經快要贏了——所以並沒有發現有另外兩名成年的守護者正悄悄地接近他和卡米莉。我和愛迪同時發現了這點，繃緊了每根神經，本能地向前幾步，護住莉莎和克里斯蒂安。

「保護他們。」愛迪對我說。

他向瑞恩和卡米莉走去，他們剛剛才發現自己成為了襲擊的目標，瑞恩的反應不如肖恩那樣敏捷，特別是他的對手還有兩個！其中一個守護者分散了瑞恩的注意力，而另一名守護者則抓住了卡米莉。我剛剛才看清楚，那個人居然是迪米特里！

卡米莉尖叫起來，她的害怕並不是裝出來的，很明顯她沒有像我一樣，認為被迪米特里抱著有多麼激動人心。

愛迪向他們走去，從後面縱身一躍，落下時，手肘正好順勢從側面打到了迪米特里的頭。這對迪米特里來說算不上什麼，但我仍然吃了一驚，我和他訓練了這麼長時間，很少能對他揮出這麼有效的攻擊。愛迪的出手迫使迪米特里放開卡米莉，他轉了個身，優雅得像名舞者，向愛迪撲去。

與此同時，肖恩已經「刺死」了他負責的「血族」，可以騰出身來幫助愛迪，他向迪米特里的另一邊移動。

我看著這一幕，拳頭因為激動而攥得緊緊的，密切地關注著整個戰局，特別留意迪米特里這邊。我很驚訝，居然有人擁有魔鬼般的本領，卻長著天使般的臉孔。我很希望自己也能參戰，但更加清楚我必須時刻注意著周圍的動向，以防還有別的「血族」襲擊我們。

不過，沒有其他的了，肖恩和愛迪成功地「幹掉」了迪米特里，我的內心深處有一點難過，因為希望迪米特里是戰無不勝的。不過，想來插上一腳的瑞恩卻沒能成功，從技術上說，迪米特里已經「殺死」了他，我有些糾結地略感安慰，想著迪米特里仍然是一個強大的「血族」。

他和埃米爾表揚肖恩的快速反應，以及愛迪的團隊合作精神，我與愛迪的分工合作也得到了認可，而瑞恩則因為沒有將注意力放在他守護的莫里身上，而得到了懲罰。

我和愛迪彼此相視一笑，這種喜悅已經超過在第一輪測試中獲得高分的歡喜。我雖然有點介意並沒有在當中發揮重要的作用，但是對整個實戰演練來說，這種開始並不太壞。我們擊掌慶祝時，我偷瞄到迪米特里無奈地搖了搖頭，轉身走掉了。

好戲收場，我們的四人小組也要解散了。

莉莎回過頭，又對我笑了笑。「祝妳烹飪課上得開心！」

透過心電感應，一切盡在不言中。我不由得翻了個白眼，但是她和愛迪已經消失在轉角處了。

「烹飪技巧」聽起來很是吸引人，但是說真的，那只不過是一堂叫起來好聽點的烹飪課。雖然我嘲笑克里斯蒂安時說這門課很愚蠢，但我對它多少還是有點敬意的，畢竟我是個連開水都很少燒的人。可它與「創意寫作課」或者「辯論課」還是有很大的不同，我毫不懷疑克里斯蒂安選它只是因為好混，並不是因為他以後想要當一個廚師。幸好我還能從看他和麵和做蛋糕當中找到一點樂趣，也許他還會穿圍裙呢！

這堂課還有另外三名守護著莫里的實習生，有鑒於這間寬敞的烹飪教室是開放式，又有許多窗戶，我們四個人制定了一個守護計畫，決定透過合作守護整間教室。去年我看其他實習生進行實戰演練時，只把重點放在打鬥上面，從沒有注意過實習生之間的團隊合作和戰略部署方面。

理論上，我們四個人只負責看守各自分派的莫里，但是我們已經進入了角色，認爲我們需要保護的是整個班級。我站的地方是靠近壁爐的教室門口，從這裡可以通往外面的校園，湊巧的是，門的旁邊正好是克里斯蒂安的料理台。

一般來說，學生們都是兩個一組，不過選修這堂課的學生人數剛好是奇數，比起三個人湊在一起，克里斯蒂安選擇了一個人單獨上課，別人對此似乎也沒有異議，畢竟還是有很多像傑西一樣的人，對他和他的家庭持有偏見。

看見克里斯蒂安做的不是蛋糕，我有些失望。

「那是什麼？」看見他從冰箱裡拿出一碗絞碎的生肉，我問。

「肉啊！」他說著，將碗裡的肉倒在砧板上。

「我知道是肉，你這個白癡。什麼肉？」

「絞牛肉餡。」他又拿出兩碗。「這碗是小牛肉、這碗是豬肉。」

「呃……你是不是養了一隻暴龍？」

「只有妳才會養那些東西！這是用來做夾肉麵包的。」

我瞪大了眼睛。「要用三種肉？」

「如果妳吃的東西沒有肉，幹嘛要替它取名叫夾肉麵包呢？」

我搖搖頭。「眞不敢相信這只是實戰演練的第一天！」

他低下頭，聚精會神地將三種肉攪拌在一起。「妳肯定費了好大的力氣才說服自己。妳就眞的那麼討厭我嗎？我聽說妳在體育館喊得撕心裂肺的。」

「不，我沒有，而且……我也不是那麼討厭你。」我老實說道。

「妳只不過是拿我當出氣筒，因爲妳沒有被分派給莉莎。」

我沒有回答。看來他不是那麼遲鈍嘛！

「妳知道嗎？」他繼續說，「也許和不同的人一起訓練，對妳來說有好處。」

「我知道，迪米特里也是這麼說的。」

克里斯蒂安將攪拌好的肉餡盛進碗裡，開始調味。「那妳還有什麼想不通的？貝里科夫知道他在做什麼。我相信他說的任何事。雖然我們畢業以後他就不在這裡了，這令人覺得很遺憾，但我很高興有他守護莉莎。」

「我也是。」

他停了一下，抬起頭看著我的眼睛，我們兩個都笑了——我們居然能在某一件事上達成共識，令人震驚之餘又覺得好笑。

過了一會兒，他繼續手裡的工作。

「妳也很優秀。」他說，並沒有顯得特別不情願。「妳對事情的執著……」

他沒有把話說完，可我知道他指的是什麼。在斯波坎，我殺死血族的時候他並不在場，但是我們能順利逃出來，他是有功勞的。我們兩個一起想到，可以用他控制火的能力幫我打敗看守我們的人，我們的合作天衣無縫。

「我猜我們可以相處得更好，用不著一直打嘴仗。」我喃喃地說。

有一刻，我在猶豫要不要把我所聽到關於公審的事告訴克里斯蒂安，去年秋天的那個晚上，他也在場。不過，我最後還是決定暫且不提，莉莎應該是第一個聽我說的人。

「沒錯，」克里斯蒂安附和著，但他並不知道我心裡的想法。「振作起來，我們的分歧沒有那麼大。我是說，雖然我比較聰明、比較幽默，但是說到底，我們兩個都希望她安全無恙。」他猶豫了一下，補充道：「妳知道，我不會把她從妳身邊搶走的。我做不到，其他人也做不到，因爲，妳們兩人是有心電感應的。」

我很詫異他竟然主動提起這個話題。老實說，我曾經想過爲什麼我們兩個這麼喜歡鬥嘴，原因無非有兩個——第一，我們兩個天生就喜歡和人拌嘴；第二，也是最重要的一個原因，就是我們都很嫉妒對方跟莉莎的關係。不過，正如他所說的，我們的出發點都是一樣的，我們都很關心她。

「你也不用擔心我們的心電感應會分開你們兩個。」我說。我知道這個問題一直在困擾他，當你和一個人陷入熱戀的時候，怎麼會不介意她和另外一個人有著強烈的關聯？哪怕這人只是她的好朋友。「她很在乎你……」我實在說不出「愛」這個字。「你在她心中的地位是沒有人可以代替的！」

克里斯蒂安將盤子放進烤箱。「不用妳說我也知道。我們親暱擁抱、給對方取可愛的綽號時，我自己感覺得到。」他試著對我的感謝表現出厭惡，不過我敢打賭，他聽到我說莉莎很在乎他時非常高興。

「我已經給你取綽號了，不過如果我當眾這麼叫你的話，很可能會給自己惹上麻煩。」

「啊哈！」他輕快地說，「這才是我認識的蘿絲。」

趁著等夾肉麵包烤熟的期間，他跑去找人聊天，這是避免尷尬的最佳辦法。我守衛的門口是極易遭受攻擊的地方，本就不應該擅離職守和人聊天，哪怕整個班的人都在閒聊。我看到教室的另一邊，傑西和拉爾夫在一起忙，他們和克里斯蒂安一樣，都想找一堂簡單的課打發時間。沒有突然襲擊，倒是一個名叫達斯汀的守護者跑來檢視我們這些實習生的護衛工作。

傑西到這邊閒逛的時候，就站在我旁邊，起初，我以為他只是路過，結果他開口說了話。

「我收回之前說過的話，蘿絲。我看出來了，妳生氣不是因為莉莎，也不是因為克里斯蒂安，而是因為按照守則，妳只能守護學員。艾德里安．伊瓦什科夫太老了，我聽說，你們兩個已經做了許多那種觀摩彼此身體的練習了。」

這種笑話本來可以收到更好的效果，不過我已經學會不將艾德里安和我的事情放在心上，但是，傑西仍然對我在體育館裡威脅他的事耿耿於懷，現在是他報復我的最佳時機。

達斯汀雖然聽見他說了什麼，但是他對傑西愚蠢的嘲諷並不感興趣，他可能會提起興趣的時候，大概是我把傑西的臉按進牆裡時。

但這並不代表我就會忍氣吞聲，守護者是可以跟莫里說話的，只不過要用恭敬的語氣，同時也要留意四周，所以，我對傑西微微一笑，簡單扼要地說：「你的妙語如珠總令人那麼愉快，齊科洛斯先生。我幾乎要忍俊不禁了！」說完，我轉過頭去，觀察教室裡的其他地方。

當傑西終於發現我不會拿他怎麼樣之後，大笑著走開了，顯然認為他取得了偉大的勝利。

達斯汀又逗留了一會兒，便離開了。

「混蛋！」克里斯蒂安嘟噥著回到自己的料理台，還有五分鐘就要下課了。

「你肯定聽到風言風語了，對吧？我很高興能成爲你的守護者。」我說道，眼睛一直盯著傑西。

「如果妳是拿我和齊科洛斯來比，我可不認爲這是對我的恭維。給妳，嘗嘗這個，那妳就會發自內心地高興了。」

他的傑作已經出爐，遞給我一片。我還沒有反應過來，他在麵包裡又夾了一片培根，一古腦地塞進我的嘴裡。

「哦，仁慈的主啊！」我叫道，「這絕對是我吃過最傳統的吸血鬼食物！」

「如果放的是生肉，那才叫最傳統。味道怎麼樣？」

「不錯！」我不情願地承認。沒想到放了培根居然會這麼好吃！「非常不錯！我認爲你作爲一名家庭主夫，前途十分光明。就讓莉莎出去工作，賺大把大把的鈔票回來吧！」

「太好了！那正是我的夢想。」

我們懷著輕鬆愉悅的心情走出教室，氣氛變得更加友好了，我認爲自己可以搞定需要保護他的這六個星期。

他和莉莎約在圖書館碰頭，準備一起自習，或者是假裝自習，不過他要先回宿舍一趟。我跟著他穿過廣場，重新走進冰冷的空氣中體會寒冷。太陽在七個小時以前就落下了，小徑上的積雪，白天已經被炙熱的陽光融化成一攤泥水，現在又重新凍成冰，令行人舉步維艱。

一路上，我們和一個叫作布蘭頓的莫里同行，他和克里斯蒂安住同一棟宿舍。布蘭頓滔滔不絕地說著他在數學課上見到的打鬥場景，攔都攔不住。我們聽著他眉飛色舞地講著，都不住地嘲笑奧伯黛居然從窗戶逃走了。

「她或許上了年紀，可她要是想收拾我們，簡直不費吹灰之力！」我對他們說。

我奇怪地看著布蘭頓，他的臉上青一片、紫一片的，耳朵附近也有幾道奇怪的劃痕。「你的臉是怎麼回事？你也衝上去幫忙打架了？」

他的笑容瞬間消失了，扭開臉不願看我。「沒有，我只是摔倒了。」

「少來！這是世界上最老套、最沒有創意的藉口了！」我說。

也許莫里族不像拜爾族一樣受過專門的訓練，但是他們之間也常常會有爭鬥。我試著回想到底有沒有別的莫里和他有過矛盾，布蘭頓大部分時候都挺討人喜歡的。

「是眞的。」他回答，仍然不敢看我的眼睛。

「如果有人欺負你，我可以教你幾招。」

他轉過身，緊緊地盯著我。「就這麼算了吧！」他沒有生氣或是不高興，但是語氣中帶著不容置疑的堅定，好像他相信只要這麼說，我就會乖乖就範。

我暗自好笑。「你想做什麼？對我催眠……」

突然，我瞥見左邊有動靜，一個輕巧的身影正藉著雪松的遮掩向這邊移動。這點風吹草動已經足夠引起我的注意了，斯坦的臉孔在移動中若隱若現。

終於來了！我的第一次測試。我的腎上腺素立刻飆升，好像即將面對的是眞正的血族。

我立刻做出反應，跑去護住布蘭頓和克里斯蒂安，這永遠是守護工作的第一步——把我自己擋在他們前面。我猛地將他們推到一旁，轉身面對偷襲者，伸手去拿我的銀樁。

就在這時，「他」又出現了！

梅森就站在我前面幾步遠的地方，在斯坦的右邊，和昨晚一模一樣——半透明的、散發著微光、一臉悲哀。

我背上的汗毛都豎了起來，愣在那裡，動彈不得，打算去拿銀樁的手就這麼懸在半空。我想不起自己要做什麼、看不清周圍的人，也聽不見別人的議論，整個世界都停滯了，周圍一片空白，只有梅森，那如鬼魅般的梅森，在漆黑的夜裡發著微光，彷彿急切地想要對我說些什麼。

曾經在斯波坎體驗到的無助感又回來了，那時我什麼都做不了，現在也是。我的心逐漸冷下來，空蕩蕩的，只能站在那裡，猜測著他到底想要說什麼。

他舉起半透明的手，指著校園的另一邊，但我不知道這是什麼意思。那邊有很多東西，但很明顯都不是他想告訴我的。我搖搖頭，告訴他我不明白，但是心裡恨不得自己馬上就能猜出來，梅森似乎覺得很內疚。

突然間，有什麼重重地砸在我的肩膀上，我向前趔趄了幾步，世界突然開始重新運轉，將我從剛才的夢境中震出來。我勉強來得及伸出雙手，防止自己跌倒在地。抬起頭，我看見斯坦站在我面前。

「海瑟薇！」他怒吼道，「妳在幹什麼？」

我眨眨眼，仍然沒有從看見梅森的怪異感覺中恢復過來，覺得自己有些呆滯和迷茫。我盯著斯坦寫滿憤怒的臉，又轉頭看了看梅森剛才站的地方。他已經走了！

我重新看向斯坦，這才想起剛剛發生了什麼事——我分心的時候，正好給了他偷襲的機會，他現在一隻胳膊環著克里斯蒂安的脖子，另一隻環著布蘭頓的脖子，雖然沒有傷害他們，但是目的已經達到了。

「如果我是血族，」他咆哮道，「這兩個人早就已經死了！」

5

學院裡大部分違反紀律的事情，最後都歸到奇洛娃校長的手裡。她對莫里和拜爾一視同仁，尤其以她獨創且屢試不爽的處罰方式而聞名。她爲人並不冷酷，可說實話，也不仁慈，她對於學員的操守非常嚴格，以自己認爲合宜的方式進行處理。

不過，也有一些特例是她不能善裁獨斷的。

學院的守護者被召集在一起，組成了一個紀律委員會。人們並不是第一次聽說這個委員會，但是它眞的派上用場，卻是非常非常罕見的，你必定是做了令他們十分震怒的事，才會得到這種待遇，比如說，「故意」令一名莫里陷入險境，或者「疑似故意」令一名莫里陷入險境。

「我再說最後一遍，」我咆哮道，「我不是故意這麼做的！」

我坐在守護者會議室的中間，面對著審判我的委員們，有奧伯黛、埃米爾，還有學院另一名很少見到的女性守護者塞萊斯。她們坐在一張長桌後面，令人心生敬畏，而我則坐在一張小凳子上，滿腹委屈。

房間裡還坐著其他幾名守護者旁聽，謝天謝地！我這麼丟臉的樣子沒有被同學看到。迪米特里也在旁聽席裡。他不是委員會的成員，我猜他們是考慮到他身兼我的導師的身分，爲了避嫌才這麼安排的。

「海瑟薇小姐，」奧伯黛仍然延續著她以往「嚴厲將軍」的老腔調，「妳一定很清楚我們爲什麼不相信妳。」

塞萊斯點點頭。「阿爾托守護者親眼所見，妳放棄保護兩名莫里，其中一名還是妳在實戰演練中被指定要保護的對象。」

「我沒有放棄！」我大喊，「我……只是失敗了……」

「那不叫失敗。」斯坦從旁聽席站起身，他望著奧伯黛問道：「我可以講話嗎？」

奧伯黛點點頭後，斯坦轉頭看著我。「如果妳攔住我或者攻擊我，結果沒有成功，那才叫作失敗。但是妳沒有想過要阻止我，也沒有對我展開攻擊，妳甚至連試都沒有試，只是站在那裡，像個雕像，一點行動都沒有！」

我對此感到憤怒，他們居然認爲我是故意把克里斯蒂安和布蘭頓留在那裡，好方便血族「殺死」他們？這種想法眞是荒唐！可我現在該怎麼辦呢？要嘛承認自己故意失敗的罪名，要嘛說出我見鬼的事情，但第一種解釋會讓人覺得我不配成爲一名守護者，第二種解釋則會讓人覺得我是個瘋子，這兩種情況都是我不願意見到的，我寧願他們「依照慣例」，認爲我是任性妄爲。

「爲什麼我失敗了就這麼勞師動眾的？」我刻薄地說，「我是說，之前瑞恩也失敗了，但對他的處罰就沒有這麼嚴厲。這就是整個實戰演練的目的嗎？如果我們都已經十全十美，早就輪不到你們來管，現在已經在外面的廣闊世界裡了！」

「妳耳朵聾了嗎？」斯坦問，我發誓我甚至能看見他的額頭爆出了青筋。

我猜他是這間屋子裡唯一一個和我一樣氣得跳腳的人了，至少，他是除我以外，這間屋子裡唯一表露自己眞實情感的人，其他人都是一張撲克臉。不過話說回來，他們當時都沒在現場，不知道究竟發生了什麼事。

「妳的情況不能算『失敗』，因爲『失敗』的前提是妳『有所行動』。」

「哦，那好吧！我嚇呆了。」我挑釁地看著他。「這樣就算是失敗了吧？我壓力太大，完全嚇傻了。這說明我還沒有準備好，當那一刻來臨時，我嚇壞了，實習生經常有這種狀況出現。」

「一個已經殺死過血族的實習生也會出現這種情況？」埃米爾反問道。他來自羅馬尼亞，口音比迪米特里的俄羅斯口音還要重一點，可不管有沒有口音，反正聽起來都不怎麼友好。「這不太可能吧！」

我咄咄逼人地盯著他，掃視著房間裡每一個人。「哦，我明白了。在一次偶然事件之後，我現在被當成一個消滅血族的專業殺手了？我不能有恐懼或者害怕的情緒了？合情合理。謝謝，很公平！公平得很！」我重重地坐在椅子上，雙臂交叉橫在胸前，根本就用不著忸忸怩怩地裝淑女，我有很多怒火都沒地方撒呢！

奧伯黛嘆了口氣，向前傾著身子。「我們在這裡討論的是詞語的含義，技術執行不是重點。我們介意的是，今天早上妳很明確地表示出不想守護克里斯蒂安．歐澤拉，事實上……妳讓我們相信這種安排違背了妳的意願，並且很快就會發現這是一個錯誤的決定。」

哦，我確實這麼說過。要命！當時我的腦子都在想些什麼呀？

「在這之後，我們對妳進行第一次測試，又發現妳對偷襲完全沒有反應……」

我差點從椅子上蹦起來。「這才是重點，對吧？妳認爲我沒有保護他，是出於某種復仇心理？」

她們三個人全都用胸有成竹的目光看著我。

「妳確實不知道如何平靜地接受妳不喜歡的事物。」她苦笑著說。

這一次我眞的站起來了，用手指著譴責我的奧伯黛。「一派胡言！自從我回到這裡，就沒有違反過奇洛娃校長爲我制定的任何一條規則。每次訓練我都準時參加，每天晚上我都準時回到宿舍。」

好吧！我曾經偷偷溜出去過，但都是有原因的，總有事情比宵禁還重要。

「我沒理由用這種事來進行所謂的報復，這對我有什麼好處？斯……我是說，阿爾托守護者又不會眞的傷害克里斯蒂安，所以我也不會有機會見到他挨揍，乘機幸災樂禍。我唯一能夠從中得到的，就是令自己陷進像現在這樣的麻煩中，而且還很有可能面臨被踢出實戰演練的情況！」

「妳現在已經面臨這種情況了。」塞萊斯淡淡地說。

「哦。」我坐下來，突然覺得非常虛弱。

整個房間陷入沉默，就這樣過了好一會兒，我聽見迪米特里的聲音在我身後響起。

「她說的也有道理。」他說。我的心臟在胸口怦怦跳得很大聲，迪米特里知道我不會以這種方式報復的，他也不認爲我是個小肚雞腸的人。「如果她打算反抗，絕不會用這種方式。」呃……至少不是特別小肚雞腸！

塞萊斯皺著眉頭。「當然，但是她今天早上的表現……」

迪米特里向前走了幾步，站到我旁邊，令我感到一絲撫慰。這樣的情景似曾相識，我想起了去年秋天我和莉莎剛剛回到學院時的情景。當時，奇洛娃校長差點開除我，也是迪米特里站出來爲我說話的。

「這些都還只是猜測。」他說，「不管妳們怎麼認爲，都沒有確鑿的證據令她退出實戰演練，這基本上就等於是毀了她的前程，在事情還沒有百分之百肯定的時候，這麼做有些過分了！」

委員會的成員們看起來若有所思，而我只是死死地盯著奧伯黛，這件事她說了算。我一直都很喜歡她，我們在一起的時候，她雖然對人要求嚴格，但是爲人謹愼、處事公平，我希望她現在仍然是這樣。

她點頭示意塞萊斯和埃米爾向她靠攏，這兩個人都湊過身子。她們竊竊私語地開了個小會，奧伯黛又點頭示意，其他人坐直了身子。

「海瑟薇小姐，在我們宣佈對妳的裁決之前，妳還有什麼要說的沒有？」

有沒有要說的？該死，當然有，我有一卡車的話要說。

我想說我不是故意的，我想說我是全學院最優秀的實習生，我想說我看見斯坦過來了，而且已經準備好要反擊，我尤其想說我根本不希望自己的記錄上有這種成績。就算我還可以繼續實戰演練，這回測試的成績也只能是F了，這會影響到我的綜合成績，其結果就是影響到我的將來！

可是，我還有別的選擇嗎？告訴他們我看見鬼了？看見一個對我一片深情的人的鬼魂，而很可能正是這一片深情令他送了命？

我還是不知道對自己見到的這些要如何解釋，如果只看見一次，我還可以勉強說是自己太過焦慮，但是我看見他……或者是「它」，一共看見了兩次！

他是真實存在的嗎？我的理智告訴我說這不是真的，但憑良心說，現在這已經不重要了。如果他是真的，而我告訴了面前的這些人，他們一定會認為我瘋了；如果他不是真的，而我告訴了這些人，他們也會認為我瘋了。

這次他們說得對，我根本沒有機會贏！

「沒有了，」我回答她，希望自己的語氣夠溫和。「沒有要補充的了。」

「好吧！」她有些不耐煩地說，「我們的處理決定如下：妳很走運，有貝里科夫守護者為妳說情，否則結果很可能不是這樣。我們依照利益歸於嫌疑者的原則，妳可以繼續參加實戰演練，繼續守護歐澤拉先生，但是，妳必須接受我們的觀察。」

「沒問題。」我說。我的學生生涯大部分都是在觀察期中度過的。「謝謝妳。」

「還有，」她補充說，「因為妳的嫌疑並沒有得到澄清，所以從本週開始，妳在休息時需要參加社區服務。」

我再一次從椅子上跳起來。「什麼!?」

迪米特里伸手攥住我的手腕，他的手指溫暖有力。

「坐下。」他在我耳邊悄悄說，把我按回椅子裡。「這樣已經很好了。」

「如果妳有困難，我們可以從下星期開始。」塞萊斯警告我說，「後五個星期依次順延。」

我老實坐在椅子上，搖了搖頭。「很抱歉……謝謝。」

旁聽的人陸續起身，我一個人獨坐在那裡，疲憊又頹唐。

這只是第一天嗎？實戰演練之前的那股興奮之情，對我來說就像是上輩子的事，完全不像是今天早上才發生的。

奧伯黛要我去找克里斯蒂安，迪米特里問她是不是可以單獨和我談一會兒，她同意了。毫無疑問，她希望迪米特里好好教訓我一頓。

所有的人都走光了，我想，他可能就要和我談話了，但是，他並沒有馬上這麼做。

他走到一張上面放著飲水機、咖啡還有其他飲料的小桌子旁，問道：「要喝點熱巧克力嗎？」

我沒想到他會用這一招。「好的。」

他撕開四包即溶熱巧克力，分到兩個保麗龍杯子裡，然後倒進熱水。

「放兩包是我的獨門祕方。」他邊沖邊說。

他遞給我一杯，杯子裡已經放好了木製的攪拌棒，然後，他走到側門。我認爲自己應該跟過去，於是急忙趕了幾步，小心地沒讓手裡的熱巧克力灑出來。

「我們要去……哦！」我剛剛邁進側門，就發現這是一個小型的陽台，它的四周用玻璃窗阻隔，還擺了幾張休息用的小桌子。

我從來不知道這個會議室還有這麼一個陽台，那是因爲這裡是守護者處理學院公務的地方，實習生一般是不許進來的。我也不知道這裡還有一個小花園，從這個陽台向外望去便是。我想像夏天的時候，人們打開玻璃窗，被清新而溫暖的空氣所包圍，而現在，在冰冷的玻璃和其上的冰花包圍下，我覺得自己好像置身在一個大冰窖裡！

很顯然，冬天的時候，這裡沒有人來，迪米特里伸手揮去椅子上的灰塵，我也學他的樣子，然後坐在他的對面。雖然陽台是密封的，溫度比外面稍稍暖和一些，但並沒有到舒適溫暖的地步，空氣仍是冷冰冰的，我只好用手中的熱巧克力取暖。

我們兩個都沒有說話，唯一的聲音是我喝熱巧克力時發出的咕嚕聲。他自己的早就已經喝完了，這麼多年來，他可是一直在追殺血族，小小一杯滾燙的熱巧克力，又算得了什麼呢？

我們就這麼坐著，任由無邊的沉默擴散。我透過杯沿仔細地打量著他，他並沒有看我，但是我知道他知道我在看他。

柔順的深棕色頭髮被他不自覺地塞在耳朵後面，它們總是不肯安安分分地被綁著。他的眼睛是棕色的，不知怎麼著，總能同時露出既溫柔又冷酷的目光。他的唇也帶有同樣矛盾的特色，當他在打鬥或者遇到自己討厭的事情時，那雙唇總會抿緊，變得僵硬；但是在比較輕鬆的時候，比如他笑起來或者吻我時，就會變得柔軟而令人著迷！

今天，比他英俊的外表更令我動容的，是和他在一起所感受到的溫暖及安全感。在經歷了這麼糟糕的一天之後，是他為我帶來了安慰。

和其他人在一起的時候，我總是不自覺地想成為眾人矚目的焦點、想表現出活潑有趣的一面、想說出一些令人嘆服的話，這種習慣對守護者來說，卻是最要不得的，守護者應該越安靜、越不引人注目越好。但是，跟迪米特里在一起，我從來不覺得要刻意怎麼樣，我無需取悅他，也不用絞盡腦汁地想一些笑話或是恭維人的話，只要兩個人待在一起就好，有對方的陪伴就已經很知足、很愜意了，根本無暇顧及其他，除非是那種異性之間的曖昧升起……

我嘆口氣，喝光了手中的熱巧克力。

「到底發生了什麼事？」他終於開口，問話的同時，轉過頭來迎著我看他的目光。「妳不可能因爲壓力而失敗。」

他的話充滿好奇，而不是指責。現在，我對他來講並不是學生，而是和他一樣平等的人。他只是想知道我究竟遇上了什麼事，既不想評判對錯，也不想訓斥我。這令我更加有罪惡感，因爲，我不得不對他說謊。

「事實就是這樣，」我低頭看著自己的杯子，「除非你相信我眞的想讓斯坦『殺死』克里斯蒂安。」

「不，」他說，「我不信妳會這麼做，從來不信。我知道那種安排令妳很不高興，但我從來不認爲妳會因爲這個原因而做出這種事。我知道在執行任務時，妳從不會讓私人感情凌駕於公務之上。」

我重新抬起頭看著他，他的目光滿載著眞誠，和對我的絕對信任。

「我不是故意的。我的確很生氣……現在還是有一點，但是只要我答應了，就絕對說到做到。而且，在和他相處之後……呃……我想我並不討厭他。事實上，我覺得他對莉莎很好，他很關心她，所以我就不再覺得這種安排是那麼不能接受了。雖然我和他偶爾會拌嘴，但最多也只是這樣，而且，我們在齊心協力對付血族的時候，眞的很有默契！我今天跟著他的時候想起了這些，覺得去和奧伯黛爭論安排不當是挺蠢的行爲，我已經下定決心要盡我所能，出色地完成這次任務了。」

我本來不想說這麼多的，但是說出來總比憋在心裡好，而且，看著迪米特里，我可以毫無顧慮地想說什麼就說什麼，幾乎沒有不能說的。

「那後來是怎麼回事？」他又問。

「和斯坦嗎？」我避開他的注視，又開始把玩起自己手裡的杯子。

我討厭對他有所隱瞞，但是又不能告訴他事情的眞相。在人類的世界裡，吸血鬼只是存在於神話和傳說當中的神祕種族，是用來嚇唬孩子的睡前故事，人類並不知道我們是眞實存在，並且和他們居住在同一塊土地上。但，不能因爲我們是眞實存在的，就說其他的神鬼亂談也是眞實，我們都知道這一點，所以也有我們自己並不相信是眞實的鬼怪傳說，可以用來嚇唬小孩子，比如狼人、怪物和鬼魂。

在我們的文化裡，鬼魂並不是什麼了不起的東西，就連惡作劇或者露營時的篝火晚會也很少講鬼故事。只有在萬聖節和幾個世代相傳的古老傳說裡，才能發現它們的身影。但是，在現實生活中出現？那叫見鬼了！如果你死了之後又出現，只能說明你變成了血族。

至少，我一直是這麼認爲的。

我不得不老實承認，我現在眞的不知道該如何解釋了，如果說這個梅森是我幻想出來的，似乎比他是個眞正的鬼魂更有說服力，但是，這就意味著我可能眞的會失去理智，變成一個瘋子。

一直以來，我總是擔心莉莎會變成這樣，誰能想到我自己也有今天呢？

迪米特里還在看著我，等著我給他一個答案。

「我不知道到底是怎麼回事，我本來是有所準備的……我只是……我只是失敗了。」

「蘿絲，妳太不會說謊了！」

我抬起頭。「不，才不是，我長這麼大說過很多漂亮的謊話，所有人都深信不疑。」

他輕輕笑了。「我相信，但對我不管用，就憑妳不敢看我的眼睛。」

該死，他看穿了！他是這麼的瞭解我……

我站起身，走到門邊，沒有回頭。平時，我總是很珍惜和他在一起的每一分鐘，但是今天不行！我痛恨說謊，可我也不想告訴他實情，因此，我必須走了！

「我很感激你這麼關心我，不過，說眞的，我沒事，我只是失手了。我覺得很丟人，而且覺得很對不起你一直以來在我身上花費的心血，不過我會振作的。下一次，斯坦會被我打得滿地找牙！」

我甚至沒聽見他起身，可突然之間，他就站在我身後了。他舉起一隻手扶住我的肩膀，我愣在已經打開的門前，他沒有再繼續別的動作，也沒打算把我緊緊擁入懷中，但是……哦……他放在我肩膀上的手就已經是我整個世界了！

「蘿絲，」他說，我知道他的笑容已經不再，「我不知道妳爲什麼要說謊，但我知道，如果不是有什麼不得已的原因，妳是不會這麼做的。如果眞的有什麼地方出了問題，或是有妳害怕告訴別人的事情發生……」

我突然轉過身——幾乎是以他的手爲軸，原地轉了個圈。他並沒有動，但是手已經換到我另一邊的肩膀上。

「我才沒有害怕！」我大叫道，「我眞的有迫不得已的原因，相信我，斯坦這件事算不了什麼，眞的，這只不過是我一時失誤幹出的蠢事。不用替我難過，也不用替我操心，雖然已經發生的事很討厭，但我會挺過去，努力接受現實。我會處理好所有事，也會照顧好我自己。」我用盡所有力氣，才控制住自己不要發抖。

今天到底是怎麼回事？什麼事都不順！什麼事都這麼瘋狂！

迪米特里沒有再說什麼，他低頭看著我，臉上的表情我從來都沒有見過。我不知道這代表什麼，他生氣了嗎？失望了嗎？我不知道。

握住我肩膀的手指輕微地握緊了下，隨後便鬆開了，他終於開口：「妳不用一個人撐著。」這麼久以來，是他告訴我必須變得堅強。他的聲音充滿渴望，但沒有用，我很想撲進他的懷中，可我知道我不能。

我無奈地笑了笑。「老實告訴我，你遇到問題的時候，也會找人幫忙嗎？」

「這不是……」

「回答我，夥伴。」

「不許這麼叫我！」

「不許避重就輕！」

「不會，」他說，「我會憑自己的力量自己解決。」

我從他的手掌中溜開。「明白了吧？」

「但是妳的身邊有很多可以信任的朋友、有很多關心妳的人，我們倆的情況不一樣。」

我驚訝地看著他。「你身邊沒有關心你的人嗎？」

他皺著眉，顯然是在想怎麼解釋。「嗯，我周圍一直有許多善良的人，也有關心我的人，但是這並不代表我就必須相信他們，或者要跟他們無話不談。」

我經常因爲我們之間尷尬的關係而分神，很少去想我們兩個人以外的事。他在學院裡非常受人尊敬，老師和學生一直認爲他是學院裡最有能力的守護者。不只學院裡，學院之外的所有守護者也都聽過他的名號，對他充滿敬意。

但，我想不起曾見過他參加什麼社交活動，在眾多守護者中，他好像並沒有什麼特別親近的朋友，只是在一起共事而已。我唯一見過一個可以稱得上是他朋友的人，就是克里斯蒂安的姑姑——塔莎·歐澤拉。他們兩個是老相識，但就算是這種故交，交情也沒有深到讓迪米特里在塔莎離開之後，繼續與她保持聯絡。

迪米特里總是獨來獨往，休息時就沉迷於他的那些牛仔小說當中。我也是獨來獨往，但事實上，我的周圍總是圍滿了人。在他擔任我的導師的時候，我總是單方面地認爲他對我有益，比如建議或者指導，但其實我對他也有益，只是這種益處很難界定，我讓他跟別人有了聯繫。

「你信任我嗎？」我問他。

他只猶豫了一秒。「信。」

「那麼再信任我一次，不要擔心我。」

我向旁邊走去，走到他搆不到的地方。他沒有再多說什麼，也沒有打算攔住我。我穿過被眾人審判的會議室，一直走到門口，晃了晃杯中熱巧克力的殘渣，將杯子扔進垃圾箱，繼續向前走去。

6

廣場事件發生時，只有三個目擊者，但是，當我回到公共大廳的時候，發現幾乎所有人都知道了這件事，這是意料之中的事。

雖然已經下課了，但仍然有很多學生在走道上湧動，有剛下課的，也有去補考的。他們試圖掩藏自己好奇的目光和耳語，但是並不成功，那些偶爾和我有目光接觸的人，不是很勉強地擠出笑容，就是馬上把頭轉開。

好極了！

我的心電感應無法感覺到克里斯蒂安，根本不知道要到哪裡去找他。不過我倒是感應到莉莎在圖書館，去那裡找找看應該沒錯。

半途中，有人從後面向我大聲喊：「妳是不是太過分了？」

我轉過身，看見瑞恩和卡米莉正從後面趕過來。如果我是男生，最好的回應應該是：「你是說我和你媽媽的事嗎？」但我不是，而且因爲我懂禮貌，只好說：「我不明白你的意思。」

瑞恩跑到我跟前。「妳絕對知道我的意思！我聽說斯坦對克里斯蒂安進攻的時候，妳的表現就像是在說：『在這裡，快抓住他！』然後就走開了。」

「哦，我的天！」我吼道。被人議論紛紛已經夠討厭的了，但爲什麼事情傳到了別人耳朵裡就變了樣？「事情根本不是你說的那樣！」

「我說的不對嗎？」他問道，「不然爲什麼奧伯黛要見妳？」

「聽著，」我說，覺得自己的禮貌已經所剩無幾，「我只是在對他攻擊的時候失了手……你知道，就像之前你在大廳裡分神是一樣的。」

「嘿！」他有點急紅了眼，「最後我發現了，而且也盡力了！」

「難道最近『盡力』的含義就是被人殺死嗎？」

「至少我不是拒絕參加戰鬥的怨婦。」

和迪米特里的閒談剛剛令我冷靜下來，但是現在我又開始火冒三丈了，就像瀕臨沸點的溫度計，隨時有可能爆發。

「你知道嗎？比起對別人比手劃腳，你更應該把注意力放在你自己的守護工作上。」我揚起下巴，向卡米莉點了點。卡米莉到目前爲止都沒有出聲，但是她的臉色告訴我，這些話她句句聽在耳裡。

瑞恩聳聳肩。「我可以兩者兼顧。我們後面是肖恩，前方的情況一目瞭然，這一旁也沒有門什麼的。」他拍拍卡米莉的肩膀，「她很安全。」

「這裡的地勢太簡單了，在外面碰上眞的血族時，就沒這麼容易了。」

他的笑容不見了，眼中閃著火花。「說得對，據我所知，妳在外面做的也不怎麼樣，至少，妳沒保護好梅森。」

被人奚落我、斯坦和克里斯蒂安的事，這還可以忍受，但是暗示我是梅森之死的罪魁禍首，這絕不能忍！

過去兩年裡，在人類世界裡保護莉莎安然無恙的人是我，在斯波坎殺死兩名血族的也是我，我是這所學院裡唯一擁有閃電標誌的實習生——守護者獨有的這種小紋身，標誌著殺死血族的數量。我知道學院裡流傳著各種關於梅森之死的流言，但是沒有人敢當著我的面提起。一想到瑞恩或是其他人都認為我需要對梅森的死負責，真是令我忍無可忍，我的自責已經夠多了，不需要他們再提醒。

溫度計終於沖爆了！

我邁開大步，繞過瑞恩，抓住了卡米莉，拎著她就往牆上撞。我沒有很用力，所以不至於傷到她，可她還是嚇得花容失色，眼睛張得大大的。我用自己的手臂頂住她，正好橫在她的喉嚨上。

「妳要幹什麼？」瑞恩大喊，看看我，又看看卡米莉。我稍稍站遠了點，但是仍然按著卡米莉。

「給你補課，」我愉快地說，「有時候，看似簡單易守的地方，並沒有你想的那麼安全。」

「妳瘋了！拜爾絕對不能傷害莫里，如果妳被別的守護者發現……」

「我可沒有！」我瞥了眼卡米莉。「我傷到妳了嗎？妳覺得很痛嗎？」

她稍微猶豫了一下，然後在有限的範圍內用力搖了搖頭。

「妳覺得不舒服嗎？」

她輕輕地點點頭。

「看見了嗎？」我對瑞恩說，「不舒服和覺得痛是兩回事。」

「妳這個瘋女人，放開她！」

「我還沒講完呢！小瑞。注意聽，接下來的話才是重點：危險無處不在，不僅僅是血族，或者是裝成血族的守護者，如果你還是自以爲是、驕傲自滿……」我的胳膊稍稍用了點力，不過不會影響卡米莉的呼吸，或是眞的覺得痛，「那你會漏掉很多東西，而這些你漏掉的，會殺死你守護的莫里！」

「知道了，知道了，妳說什麼就是什麼。拜託，把她放下吧！」他的聲音在發抖，擺的架子全沒了。「妳嚇著她了！」

「如果把我的命交給你，我也會嚇死的。」

丁香雪茄的味道提醒我，艾德里安就在附近，我還知道跟上來的肖恩和其他幾個實習生也看見了，他們猶猶豫豫，想要把我拉開，又怕弄傷了卡米莉。

我知道我該鬆手，但是瑞恩實在是把我惹毛了，我需要給他一點教訓。而且，說眞的，我一點都不覺得這麼做有什麼不妥，我很確定卡米莉也有在背後散佈關於我的謠言。

「太精采了！」艾德里安說，聲音裡透著與往常一樣的慵懶，「不過我認爲妳已經達到目的了。」

「也許吧！」我說，設法發出甜蜜又危險的聲音，「但我覺得瑞恩好像還是沒明白。」

「看在上帝的份上，蘿絲，我明白了！」瑞恩大喊大叫，「快放開她！」

艾德里安繞過我，走到對面，站到卡米莉旁邊。她和我之間的距離非常小，但是艾德里安仍然設法從縫隙處擠進來，與我面對面，他的頭幾乎已經碰到卡米莉的頭了。

他仍然是平時那副嘻皮笑臉的樣子，但是深綠色的眼眸深處卻透出一絲嚴肅。「行了，小拜爾，放開她吧！妳已經玩得差不多了。」

我想叫艾德里安滾遠一點，我說玩夠了才是眞的玩夠了，可不知怎麼的，我始終無法把這些話說出口。他的干涉固然令我惱怒，但我的心底卻有一個聲音在說：他的話很有道理！

「放開她！」他又重複了一遍。

現在，我的眼裡只剩下艾德里安，根本看不見卡米莉。突然間，我從頭到腳都覺得他的話很有道理，百分之一百的正確，我必須照做。我放下胳膊，退開了幾步，卡米莉立刻躲到瑞恩身後，將他當成一塊盾牌，而直到現在，我才發覺她的淚水一直在眼眶裡打轉。

艾德里安挺了挺身子，輕蔑地向瑞恩揮揮手。「我走了，趁你徹底惹毛蘿絲之前。」瑞恩、卡米莉和其他人慢慢地後退，爲我們留出一條通道。艾德里安摟著我，快步向圖書館走去。我有種很怪的感覺，內心深處的某個地方似乎正在慢慢甦醒，隨後，每走一步，我便更加清醒一些。

突地，我推開他摟著我的胳膊，猛地一甩，喊道：「你剛才居然對我使用催眠術，迫使我放開她!?」

「總得有個人出面，妳的樣子好像要勒死她了！」

「我沒有，也用不著。」我推開圖書館的大門，「你沒有權利這麼對我，一點都沒有。」

催眠術就是讓人聽從你命令的一種法術，是每個吸血鬼都或多或少擁有的一種本領。它屬於禁忌之術，不過大部分人都沒有能力掌握它，因此並沒有眞的造成什麼傷害。

「妳沒有權利威脅一個無辜的女生，只爲了安撫妳受傷的驕傲！」

「瑞恩也沒有權利說那些屁話！」

「我不知道『那些屁話』是什麼，不過，如果我沒記錯的話，妳似乎已經過了說風就是雨的年紀了吧？」

「說風就……」

我的話在走到莉莎自習的桌子旁時嚥了下去，她的臉色和情緒都告訴我，麻煩來了！愛迪站在她身後幾步遠的地方，斜倚著牆，監視著整間自習室。他看見我出現在這裡，驚訝地張大了眼睛，但是什麼都沒說。

我坐進莉莎對面的椅子裡。「嗨！」

她抬起頭，嘆了一口氣，然後又低頭，全神貫注地看著面前的課本。

「我在想，妳到底什麼時候才能改？」她說。「妳被開除了嗎？」

她的話溫和有禮，但是我知道她眞正的意思。她很不滿，甚至有一點生氣。

「這次還沒有，」我說，「只是倒楣的要去參加社區服務。」

她什麼都沒說，但是我透過心電感應得到的資訊，說明她的氣還沒有消。

現在輪到我嘆氣了。「我們談談吧！莉茲，我知道妳很不高興。」

艾德里安看看我，又看看她，又看看我。「我好像錯過了什麼。」

「哦，太好了！」我說，「你趕來給我的保衛戰添亂子，卻連我開戰的原因都不知道！」

「保衛戰？」莉莎問道，憤怒之餘帶有一絲不解。

「出了什麼事？」艾德里安又問了一遍。

我對莉莎點點頭。「來，告訴他。」

「蘿絲在剛才的測驗時不想保護克里斯蒂安。」她惱怒地搖著頭，責備地瞥了我一眼。「我眞不敢相信妳居然因爲生氣而做出這種事，太幼稚了！」

莉莎竟然和那些守護者一樣懷疑我!?

我嘆氣道：「我不是故意的！我剛剛才接受了一屋子人的審判，給他們的答案也是一樣的。」

「那麼到底是怎麼回事？」她追問道，「妳爲什麼這麼做？」

我猶豫了一下，不知道該不該說。我不太想說並不是因爲艾德里安和愛迪在旁邊，雖然我眞的不想讓他們知道，但眞正的關鍵是，眞相實在太複雜了！

迪米特里說中了，我有自己可以信任的人，其中有兩個是我可以無條件信任：他和莉莎。我已經向他隱瞞了事實，能再向莉莎隱瞞嗎？我知道她很生氣，但也知道她會永遠支持我、站在我這邊，不過，如同面對迪米特里時的情況一樣，我不敢告訴他們我見鬼的事情，而且我也遇到了面對迪米特里時的窘境——我要選擇成爲瘋子還是不負責任的人？

透過心電感應，我感受到她的內心透徹純潔如明鏡，沒有塵埃、沒有陰影，也沒有錯亂，只是深處仍有些躁動、輕微的嘈雜。

抗抑鬱的藥物要對人完全發揮作用需要很長的時間，不過，她的能力在某一天已經開始恢復了。我回憶了一下我的見鬼遭遇，用力回想著滿臉憂傷、半透明的梅森。我該從什麼地方向她解釋起呢？我又怎麼能在她好不容易回到稍微正常的生活時，告訴她這麼怪異離奇的事呢？更何況，她現在還處於全力學會掌握魔法這麼一個關鍵的時刻！

不！我不能告訴她！現在還不行，特別是我剛剛想起還有更重要的事情要告訴她。

「我嚇傻了，」最後我說，「這太丟人了！我自以為可以搞定任何人，我太驕傲了，而斯坦……」我聳了聳肩，「不知道，我只是來不及作出反應。這……這眞是太難堪了！當著他還有那些人的面……」

莉莎目不轉睛地看了我好久，試圖找到我可能露出的馬腳。她不信任我眞是太傷我的心了，不過……好吧！我確實是在說謊。正如我對迪米特里所說的，只要我想，我就能騙過任何人，莉莎也不例外。

「眞希望我也能看見妳的想法……」她喃喃地說。

「好了啦！」我說，「妳是瞭解我的，妳眞的認爲我會這麼做？丟下克里斯蒂安不管，然後讓自己看起來傻兮兮地站在一邊，就爲了報復我的老師？」

「不會，」她總結說，「就算妳要報復，也會選沒人看見的時候。」

「迪米特里也是這麼說的，」我咕噥著，「你們都這麼相信我眞是太好了！」

「是呀！」她盤算著說，「這才是整件事令人覺得詭異的地方。」

「我居然會失誤，」我換上平時自信滿滿、不可一世的樣子，「我知道這很難令人相信，我自己也很震驚，不過就是這麼回事。可能這就是別人說的『謙受益，滿招損』，一個人是不可能十全十美的。」

艾德里安一改往日的樣子，一言不發地看著我們兩個聊天，就像在看一場持久的網球比賽。他的眼睛微微瞇著，我懷疑他是在研究我們的靈光。

莉莎翻了個白眼，不過還好，我感覺到她的怒氣已經消下去大半，她相信我了。這時，她的目光越過我，看向我的身後。這種幸福金光閃閃的感覺，通常只有在克里斯蒂安出現時才會有。

「我忠心耿耿的守護者回來了！」他高聲說，順手拉了把椅子過來，看著莉莎，「妳搞定了嗎？」

「搞定什麼？」她反問道。

他揚起頭，用下巴指了指我。「嚴厲地批評她多麼不應該把我扔給不共戴天的強大仇人——阿爾托。」

莉莎臉上一紅。她對懷疑我已經覺得不安了，而我的解釋又無懈可擊。克里斯蒂安輕率無禮、了然於胸的樣子，令她覺得自己更加愚蠢。

「我們剛剛談過了。」

艾德里安打了個哈欠，坐在椅子上的身體往下滑了滑。「事實上，我想我已經弄明白了。這就是一場騙局，對吧？爲了嚇唬我而設的一場騙局，因爲我說過要妳當我的守護者，妳才想假裝不合格，這樣我就不會要妳了。好吧！這招沒有用，所以，妳不用再拿別人的性命冒險了。」

我很感激他沒有說出發生在大廳裡的事。瑞恩做得的確很過分，但是隨著時間的推移，我越來越不敢相信自己居然會有那種反應，就好像我是在冷眼旁觀一件發生在別人身上的事。

最近我對每件事似乎都反應過度，我曾經因爲被分派給克里斯蒂安而大發雷霆，對守護者的職責激動不已，還很氣憤……

哦，對了！是時候扔下那顆重磅炸彈了！

「呃……有件事應該讓你們知道……」

四雙眼睛全都盯著我，包括愛迪的。

「又怎麼了？」莉莎問。

要把這件事對他們全盤托出眞的很不容易，所以我只是簡略地說：「呃……聽說維克多·達什科夫從來不覺得他對我們做的是犯罪的行爲。之前，他只是被關起來，但是，最近終於要對他進行公開審判了，就這兩個星期吧！」

莉莎聽到他的名字，反應和我一模一樣。透過心電感應，傳來短暫的震驚，緊跟著便是恐懼。她腦海中閃過一幕幕回憶：維克多的詭計令她懷疑起自己的神智、對他手下的折磨換來她的屈服、她發現克里斯蒂安被維克多的獵犬追殺時那血腥的一幕……莉莎放在桌子上的手攥得緊緊的，關節已經泛白。

克里斯蒂安雖然不能像我一樣感應到莉莎的內心，不過他並不需要。他伸出手，握住莉莎攥緊的手，可她並沒有察覺。

「可是……可是……」她深吸了一口氣，讓自己冷靜下來，「他怎麼還沒有被判刑呢？所有人都知道……他們都看見了……」

「這就是法律，他們要給他一個爲自己申辯的機會。」

莉莎滿腹狐疑，慢慢地，她終於發現了我昨晚對迪米特里提出的疑點。「這麼說……等一下！妳是說他有可能被無罪釋放？」

我牢牢地看著她因爲恐懼而張大的雙眼，不忍心將這個殘忍的答案告訴她，但是，我的表情已經說明了一切。

克里斯蒂安手握成拳，狠狠地砸向桌子。「全都是狗屁！」

坐在不遠處的幾個人看著他，不明白他爲什麼大動肝火。

「這就是政治。」艾德里安說，「有權有勢的人從來不受法規的約束。」

「可是他差一點殺死了蘿絲和克里斯蒂安！」莉莎喊道，「他還綁架了我！這些還不夠嗎？」

莉莎的情緒蔓延開來，恐懼、悲傷、憤怒、痛恨、疑惑，並且無助。我不希望她陷入這些負面的情緒裡，希望她能夠重新恢復平靜。慢慢地、一點一滴地，她做到了，可這時輪到我開始憤怒了，和瑞恩那件事一樣。

「這只不過是個形式，我敢肯定。」艾德里安說，「在確鑿的證據前，脫罪的可能性很小。」

「關鍵就是這裡，」我痛苦地說，「他們沒有確鑿的證據，因爲我們不能出庭。」

「什麼!?」克里斯蒂安大叫起來，「那麼誰是證人？」

「當時在場的幾個守護者。他們不信我們可以保守祕密，女王不希望自己至高無上的皇室家醜，被嚷得人盡皆知。」

莉莎似乎並不介意我對皇室的不敬。「但是，我們才是當事人！」

克里斯蒂安站起來看著四周，好像維克多就在圖書館裡。「現在，這件事由我來接手處理。」

「好極了！」艾德里安說，「我敢打賭，你踢開門衝進法庭一定會令陪審團改變主意的，記得帶上蘿絲，你們兩個一定會令人印象深刻的！」

「難道說，」克里斯蒂安緊緊抓著椅背，暴跳如雷地瞪著艾德里安。「你有更好的主意嗎？」

莉莎剛剛平靜的內心又起了波動。「如果維克多被無罪釋放，他會再來找我們嗎？」

「如果他被放出來，也不會得意很久的。」我說，「我向妳保證。」

「要小心哦！」艾德里安似乎覺得很有趣，「哪怕是妳，也不能去行刺一名皇室。」

我剛想說我會先拿他練習，愛迪嚴厲的聲音突然闖入我的耳朵：「蘿絲！」

多年的訓練立刻令我警醒過來，我抬起頭，馬上看到了他所指的。

埃米爾剛剛走進圖書館巡視實習生的表現作記錄，我從椅子上跳起來，站到離愛迪不遠的地方，監視著克里斯蒂安和大部分的圖書館。

該死！我不能再這麼下去了，不然就會證明瑞恩說的是對的。從剛剛我在大廳惹事，到現在討論維克多，我完全沒有盡到自己守護者的職責——這次甚至沒有梅森出來搗亂！

埃米爾沒有看見我剛才坐著閒嗑牙，他從我們的身邊經過，看了我們一眼，在記錄上寫了幾筆，便轉身走去巡視其他地方。我從內心的憤怒中掙脫出來，想要重新調整自己的思緒，可這並不容易，沉重的心情再次擄獲了我。

聽著莉莎和克里斯蒂安對維克多的公審忿忿不平，並沒有幫助我平復心緒。我想走過去參與討論，我想大喊大叫，發洩自己的憤怒，但是，對一名守護者來說，這些都是奢望，我的首要任務是保護莫里，不能放任自己。

我一遍遍在心中默唸著守護者的座右銘：莫里的安全重於一切！

這些話字字如針。

7

熄燈號第一遍響起的時候，莫里們就開始收拾東西了。艾德里安溜得很快，莉莎和克里斯蒂安卻不疾不徐地往宿舍走去。他們手拉手、肩並肩，低聲呢喃著。只要我願意讀取莉莎的意識，我便能「監聽」得一清二楚，他們仍然對維克多的事情感到義憤塡膺。

我沒有打擾他們的兩人世界，一直與他們保持著一定的距離，和離我們更遠的愛迪一起偵測周圍的情況。

學校裡，莫里族的數量遠遠超過拜爾族，所以他們有兩棟並排的宿舍，也就不足爲奇了。莉莎和克里斯蒂安的宿舍各不相同，他們兩個走到宿舍前的廣場，停了下來，廣場前的小路分別通向他們各自的宿舍樓。他們互相吻別，我盡最大努力才達到守護者應該有的「睜一隻眼、閉一隻眼」的操守。莉莎對我道晚安，然後帶著愛迪向自己的宿舍走去，我則跟著克里斯蒂安向他的走去。

如果我守護的是艾德里安那類人，很可能必須忍受他在未來的六個星期裡，每天以我們同屋居住當作黃色笑話的素材。但是克里斯蒂安對我很客氣，待我如同他的小妹妹，他在地板上爲我騰出一塊地方，等他刷完牙回來，我已經用毯子給自己圍了一個舒適的小窩。他關掉燈，爬上自己的床。

沉默了一會兒之後，我試探地問：「克里斯蒂安？」

「現在是睡覺時間，蘿絲。」

我打了個哈欠。「相信我，我也想睡，但是我還有個疑問。」

「是關於維克多的嗎？我想好好睡一覺，而討論這個問題可能會讓我氣得睡不著。」

「不是這個，是別的事。」

「好吧！問吧！」

「發生了斯坦那樣的事，你怎麼沒有嘲笑我？所有人都在猜我是失手了還是故意的，莉莎也訓了我一頓，艾德里安也有點，還有那些守護者……嗯，先不去管他們好了，但是你什麼都沒說，我本來以爲你會是第一個指著我鼻子罵的人。」

又是一陣沉默，我希望他是在想怎麼回答我，而不是睡著了。

「爲什麼要責備妳？」他終於回答我，「我知道妳不是故意的。」

「爲什麼？我是說，我承認你說得對，我確實不是故意的，但是爲什麼你這麼肯定？」

「因爲我們在烹飪課上的談話，也因爲妳一貫的爲人。我在斯波坎親眼看見，妳爲了救我們，做了別人都做不到的事……嗯，所以妳不會這麼幼稚的。」

「哇哦！眞是謝了。我……嗯……這對我很重要。」所有人都不信任我的時候，克里斯蒂安卻對我深信不疑，「你是第一個眞心相信我只是準備不足才會搞砸一切的人。」

「我其實並不相信。」他說。

「不信什麼？我搞砸了？爲什麼？」

「妳沒長耳朵嗎？在斯波坎，我見識過妳的本事，像妳這樣的人，根本不可能失手或者準備不足。」

聽了他的話，我開始把我在守護者面前的長篇大論又說了一遍，什麼殺死血族並不代表我不能失誤之類的，但是他打斷了我：「還有，我看見妳當時的表情了。」

「當時？在廣場上嗎？」

「是的，」又一陣沉默，「我不知道發生了什麼事，但是妳的表情……並不是要報仇的表情，也不是沒有看見阿爾托準備進攻的樣子。妳的表情很特別……我不知道該怎麼說，但是妳肯定是被別的事吸引了注意力。想聽我說實話嗎？妳的表情……好像是被嚇著了。」

「但是……你並沒有問過我這件事。」

「我又管不了，如果真有什麼能把妳嚇成那個樣子，肯定是很嚴重的大事，但如果真的有危險發生，我還是覺得有妳在比較安全，蘿絲。我知道如果當時真的是血族，妳會保護我的。」他打了個哈欠，「好了，現在我已經剖析了自己的靈魂，可以讓我睡覺了嗎？也許妳不需要睡美容覺，但並不是每個人都像妳這麼幸運。」

我讓他去睡，自己也很快地沉沉睡去。經歷了這漫長的一天，再加上前天晚上嚴重的睡眠不足，我一閉上眼睛便酣然入夢。

不久，我發現自己看見了艾德里安人造夢境的標誌性建築物。

「哦……不！」我哀號出聲。

我站在仲夏的花園裡，空氣潮濕而凝重，陽光向我灑下金色的光芒，五顏六色的花朵環繞在周圍，蜜蜂和蝴蝶在花叢中翩翩起舞，空氣中充滿了濃郁的丁香和玫瑰的芬芳。

我穿著牛仔褲和亞麻的小吊帶，脖子上戴著可以避邪的、像藍眼珠一樣的護身符，它是用玻璃做成的；手腕上還戴了一條有著十字架吊墜的珠鍊，學名叫作「念珠」。它是德拉格米爾家的傳家寶，莉莎送給我的，平常執行任務的時候，我很少戴這些東西，但是它們總會在這種場合出現。

「別躲了！」我喊道，「我知道你在這。」

艾德里安從一棵蘋果樹後走了出來，樹上綴滿繁盛的或粉或白的小花。他也穿著牛仔褲，我從來沒見他穿這麼隨意的衣服，牛仔褲很合身，不出所料是知名的設計師品牌。他的上身是一件深綠色的純棉T恤，設計也很簡潔，服貼地勾勒出他的上半身。他的棕髮在陽光的照射下變成栗色，還有閃閃的金光。

「我警告過你，不要隨便闖進我的夢裡！」我雙手扠腰對他說。

他懶洋洋地對我笑了笑。「如果不這麼做，我們又怎麼能心平氣和地談話呢？妳白天對我一點都不友善！」

「如果你不到處濫用催眠術，也許朋友會比現在多。」

「我必須將妳從有如噩夢的生活中拯救出來，妳的靈光看起來像一團烏雲！」

「我們能不能離開靈光和我即將到來的末日這些話題？」

他的眼神告訴我，他對這個話題仍然意猶未盡，但是也只好隨我了。「好吧！我們可以談談別的。」

「可是我根本不想聊天，我要睡覺。」

「妳正在睡啊！」艾德里安微笑著走過來，仔細地看著一株蜿蜒曲折的花藤，那上面開滿了像喇叭一樣的橘色和黃色的花，他輕輕地用手指沿著花瓣的邊緣遊動。「這是我祖母的花園。」

「好極了！」我說著，依靠在蘋果樹上，看來我們還要在這裡待上一陣子，我調整了一個舒服的姿勢。「現在我要聽你訴說家族史了。」

「嘿！她可是很酷的一位老太太！」

「毫無疑問。那麼我能走了嗎？」

他的目光仍然沒有離開那株花藤。「妳不應該說莫里家譜的壞話。妳對妳的父親一無所知，不過妳只要知道我們可能還是親戚就夠了。」

「我知道這些的話，你就會讓我耳根清靜嗎？」

他閒閒地蹓躂到我旁邊，繼續自說自話，好像剛剛沒有被人打斷一樣。「不，別害怕，我們其實不是一家人，妳爸爸不是土耳其人嗎？」

「對，據我……嘿！你是在偷瞄我的胸部嗎？」

他逼近過來，仔細地看著我，但是目光停留的地方已經不是我的臉。我緊緊地抱住胸口，瞪著他。

「我在看妳的襯衣。」他說，「這顏色太難看了！」

他伸出手，摸了摸我的肩帶，就像在紙上暈開的墨水，乳白色的衣服慢慢變成了像花藤一樣的靛青色。他瞇起眼睛，好像在審視自己作品的傑出藝術家。

「你是怎麼做到的？」我訝異地問。

「這是我的夢。妳不適合穿藍色，呃……至少這種藍色不好，我們試試別的。」藍色一點一點變成明豔的血紅色。「對，這就對了。紅色才是妳的顏色，紅色像玫瑰、像香甜的糖，香甜的玫瑰，香甜的蘿絲。」

「哦，天哪！」我無奈地說，「我不知道你在夢裡也會隨時發病！」

精神能力沒有令他變得像去年的莉莎那樣抑鬱消沉，但有時卻會令他變得神經質。

他後退幾步，張開雙臂。「我一直爲妳癡狂，蘿絲。現在，我要爲妳即興寫一首詩。」他仰起頭，向天空大喊：

「蘿絲喜歡紅色，

她不喜歡藍，

如刺一樣扎手，

也像刺一樣戰鬥。」

艾德里安放下雙臂，滿懷期待地看著我。

「刺怎麼能去戰鬥呢？」我問。

他搖搖頭。「藝術不見得非要合理，小拜爾。而且，我好像還是個瘋子，記得嗎？」

「我見過比你還厲害的瘋子。」

「哦？」他說著，走去欣賞幾株仙人掌。「我會努力的。」

我又開始追著他問什麼時候「回去」睡覺，但是我們的交易令我心中一動。

「艾德里安……你怎麼知道你什麼時候是糊塗的、什麼時候是清醒的？」

他從花叢前轉過身，臉上掛著微笑。我敢打賭他想要藉機開玩笑，但是當他湊過來仔細看我的時候，他的笑容退去了，變成十分少見的嚴肅。

「妳是不是覺得自己好像有點不對勁？」他問道。

「我不知道。」我低頭看著地面，發現自己光著腳，腳下的小草刺得我很癢。「我看見過……一些東西。」

「一般精神有問題的人，很少會問自己是不是眞的瘋了。」他狡猾地說。

我嘆了口氣，抬頭看向他。「這麼說並不能令我覺得好受。」

他走到我身後，伸出一隻手搭在我的肩上。「我認爲妳沒什麼事，蘿絲，只不過想得太多了。」

我皺起眉頭。「你這是什麼意思？」

「就是妳不是瘋子的意思。」

「謝謝，這樣我就明白了。你知道，這些夢眞的令我很困擾。」

「莉莎就不介意。」

「你也去她的夢了？你眞的這麼神通廣大？」

「不，她的夢是爲了教她東西，她想學會我這招。」

「太好了，所以我是唯一一個要忍受你性騷擾的幸運兒囉？」

他馬上擺出一副很受傷的表情。「我由衷地希望妳不要表現得好像我是個魔鬼代言人。」

「抱歉！我只是沒有足夠的理由相信你做事不求回報。」

「好吧！我是和妳那個沒有童年的老師不同。不過我眞的看不出來他教會了妳什麼東西。」

我向後退了一步，瞇起眼睛。「別把迪米特里扯進來！」

「等妳覺得他不是完美無缺的人時，我會的。如果我說錯了妳可以指出來，但是，確實是他不讓妳去參加公審的，不是嗎？」

我轉過頭。「現在這些都不重要，而且，他也有自己的難處。」

「對，這就足夠解釋他為什麼不告訴妳，不能據理力爭地帶妳參加了。換作是我……」他聳聳肩，「我可以帶妳進去。」

「你？」我刻薄地笑著問：「你怎麼能辦得到？和法官在吸煙室套交情嗎？或者對女王以及半個陪審團的皇室進行催眠？」

「妳不應該這麼快就打擊可以幫妳忙的人，稍安勿躁。」他在我額頭輕輕印了一個吻，我掙扎著想要擺脫掉。「但是現在，妳要去休息了。」

花園漸漸隱去，我重新跌回平凡普通的酣夢中。

後面的幾天裡，我寸步不離地跟著克里斯蒂安，生怕出一點差池，可我表現出來的，卻是脾氣變得越來越暴躁。

值得一提的是，我發現有許多臨時的守護者每天都處於懈怠狀態。我知道這種情況一直存在，但是現實比我想像中的要嚴重得多。對守護者的最基本要求，是當血族出現時立刻投入戰鬥，但是想要碰見血族出現，眞是太難了，守護者有可能在幾天或者幾年內都見不到一個血族。

我們的老師們當然不會在實戰演練中讓我們等待這麼久，可他們仍然想讓我們領會耐心的重要性，以及如何在安全狀態中保持警惕。

我們同樣要體驗作爲一名守護者可能面對的最殘酷境遇，比如長時間保持站姿、長時間保持嚴肅。一般情況下，守護者跟莫里族一起在家時，舉止可以隨便一些，也能有一些消遣活動，比如看看書或是看看電視，當然，是在時刻保持警惕的前提下，但這些不是我們的主要任務，所以在學院時的訓練，便要按照最嚴格的標準進行。

在等待時，我的耐心越來越差，但失望的心情比躁動不安更勝一籌。我極度渴望有機會證明自己，以此來彌補斯坦事件的影響。

在那之後，我再也沒有看見過梅森，心裡便認定那只不過是我在疲勞過度和強大壓力下的幻覺，這令我心情舒暢了一些，畢竟比起精神不正常或是迷信鬼怪，這樣的理由更容易讓我接受。

但也有令我鬱悶的事發生。某天下課之後，我跟著克里斯蒂安去找莉莎，透過心電感應，我感受到她內心傳來的焦慮、憤怒和害怕，但是從外表來看，她一切正常，因此正在閒聊的愛迪和克里斯蒂安一點都沒發覺。

我們一夥人向前走，我湊過去摟住她說道：「別擔心，一切都很好。」

我知道是什麼在困擾她，除了維克多還有什麼？

我們一致認爲克里斯蒂安可能不是帶我們去參加維克多公審的最佳人選，不管他有多麼想「全權處理這件事」。於是，莉莎找了一天去見奧伯黛，非常有禮貌地和她討論我們參加公審的可能性，而奧伯黛也以同樣禮貌態度回答她：想都不要想！

「我想，如果我們能夠解釋清楚讓我們參加的重要性，他們會同意的。」莉莎小聲對我說，「蘿絲，我經常失眠，腦子裡一直在想這件事。如果他被判無罪怎麼辦？如果他眞的被放了出來，該怎麼辦？」

她的聲音有些顫抖，這副脆弱的模樣，我已經久違了。一般碰到這種情況，我心中總會警鈴大作，可這一次，它卻奇怪地觸動了我的記憶，令我回想起那時她有多麼依賴我。

我很高興看見她現在變得如此堅強，希望她一直保持下去。我緊緊摟著她的胳膊，在行進過程中，這麼做十分有難度。

「他不會被判無罪的，」我斬釘截鐵地說，「我們會去法庭，我敢打包票，妳知道我永遠都不會讓妳受到傷害的。」

她側過頭，靠在我的肩膀上，臉上露出一絲微笑。「這就是我愛妳的地方，妳連我們怎麼溜進法庭都不知道，但是妳打包票的樣子讓我心裡好過了很多。」

「這麼說，這招奏效囉？」

「是的。」

她心裡仍有些隱憂，但是被笑容融化了一大半。暫且不提她對我信誓旦旦保證的嘲笑，我的話確實令她安心很多。

不幸的是，不久之後，我們就發現讓莉莎不安的還有另外一個原因——她焦急地等著藥效在她身體裡完全清退，好讓她恢復全部的魔法能力。那獨特的力量就在莉莎的體內，我們都可以感覺到，可她就是觸摸不到，已經三天了，一點變化都沒有。我替她難過，但最大的擔心還是來自於她的精神狀況，雖然目前的情況看起來還好。

「我不知道接下來會怎麼樣，」她抱怨道，我們幾乎已經走到學校大廳了。莉莎和克里斯蒂安想要去看電影，我走了一會兒神，琢磨著看電影的同時還要保持警惕到底會有多難。「按理說，我應該可以使用它了，可就是不行，好像卡在這兒了！」

「也許這也不是什麼壞事，」我一邊安慰她，一邊向前走去，檢查前方小路的安全。

她可憐兮兮地看著我。「妳眞是天生的戰士，我以爲這是我的事。」

「嘿！我的職責就是照顧好妳。」

「事實上，這是我的職責。」愛迪突然展現出罕見的幽默感。

「你們兩個都不必操心，」她分辯說，「不必操心這件事。」

克里斯蒂安拉住她的手腕。「在這件事上，妳顯得比蘿絲還沒有耐性。妳只需要……」

啊哈！往事重現了！

斯坦從一排樹後斜竄出來，伸手一把摟住莉莎，將她用力拉向自己。我的身體立刻做出反應，毫不猶豫地衝過去「救」她，唯一的問題是，愛迪的反應也同樣迅速，而且他是近身守衛，所以比我搶先一步。我在他們旁邊轉來轉去，想要加入戰鬥，可他們兩個打成一團，根本沒有給我任何機會。

愛迪從側面包抄，出手快速有力，他用力掰開斯坦抓住莉莎的手，力道大得足以將斯坦的袖子扯破——他纖瘦的身材經常讓人忘記他其實是個肌肉結實的壯漢。斯坦的手從愛迪的臉上掃過，指甲嵌了進去，但這個空檔足以令莉莎從他手裡掙脫出來，跑到我身後，同克里斯蒂安在一起。與此同時，我向一旁移動，打算協助愛迪，不過已經沒有必要了，愛迪招無虛發，一個過肩摔將斯坦摺倒在地，斯坦甚至來不及喘口氣，愛迪訓練的銀樁就已經懸在他的心臟上方了。

斯坦哈哈大笑，非常高興。「幹得好！卡斯托。」

愛迪收回銀樁，扶著斯坦幫他站起來。戰鬥結束，我這才得以看清愛迪臉上累累的傷痕。一般在實戰演練中，實習生很少會受傷，倒是我們的老師每天都要進行至少一場戰鬥，每個人都忍受了巨大的委屈，不過，他們總能以優雅的舉動和良好的幽默感將這些化解掉。

「謝謝你，長官。」愛迪說。他看起來很高興，但並不自滿。

「如果是真正的血族，進攻的速度和力道都比我要大，不過我打賭，以你的能力，足夠對付了。」斯坦看著莉莎，「妳沒事吧？」

「沒事。」她的臉色發紅，我能感應到她其實很喜歡這種刺激，她的腎上腺素飆得很高。斯坦在轉頭看向我時，臉上的笑意不見了。「至於妳……妳到底在想什麼呢？」

我張大眼睛，被他這麼嚴厲的語氣嚇了一跳。他上次也是這麼說的！

「什麼意思？」我大聲質問，「這次我又沒發呆，我已經準備好出手助他一臂之力了，我一直在找機會！」

「沒錯，」他附和我道，「這就是問題所在——妳太急於加入戰鬥，忘了妳身後還有兩名莫里！甚至直到目前爲止，妳還是沒有考慮到他們——這裡是公開場所，但妳卻用背對著他們！」

我向前幾步，瞪著他，根本顧不上禮貌不禮貌。「太不公平了！如果我們是在外面被眞正的血族攻擊，你不可能告訴我說另外一個守護者不能參戰，錯失任何可以快速將血族打倒的良機。」

「妳說得沒錯！」斯坦說，「但是妳剛才想的可不是要快速解除威脅，也沒考慮過要掩護莫里，妳滿腦子裡想的只是如何贏得漂亮，以彌補之前的錯誤。」

「什……什麼？你是在對我作心理分析嗎？按照你的想法來解釋我的動機？你怎麼知道我一定就是這麼想的？」他說的是我根本沒有想到過的事。

「直覺而已。」他故弄玄虛地說完，拿出一本小本子，在上面記了幾行。我瞇起眼睛，希望自己能有透視眼，可以看見他都寫了我什麼。寫完之後，他將本子放進大衣口袋，向我們幾個點點頭，「後會有期。」

我們看著他穿過冰雪覆蓋的廣場，向體育館走去，那裡還有低年級的拜爾族在進行訓練。我張口結舌，愣在那裡，不知該說什麼才好。

什麼時候才能結束呢？我的火氣越燒越旺，忿忿地認為那些準則愚蠢至極，他們根本不管我在外面的現實世界裡表現得有多好。

「這太不公平了！他怎麼能憑著他自以為是的想法，胡亂對我進行批判呢？」

愛迪聳聳肩，我們繼續向宿舍走去。「他有這個權利，因為他是老師。」

「對，但是他肯定會給我打另一個低分的！如果不能眞實地展現出我們對抗血族的能力，實戰演練還有什麼用呢？眞是不敢相信，我這麼優秀，而且是非常優秀，到底是怎麼落到這步田地的？」

沒人能準確回答這個問題，莉莎有些不安地說：「嗯……不管他是不是公平，有一件事他說得對——愛迪，你很棒！」

我看了愛迪一眼，對自己的任性很內疚，我不該讓自己戲劇化的表現搶走了他成功的鋒芒。我很生氣，非常生氣，可斯坦錯誤的評價是我自己需要面對的問題。愛迪的表現這麼出色，一路上大家都在誇他，我看到他的臉染上了一層紅暈，也可能是天氣太冷的緣故，我由衷地為他感到高興。

我們來到休息室，高興地發現這裡沒有被別人佔去。屋子裡十分溫暖，舒服極了！

每棟宿舍都有幾間這樣的休息室，不只有放映機、遊戲機，還有許多舒服的椅子和沙發。休息室只在特定的時候才對學生開放，週末的時候，幾乎是二十四小時對外的，換作平時就有時間限制了，這麼做很可能是為了讓我們先做完功課。

我和愛迪觀察了一下休息室的地形，制定出守護計畫，隨後便各自就定位。我背靠著牆，異常嫉妒地看著莉莎和克里斯蒂安窩在沙發上。

我本以為影片會令我分心，但老實說，真正發揮此作用的是我自己的胡思亂想。我不相信斯坦居然能說出那樣的話來，他竟然認為我有不可告人的目的？這太荒唐了！

我在想，這次實戰演練，我是不是真有不及格的危險？就算我通過了，他們真的會讓我在畢業之後成為莉莎的守護者嗎？奧伯黛和迪米特里都說，這次只是一次嘗試，為了豐富我和莉莎的經驗，但是，一陣突如其來的焦慮和猜忌令我不安起來。愛迪在保護莉莎時表現得很出色，也許他們是想看看她跟其他守護者在一起時，能有什麼樣的表現；也許他們擔心我只能保護莉莎，保護別人卻不行。

不管怎麼樣，我沒能救出梅森，不是嗎？也許這次測試的真實目的，是為了觀察我需不需要被替換掉，畢竟我只是一個微不足道的實習生而已，可莉莎是德拉格米爾家的公主，她是需要有人保護的，但這個人卻不見得非我不可。如果我真的不合格，有心電感應也派不上什麼用場。

艾德里安的出現令我暫時將雜念拋諸腦後，他溜進漆黑的房間，跳進我身旁的一把搖椅，朝我眨眨眼。

我早就料到他出現在這裡只是時間早晚的問題，我們大概是他在學院裡唯一能找到的消遣了……呃……從他渾身散發的刺鼻酒氣來看，也有可能不是唯一。

「你還沒醉？」電影結束後我問他。

「還早呢！你們剛才去哪兒了？」

上次的花園之會後，他沒有再闖入過我的夢，也收起了他玩世不恭的樣子。他和我們在一起時，大部分時候都在與莉莎切磋，或是打發無聊。

我們向他講了剛剛遇見斯坦的事，極力讚揚愛迪的英勇，但是忽略了我的糗事。

「幹得漂亮！」艾德里安說，「不過你好像也光榮負傷了。」他指著愛迪臉上的三道紅痕，回頭看著我們。

我想起這是愛迪解救莉莎時，被斯坦的指甲劃傷的。

愛迪輕輕地摸著自己的臉。「我都沒發現呢！」

莉莎湊過來仔細地看著，「你是爲了我才受傷的。」

「我是爲了通過實戰演練，」他半開玩笑地說，「不用管它。」

事情就這麼發生了。我看見那股力量充斥在她體內，那悲天憫人的情懷和止不住要幫助別人的慾望。過去的她就是這樣，不能忍受看見傷痛、不能忍受自己袖手旁觀。我感應到她體內的力量湧上來，一種美好的感情從腳底盤旋升起，我的腳趾有些發麻。

我曾經感受過這力量對她的影響，是烈火、是天堂、是令人沉醉的美酒。她伸出手撫著愛迪的臉……傷痕不見了！

她放下手，精神能力帶來的幸福感同時從我們心中褪去。

艾德里安大呼一聲，瞥了眼愛迪的臉，「一點痕跡都沒有了！」

莉莎剛剛站起身，現在又跌回了沙發裡，她仰頭靠在沙發背上，閉上眼。「可以了……我又可以了……」

「妳當然可以，」艾德里安輕蔑地說，「現在，妳必須再做一遍給我看。」

她張開雙眼。「這並不容易。」

「哦，我懂了，」他誇張地說，「妳像個瘋子一樣纏著我教妳看見靈光、在夢中散步，但是現在卻不願意用妳的祕密作交換？」

「不是不願，」她分辯道，「是不能。」

「哦，表妹，試一試。」突然，他用指甲劃過手背，劃出一條血痕。

「天啊！」我喊道，「你瘋了嗎？」

莉莎伸手抓住他的手，重複剛才的舉動幫他治癒了傷口。她滿心歡喜，我的情緒卻莫名地低落下來。

他們兩個展開了熱烈的討論，既有普通魔法使用的術語，也有一些我敢肯定是他們自己發明創造的辭彙，我一點都聽不懂，而從克里斯蒂安的臉色來看，他也聽不明白。很快地，艾德里安和莉莎就忘了我們的存在，沉浸在他們自己神祕的精神能力世界裡了。

克里斯蒂安終於忍不住無聊，站了起來。「餓死我了！跟我走，蘿絲。如果我喜歡聽這些，早就回去上課了。」

莉莎抬起頭。「還要一個半小時才有晚飯吃。」

「我是說去找餵食者，」他說，「今天我還沒有進食呢！」

他吻了吻莉莎的臉頰便走了出去，我在他身旁護衛著他。外面又開始下雪，我怨恨地看著雪花在身邊飄落。十二月初下第一場雪時，我興奮了一陣，而現在，這些白色的小冰渣我早已經看夠了。

這場雪已經連著下了好幾天，走在這種鬼天氣裡讓我變得鬱鬱寡歡，寒冷的空氣也令我抓狂。

隨著離我們要找的餵食者越來越近，我漸漸平靜下來。

「餵食者」是我們對那些自願按時爲莫里提供血液的人類的稱呼，和那些愛把自己吸過血的人殺死的血族不同，莫里只是每天從獻血者身上吸食一小部分，並不打算取他們的性命。這些餵食者因爲被吸血鬼咬過而產生飄飄欲仙的感覺，認爲這樣的生活很幸福且不平凡，這雖然很令人費解，可他們是莫里的必需品。

學院爲莫里的每棟宿舍配備一到兩名餵食者，供他們在夜間進食，而白天的時候，學員們還是必須要回到大廳進食。

我就這麼走著，目及之處全是白色的樹、白色的籬笆、白色的鵝卵石，在一片純白的雪景中，有一樣特別的白色物體吸引了我的目光。確切地說，它不是純白的，而是那種洗褪了色的白。

我猛地站住，瞪大了雙眼——梅森站在廣場的對面，混在一棵樹和一個崗哨之間。

不！我心中默唸，試圖說服我自己這不是眞的，但他就在那裡，一臉悲哀地看著我，像個亡靈。他抬起手，指向學院的後方，我轉過頭看了看，還是不知道他想讓我看什麼。我回過頭再看著他，愣愣的，心中充滿恐懼。

突地，一隻冰冷的手放在我的脖子後面，我轉過身，是克里斯蒂安。

「怎麼了？」他問。

我回頭看了看剛才梅森站的地方，當然，他又消失了。我緊緊閉上眼睛，嘆了一口氣，張開眼看向克里斯蒂安，一邊邁步向前走，一邊對他說：「沒事。」

剩我們兩個人時，克里斯蒂安總是不停地說話，顯示自己的詼諧，可今天這一路走來，他變得十分安靜。我沉浸在自己的思緒裡，想著梅森，也是一言不發。

這次他只出現了幾秒，既然不可能「眞的看見他」，那麼，我產生幻覺這個解釋似乎更有說服力，我說的沒錯吧？

一路上，我一直試圖說服自己相信這點。我們走進大廳，逃出了嚴寒的魔爪後，我終於發現克里斯蒂安有點不對勁。

「怎麼了？」我竭力不去想梅森，「你沒事吧？」

「沒事。」

「你這種語氣明明就是有事。」

我們推開餵食室的門，他沒有理睬我。裡面的人比我想的要多，每個坐著餵食者的小房間裡都有莫里在吸血，布蘭頓．拉薩也在這裡。他在吸血的時候，我瞥見他的臉上有一塊不太明顯的瘀青，這才想起他還沒有告訴我他是被誰欺負了。

克里斯蒂安去門口的工作人員那兒登記，然後站在原地排隊等著，我絞盡腦汁想弄明白他爲什麼心情不好。

「到底怎麼了？電影不好看？」

沒有回應。

「被艾德里安的作法嚇到了？」審問他令我有某種邪惡的小高興，問一整個晚上我都不會累。

沒有回應。

「你是不是……哦！」

我突然明白了。眞是豬！我怎麼沒有早點想到呢？

「你因爲莉莎只顧著和艾德里安討論魔法而吃醋了？」

見他聳聳肩，我知道自己猜對了。

「別這樣，她對魔法的熱情不會超過對你，只不過這件事情她躲不掉，明白嗎？這麼多年以來，她一直以爲自己不會眞正的魔法，後來發現她其實是會的，只不過，這是種古怪的、從沒聽說過的魔法，她只是想弄個明白。」

「我知道，」他澀澀地說，環視著整間屋子，卻沒有特定的目標。「我不是因爲這個。」

「那是爲……」我還沒來得及說完，自己便想到了答案。「你嫉妒艾德里安！」

克里斯蒂安冰藍的眼睛盯著我看，我打賭自己說出了他的心裡話。「我不是嫉妒，我只是……」

「只是覺得沒有安全感，因爲自己的女朋友花了大量時間和一個長得還不錯的富家公子哥在一起，而且她對他好像還很有好感。這種感覺，我們一般稱它爲『嫉妒』！」

他轉身背對著我，明顯生氣了。「我們兩個的友好期結束了！蘿絲。眞該死！這些人怎麼這麼慢？」

「瞧，」我說著，變換了個姿勢。長時間的站立令我的腳很痛。「那天我對你說的關於莉莎的事，你沒聽見嗎？她的心爲你癡狂，而且，相信我，你才是她眞正喜歡的人，我百分之百肯定，如果她喜歡上別人，我會知道的。」

他想笑又不敢笑。「妳是她最好的朋友，肯定會替她說謊。」

我冷笑著說：「如果是她和艾德里安，我肯定不會。我老實告訴你，她對他不感興趣，至少不是愛情的那種感興趣。感謝上帝！」

「可他會勾引她的，要知道，他會催眠術……」

「他不會對莉莎催眠的，我甚至懷疑他有沒有這個本事，他們兩個的催眠術可是不相上下。再說，你沒有發現嗎？我才是被艾德里安看上的那個倒楣鬼。」

「眞的？」克里斯蒂安急切地問，驚訝之情溢於言表。男生們對這種事眞是太不敏感了！「我只知道他風流……」

「還喜歡不請自來地闖進我的夢。他看得出來我對此毫無辦法，這是他用所謂的『魅力』折磨我，勾引我和他談戀愛的最好時機。」

他又變得疑神疑鬼的。「他也去莉莎的夢裡。」

壞了！我不應該提這件事。不過，艾德里安是怎麼解釋的來著？「他只是在給莉莎上課，我覺得你沒必要擔心。」

「可她如果和艾德里安一起在派對上出現，別人的表情就不會那麼詭異。」

「哈！」我說，「這才是你的眞實想法，你認爲你令她丟臉了？」

「我不是很……擅長和人打交道，」他罕見地承認自己也有缺點，「我覺得他的名聲比我好。」

「你是在說笑話嗎？」

「別裝了，蘿絲，抽煙酗酒再不好，也比不上可能變成血族的壞名聲。我們去滑雪的那段日子裡，莉莎帶我去參加晚宴和派對，那些人的表情我受夠了！我只會拖累她。她是德拉格米爾家族唯一的後人，她的後半生要一直周旋在這些人當中，博得他們的好感，艾德里安比我對她更有幫助。」

我忍住了想要打擊他的念頭。「我明白你爲什麼有這種想法，但是你這一整套邏輯從一開始就是錯的，她和艾德里安之間什麼事都沒有。」

他別過頭，什麼都沒再說。我懷疑他不只是因爲莉莎和別的男生在一起才不高興，他自己也承認，凡事只要涉及莉莎，他就沒了自信。他和莉莎在一起之後，爲人處世的態度已經改變了很多，可每當夜深人靜時，他還是會被自己「墮落家庭」的背景所困擾，他一直擔心自己不夠好、配不上她。

「蘿絲說得對！」突地，一個不受人歡迎的聲音在我們背後響起。

我露出最嚴厲的表情，轉身看向傑西，毫不意外地在他旁邊找到了拉爾夫。而分派給傑西的守護者迪恩則站在後面，監視著門口，他們之間的關係顯然是那種階級分明的。

我們到這裡時，沒有看見傑西和拉爾夫，不過他們顯然在我們周圍徘徊了很久，也聽去了很多。

「不管怎麼說，你仍然是皇室的成員，絕對有資格和她在一起。」

「哇哦！你們變臉的速度可眞快！」我說，「幾天前你們不是還警告我說，他隨時有可能變成血族嗎？如果我是你的話，會看緊自己的脖子，他可是很危險的喲！」

傑西聳了聳肩。「嘿！妳說他是清白的，如果要說和血族有來往的話，那也只會是妳。而且，我們眞的認爲要是對歐澤拉家族的叛逆天性進行改造，也是善事一樁。」

我懷疑地看著他，覺得這其中一定有詐。雖然他表現得很誠懇，好像眞的很關心克里斯蒂安的安危似的。

「謝了！」克里斯蒂安的唇邊溢出一絲冷笑。「現在你居然認可了我和我的家族，我的人生終於可以步入正軌了，這是唯一一件可以令我浪子回頭的事。」

「我是說眞的，」傑西說，「雖然現在歐澤拉家族是末日黃花，但他們曾是整個莫里中最強大的家族。我們認爲它還會東山再起的，特別是有了你。你不畏艱險的特質令我們很欣賞，如果你克服了自己孤僻的狗屁性格，可以有更大的發展，也許到時，你就不用那麼擔心配不上莉莎的事了。」

克里斯蒂安和我交換了個眼神。

「你有什麼打算？」他問。

傑西笑了笑，偷偷看了看我們周圍。「我們幾個人打算成立一個組織，就是那種全上流社會家庭的聯合會，你明白吧？這事說出來有點不可思議，不過自從上個月血族出現之後，大家就不知道要如何是好。還有傳言說，打算讓莫里也參與戰鬥，爲守護者找個新用途。」他說完，冷笑了一下，我爲他把守護者說得像是物品而怒不可遏。「有很多平民出身的莫里都想參加呢！」

「如果傳言的辦法是有益的，眞的這麼做又有什麼問題呢？」我質問道。

「有狗屁好處！他們搞不清自己的位置。我們幾個人打算自力更生，想辦法保護自己和別人，我認爲你們會同意我們的觀點。反正到了最後，凡事都要我們說了算，去他的那些拜爾和不值一提的窮莫里，我們是精英、是最優秀的。如果你加入我們，我們可以幫你搞定莉莎。」

我忍不住大笑了起來，克里斯蒂安的臉色則難看到極點。

「我收回剛才的話，」他說，「這正是我一生夢寐以求的，一份來自你們樹屋俱樂部的邀請。」

拉爾夫憑著自己高大魁梧的體型優勢，大膽地向前走了幾步。「別拿我們尋開心，這是很嚴肅的事。」

克里斯蒂安嘆了口氣。「也別拿我們尋開心。如果你們眞的想過我會和你們站在同一陣線，幫你們這些自私墮落的莫里做事，那我眞是高估了你們本來就不高的智商。這事眞的太蠢了！」

傑西和拉爾夫臉上紅一陣、白一陣的。

上帝眞是仁慈！這時，克里斯蒂安被叫到名字去吸血，我們向屋裡走去的時候，克里斯蒂安的喜悅溢於言表。沒有什麼比耍弄兩個混蛋更開心的事了！

今晚安排給克里斯蒂安的餵食者，是一個名叫愛麗絲的女人，她是全學院年紀最大的餵食者。大部分莫里都喜歡年輕的獻血者，但克里斯蒂安是這麼彆扭的一個人，更喜歡這種上了年紀的。愛麗絲其實也不算太老，只有六十多歲，不過因爲這一生被注入太多吸血鬼的安多芬，她看起來更加年邁。

「蘿絲，」她用迷茫的藍色眼睛看著我，「妳怎麼會和克里斯蒂安在一起？和瓦西莉莎吵架了嗎？」

「沒，」我說，「只是換個人生風景。」

「風景……」她喃喃地說，扭頭看著窗外。莫里的窗戶上有一層塗層，用來遮擋陽光，我懷疑這個人類是不是眞的能看見外面。「風景總是在變，你們發現了嗎？」

「我們的可沒變，」克里斯蒂安說著，坐在她身旁。「外面都是這種雪景，幾個月之內不會有變化的。」

她嘆了口氣，惱羞成怒地看著他。「我說的不是那種風景。」

克里斯蒂安對我偷偷一笑，然後俯過身，將尖牙咬住她的脖子。她的表情變得呆滯，剛才說的話在此刻都被拋在腦後。我跟吸血鬼一起生活了這麼長時間，一點都沒留心過他們的尖牙。大部分莫里都把牙藏得很好，只有此刻，我才會想起吸血鬼擁有的力量。

我每次看見吸血鬼進食，就會想起我和莉莎逃亡的時候，自己也曾經當過她的餵食者。我從來沒有上過癮，但卻是很享受那短暫的快感，有時我也很渴望能再次體會這種快感，但是從沒向外人承認過。在我們的世界裡，只有人類提供的血液是合法的，那些提供血液的拜爾族，被看作是低賤無恥的一群。

現在，我看著此情此景，卻沒了對餵食者獲得那種快感的羨慕，反而回想起在斯波坎的牢房裡，愛迪被血族看守以賽亞吸血，可我卻無能爲力，只能坐在那裡，眼睜睜地看著。

我皺著眉，不再去看克里斯蒂安和愛麗絲。

我們從餵食室離開時，克里斯蒂安看起來又活力充沛、興高采烈。「已經是週末了，蘿絲。我們不用上課，妳可以休息了。」

啊！我差點忘了。眞該死！爲什麼他一定要提醒我？我剛剛才從斯坦那件事的陰影裡走出來呢！

我嘆了口氣。「哦，不！我還要去參加社區服務。」

9

現在學院裡的莫里往上追溯幾代，都是來自歐洲東部，所以，東正教會也成了這裡信仰人數最多的教派，當然，也有信仰其他教派的學生。這些教徒裡，願意按時到教堂來做彌撒的，還不到總人數的一半，但莉莎便是其中之一。

她每個星期天都會到教堂來，因爲這是她的信仰。克里斯蒂安也會來，而他這麼做是因爲這會讓別人覺得他是個好人，不太可能變成血族。血族無法進入聖地，定期做彌撒能讓他贏得一點點別人的尊敬。

我不睡懶覺的時候，便會到教堂來找人玩。莉莎和我的其他朋友經常會相約前來，然後在彌撒結束後去找點有意思的事做，所以說，教堂同時還是大家交流感情的理想地點。主並沒有對我們把祂的聖地當作拓展朋友圈的基地表現出不高興，否則就是祂在尋找合適的時機，等著報復。

而這個週日的彌撒結束之後，我卻不能走，我的社區服務這時才剛剛開始。

教堂裡的人都走得差不多了之後，我很驚訝地看見還有一個人也留了下來，是迪米特里。

「你在這裡做什麼？」我問道。

「我想妳可能需要人幫忙，聽說神父想做個徹底的大掃除。」

「對，可是被罰來這裡做義工的人又不是你，而且你今天休息。我們……呃……我是說所有人，已經神經緊張了一個星期，而你們可是不停地打了一個星期。」

事實上，我這會兒才發現他的臉上也留了幾塊瘀青，雖然沒有斯坦那麼多。這星期對所有人來說都很漫長，而這只不過是六個星期的開始。

「我今天還有什麼事可做呢？」

「我能想出成千上百種，」我澀澀地說，「也許還有幾部你沒看過的約翰．韋恩主演的片子，你可以去找找。」

他搖了搖頭。「不可能，我都看過了。看，神父已經在等我們了。」

我轉過身，確實如此，安德魯神父正站在門口，期盼地看著我們。他已經脫掉了主持彌撒時穿著的華麗長袍，換上寬鬆的褲子，襯衣的領口還鬆開了一顆鈕釦，看起來也準備一起幹活。我開始好奇，星期天是不是不管做什麼，都算是休息？

我和迪米特里走過去聽從安排。我反覆想著迪米特里留下來的眞正原因，他肯定不是眞心想在休息日幹活。我不太習慣揣測他的想法，他以前說話都是直來直往，這次應該也沒有什麼特別複雜的原因吧！只不過不太好猜而已。

「謝謝你們兩個主動來幫我。」安德魯神父笑著對我們說。聽到他說的「主動」二字，我必須強忍著才沒有笑出聲來。

安德魯神父是一名年近五旬的莫里，花白的頭髮稀稀落落。雖然我並不是特別虔誠，可仍然很喜歡他，對他充滿尊敬。

「我們今天要做的很簡單，」他繼續說，「只是有點枯燥。首先，我們要做日常的打掃，然後有幾箱舊資料需要重新歸類，我把它們放在閣樓上了。」

「爲您效勞是我們的榮幸。」迪米特里一本正經地說。

我將到了嘴邊的嘆氣聲嚥回去，不願去想現在我本該享受的難得休息時光。

我負責擦地，迪米特里負責撣灰、將木椅擦乾淨。他幹活的時候一絲不苟、全神貫注，好像很自豪。我仍然在想他到底爲什麼留下來，別誤會，我很高興他在這裡，看見他，我的心情會變得好一點，當然，這是我一貫的反應。

他有可能是爲了套出更多關於那天斯坦事件的事情，也有可能是想爲上次我和斯塔交手時的態度批評我，因爲我的自私。這些都說得通，可他到現在都一言不發，就連神父從這裡離開去辦公室的時候，他也只是默默地幹活。我覺得，如果他眞的有話要說，肯定早就說了。

大掃除結束以後，安德魯神父指揮著我們從閣樓往下一箱一箱地搬資料，將它們放到教堂後面的儲藏室裡。莉莎和克里斯蒂安總是把閣樓當作自己的祕密花園，我暗想：如果把這裡的雜物清除乾淨，就更方便他們巫山雲雨了！不過他們也可能會放棄這裡，那麼我就可以睡安穩覺了。

我們把所有的東西都搬到樓下以後，三個人坐在地板上開始整理資料。安德魯神父告訴我們留下哪些、扔掉哪些，這對我站了一個星期的雙腳來說，是一次難得的休息。安德魯神父有時會和我們交談幾句，問問上課的事什麼的，看來社區服務也不那麼糟糕。

我們工作了一會兒，我突然心中一動。我一直竭力說服自己梅森只是我的幻覺，但是如果能從相關的權威人士口中聽到「鬼魂並不存在」這種話，我會安心許多。

我對神父說：「你相信有鬼嗎？我是說，這些玩意兒裡……」我指了指周圍的資料，「有提到過嗎？」

我突然這麼說顯然嚇了他一跳，但是並沒有對我稱他貢獻了自己畢生精力收集的資料爲「這些玩意兒」而生氣，也沒有對我十七年以來參加了這麼多次彌撒卻對此毫不知情而不滿，他只是怔怔地看著我，停下了手裡的工作。

「嗯……我認爲這要看妳對『鬼』的定義是什麼了。」

我敲著一本神學方面的書。「重點是，人死了以後，不是只有上天堂或下地獄這兩種選擇嗎？鬼應該是編出來的，對吧？《聖經》上從來沒有說過有鬼這種事。」

「一樣的，」他回答說，「這取決於妳是怎麼定義的。我們一直認爲，人在死後，靈魂會從肉體脫離出來，而且確實有在這個世間停留的可能。」

「什麼!?」這答案眞是出乎我的意料！我手上拿著的髒盤子掉了下來，幸好它是木製的，不會摔壞，我很快撿起它，「能停留多久？永遠嗎？」

「不不不，當然沒有那麼久，這種說法是在耶穌復活以及救贖的說法成爲基督教主流理論之後才出現，它相信靈魂在死者過世之後，還可以在世上逗留三到四十天，等待接受『臨時』的審判，看是要上天堂還是要下地獄。不過要想親眼見證天堂和地獄，就要等到眞正的審判日降臨之時，那時，人們的肉體與靈魂便能眞正合而爲一，獲得永生。」

救贖什麼的我都沒有聽進去，我滿腦子都在想「三到四十天」這幾個字，已經把自己來這裡是爲了幹活這件事忘了個精光。「哦，那這種說法到底是不是確有其事呢？在人死後，靈魂眞的還會在塵世停留四十天嗎？」

「蘿絲，那些對信仰的眞實提出質疑的人，要參與的可是一場連自己都沒有完全準備好的辯論喲！」

好吧！他說得對。我嘆了口氣，重新埋頭在自己面前的箱子裡。

「不過，」他善意地說，「我知道東歐古老的鬼怪傳說裡也有類似的內容，那時基督教還沒有開始在歐洲的大地上廣泛傳播。在那些傳說中，他們認爲人在過世之後，靈魂是會在人間作短暫的停留，特別是那些早逝或死於非命的人。」

我呆住了。我曾經爲了讓自己相信梅森不過是幻覺而努力鑄造的心理建設，一瞬間就土崩瓦解了。

早逝？死於非命？

「爲什麼？」我心虛地問，「他們爲什麼還留在人世間？是……是爲了復仇嗎？」

「有些人認爲是這樣，也有人覺得可能是靈魂還有很強的怨念，無法尋得內心的平靜。」

「你認爲哪個是眞的？」我問道。

他微微一笑，「我相信人有靈魂，如同我們父輩告訴我們的，但我不認爲那些留在世間的靈魂會被活著的人看見。這可不是在拍電影，凶宅或是附身，這樣的事是沒有的。我想這些鬼魂不過是渴望不被發覺地待在我們身邊，直到他們得到救贖。說到底，審判之日獲得救贖之後要怎麼做，才是我們要想的，這是聖子犧牲了自己爲我們換來的，這才是重點。」

我在想，如果安德魯神父也看見了我所見到的，還會不會這麼快地說出這番長篇大論？早逝，或是死於非命，梅森兩種都是，而且也沒滿四十天。

我又想起那張悲傷的臉，不知道它究竟暗示著什麼？復仇嗎？還是他眞的無法獲得平靜？

而安德魯神父關於天堂和地獄的說法，對我們這種死而復生的人會怎麼處理呢？維克多．達什科夫曾經說過，我從死神的世界而來，因爲莉莎將我從他手裡搶了回來。什麼叫死神的世界？不是天堂和地獄嗎？還是安德魯神父說的介於兩者之間、與塵世平行的地方。

我沉默不語，震驚於梅森可能是前來尋仇的這個想法。安德魯神父也察覺了我的害怕，但不知道自己說錯了什麼。

「我剛剛從別的教區的朋友那裡拿到了幾本新書，是關於聖弗拉米爾的有趣故事。」他試圖安慰我，「妳還對他有興趣嗎？還有安娜？」

老實說，我有。認識艾德里安之前，我們只知道兩個人擁有精神能力，一個是我們從前的老師——卡普夫人，她因爲精神能力的副作用，完全失去了神智，最後只能變成血族，以求得解脫；另一個就是聖弗拉米爾，和學院同名的人，他是幾百年前的古人，曾經也將他的守護者安娜從死神的世界裡帶回來，與我和莉莎的情況如出一轍，安娜從此成爲了影吻者，而他們之間也有了心電感應。

換作平時，我和莉莎肯定願意閱讀所有能夠找到的關於安娜和聖弗拉米爾的記載，好弄明白我們身上的事。不過，我雖然不願意承認，但比起我和莉莎之間這種永遠存在、永遠搞不清楚的心電感應，現在遇到的問題更嚴重——我被鬼盯上了！而他很可能憎恨我在他的死亡當中，扮演了那樣一個角色！

「是的，」我含糊地說，沒敢看他的眼睛。「我還感興趣，不過最近可能沒有時間看。最近我一直都很忙……你知道的，要進行實戰演練。」

我又陷入了沉默，他知趣地不再打擾我，讓我就這樣默默地幹活，迪米特里對我們的談話則沒有發表任何意見。

總算挨到收工的時候，安德魯神父說還有最後一項任務，他指了指我們剛剛整理好、重新打包過的箱子。

「希望你們能幫我把這些搬到初級生部，」他說，「放在莫里的宿舍裡。戴維絲小姐週日要給幼稚園的孩子補習，也許會用得上。」

初級生部離這裡很遠，而這些箱子我和迪米特里至少要搬兩趟才能全部搬完，不過，我總算看見重獲自由的曙光了。

「妳為什麼會對鬼魂感興趣？」我們搬第一趟的時候，迪米特里問我。

「閒聊而已。」我回答說。

「雖然我現在看不見妳的表情，但我的直覺告訴我，妳又在撒謊！」

「拜託，最近所有人都把我想得很壞，斯坦還說我很虛榮呢！」

「聽說了。」迪米特里說。我們拐過轉角，初級生部出現在我們面前。「他可能對妳有點偏見。」

「有點？哈！」聽見他承認這點讓我有些感動，但是並不能消除我對斯坦的怒氣。那種陰暗的、彆扭的情緒最近一直困擾著我的生活，越來越嚴重。「謝了，但是我已經對實戰演練失去了信心，甚至對學院的教育失去了信心。」

「妳不是認眞的吧？」

「不知道，學院裡太多規矩了，這對畢業以後的現實生活根本沒有用處。我見過外面的世界，不久前還闖過龍潭虎穴，從某些方面來說……我不知道這是不是眞的能讓我們有更充分的準備。」

我本以爲他會反駁，不過出乎我的意料，他卻說：「我部分同意。」

此時，我們走進初級生部的莫里宿舍，這裡的大廳看起來和高年級部的差不多。

「眞的？」我不敢置信，驚訝得差點摔了一個跟頭。

「眞的。」他說，臉上露出一絲微笑。「我是說，我並不贊成實習生過早接觸外面的世界，不過有時，我也想著實戰演練是不是可以到學院外面進行？我成爲眞正守護者第一年學到的東西，比我在學院學到的所有東西都要多，呃……也可能我太誇張了，不過那絕對是兩種不同的感覺。」

我們交換了個眼神，很高興意見能一致。我心中湧起一股暖意，稍稍撫平了之前的怒火。迪米特里明白我的不滿，更重要的是，他明白我這個人。

他向大廳四處看了看，只有幾個十幾歲的孩子在一起聊天、做功課。

我調整了抱箱子的姿勢，「我們進的是中學生的宿舍，小學生的在旁邊。」

「是呀！不過戴維絲小姐住在這裡。我去找找她，問問她需不需要這些。」他小心地放下箱子。「一會兒就回來。」

我看著他遠去的背影，放下自己的箱子，然後靠著牆，環顧四周，發現不遠處就有一個莫里族女孩，頓時嚇了一跳。她一直站著沒動，我根本沒有注意。她看起來應該才十幾歲，不是十三就是十四，但是個子很高，比我高出一大截，而她標準的莫里纖瘦的身材，令她看起來更高了。她的棕色捲髮亂蓬蓬的，臉上長著雀斑，一般膚色蒼白的莫里很少有長雀斑的。她發現我盯著她看之後，眼睛張得大大的。

「哦，我的天哪！妳是蘿絲·海瑟薇，對吧？」

「是呀！」我奇怪地說，「妳認識我？」

「大家都認識妳，我是說，大家都聽過妳的大名。妳從學院裡逃跑，然後又回來了，而且還殺死了好幾個血族，太酷了！妳有閃電紋身嗎？」她一連串說完這一大堆話，幾乎沒有換氣。

「有的，有兩個。」我想起自己脖子後面的紋身，覺得渾身發癢。

她淡綠色的眼睛張得更大了，「哦，我的天哪！哇哦！」

我通常對別人對閃電紋身大驚小怪的樣子很反感，不管怎樣，整個過程一點都不酷，但是這名小女生還很年輕，而且很可愛。

「妳叫什麼名字？」我問。

「吉莉安……吉兒，我是說，就叫吉兒，不是吉莉安吉兒。吉莉安是我的全名，大家都叫我吉兒。」

「哦，」我忍俊不禁地說，「明白了。」

「我聽說上次滑雪旅行時，有莫里使用魔法參加了戰鬥，是眞的嗎？我也想要這樣，希望有人可以教教我。我的能力是氣，妳認爲我能用它打敗血族嗎？他們都說我瘋了。」

長久以來，莫里使用魔法進行戰鬥都被看成是瘋狂的行爲，所有人都相信它只能用於和平的用途。但最近，有人對此提出了質疑，特別是在斯波坎的逃跑過程中，克里斯蒂安證明了魔法很管用之後。

「我不知道，」我說，「也許妳可以去問克里斯蒂安．歐澤拉。」

她張口結舌。「他會告訴我嗎？」

「如果妳同意反對傳統，是的，他會告訴妳。」

「好吧！剛才那個人是貝里科夫守護者嗎？」她突然轉換了話題。

「對。」

「眞的!?他比我聽說的還要帥！他是妳的老師，對嗎？就像妳的私人指導？」她看起來好像隨時會暈倒。

「對。」我想知道他到底在哪兒，和吉兒談話很費神。

「哇塞！妳知道嗎？你們兩個看起來根本不像是老師和學生，更像是朋友。你們不訓練的時候會一起玩嗎？」

「呃……嗯，大概吧！有時候會。」我想起自己之前的看法，我是迪米特里不執行任務時，爲數不多可以聊天的人。

「我就知道！我連想都不敢想，我一見到他就緊張，什麼都做不好，但是妳不一樣，妳的樣子就像在說：『對！我是和這個很帥的傢伙在一起，可我根本不甩他。』」

我笑起來，就好像她說的人不是我。「我認爲妳有點太吹捧我了！」

「才沒有，而且我也不相信那些事，妳知道的。」

「什麼事？」

「就是說妳故意陷害克里斯蒂安・歐澤拉的事。」

「謝謝妳，」我說。現在關於我的謠言已經傳到初級生部來了，如果我走遍整棟宿舍，也許還會有個六歲的小娃兒對我說：「聽說妳喜歡克里斯蒂安？」

吉兒忽然又變得吞吞吐吐。「不過另外一件事我不知道是不是眞的。」

「哪件事？」

「妳和艾德里安・伊瓦什科夫兩個人……」

「哦，」我打斷她，不想再聽下去，「不管妳聽說了什麼，那都不是眞的。」

「但是那眞的很浪漫耶！」

「那就更不是眞的了！」

她的臉垮下來，幾秒鐘後又振奮起來。「妳能教我怎麼打人嗎？」

「等妳……什麼!?爲什麼妳想學這個？」

「嗯，如果我以後想用魔法參加戰鬥，我想平時也不能閒著。」

「妳找錯人了！」我義正言辭地告訴她，「也許妳應該……呃……去找妳的體育老師。」

「我找過！」她變得很抓狂，「他不同意。」

我忍不住笑出聲來。「我只是在開玩笑。」

「求求妳，我學會了之後，將來可以對抗血族。」

我的笑聲戛然而止。「不行！眞的不行！」

她咬住嘴唇，仍然不死心。「那麼，至少可以去對付那個變態狂。」

「哪來的變態狂？」

「最近總有人被打，上個星期是達尼．齊科洛斯，前幾天是布萊特。」

「達尼……」我開始回想自己所知有限的莫里家族譜。學院裡有一堆姓齊科洛斯的人。「是傑西的弟弟？」

吉兒點點頭。「對，有一個老師已經快被氣爆了，可達尼就是不肯說出發生什麼事，布萊特也一樣。」

「布萊特？姓什麼？」

「歐澤拉。」

「歐澤拉？」我重複了一遍，突然有種感覺——她知道一些連我都不知道的事。

「他是我好朋友艾米的男朋友，昨天他全身都是瘀傷，好像還有一些很奇怪的痕跡，像是被鞭子抽過，也可能是燒傷，但是他傷得沒有達尼嚴重。克拉韓夫人問他發生了什麼事，布萊特向她保證什麼事都沒有，克拉韓夫人雖然覺得很蹊蹺，可也只能讓他走。他的心情還特別好，這挺奇怪的，一般來說，被人打了總是不是件好事。」

她的話觸動了我，令我似乎想起了一點什麼，我應該知道的，可就是抓不住它。在維克多、鬼魂和實戰演練這麼多煩人的事中間，老實說，我眞的再也沒有精力去管別的事了。

「這麼說妳會教我，讓我可以防身囉？」吉兒問道，非常希望她能夠說服我。她攥了攥自己的小拳頭。「我只要這麼做就行，對吧？把大拇指壓在其他手指頭上，然後用力揮？」

「呃……對，不過沒有這麼簡單。妳要站好，找對方向，不然自己會傷得更嚴重，而且妳的手肘和腰也要用力。」

「示範一下，好不好？」她乞求道，「我打賭妳肯定很棒！」

我是還不錯，但是我的記錄裡還不想再補一條「誤人子弟」的罪名，還好這時候，迪米特里和戴維絲小姐一起回來了。

「嘿，」我對他說，「這裡有個人非常想認識你。迪米特里，這是吉兒。吉兒，這是迪米特里。」

他看起來有些驚訝，不過仍然笑著和她握了握手。她羞紅了臉，說話也變得結結巴巴。在迪米特里鬆開她的手那一剎那，她立刻說了聲「再見」，然後一溜煙跑掉了。我們向戴維絲小姐交代了一聲，向教堂走去，準備搬第二趟。

「吉兒認識我，」我邊走，邊對迪米特里說，「她好像有種英雄情結。」

「妳很驚訝嗎？」他問道。「那個小女生可能很崇拜妳！」

「不知道，從來沒想過這種事，我不覺得我是個好榜樣。」

「我不這麼認爲，妳很開朗、肯吃苦、凡事都盡力做到最好。妳受人尊敬的程度，比起妳想的要多得多！」

我用餘光瞥了他一眼。「但仍然不足以去參加維克多的公審。」

「別這麼說。」

「不，我就要說！爲什麼你不明白這麼做的重要性呢？維克多是個很大的威脅！」

「我知道。」

「如果他被判無罪，又會開始進行他那個瘋狂的計畫！」

「這種情況微乎其微，妳知道的，那些說女王可能釋放他的謠言只是謠言，你們這些孩子應該學會不要道聽塗說。」

我面無表情地繼續走，不想承認他說得對。「你就是應該帶我們去，或者……」我深吸了一口氣，「你至少應該帶著莉莎去。」

這些話要說出口比我想像的還困難，可我確實是這麼想。

我並不認為自己愛慕虛榮，但是心底仍然會有一部分渴望成為眾人矚目的焦點。我想衝在最前面，成為眾人的指南針或是保護者，而且，我確實很想出席維克多的公審，我想和他面對面，親眼看見他被送進監獄，但，隨著時間的流逝，這種想法變成事實的可能越來越渺茫。

如果他們不能帶著我們全部的人去，那麼，也許他們會願意帶著莉莎。她是維克多整個計畫的目標，比起她獨自一人擔心可能沒有我在她身邊保護她，我希望她有這個機會見證維克多被送進監獄。

迪米特里，這個深知我想什麼說什麼的性格的人，似乎被我這種反常的舉動嚇了一跳。「妳說得對，她應該出席，不過我要再強調一次，這件事我無能為力。妳一直認為我能搞定，可我眞的沒這個能力。」

「那你竭盡全力了嗎？」我想起艾德里安在夢中說的話，關於迪米特里其實還有努力的餘地這件事，「你的影響力很大，肯定還有什麼是可以做的，不管是什麼。」

「我的影響力沒有妳想的那麼大，我在學院的地位很高，但是在其他地方，我的資歷還很淺，而且我確實替妳們講過情。」

「也許你說話的聲音不夠大。」

我能感覺出他不高興，他在討論問題的時候總是很理性，但是一旦我撒潑，他就不願再說下去了。於是，我盡量讓自己顯得比較理性。

「維克多知道我們的事，」我說，「他可能會在上面做文章！」

「比起我們，維克多更要擔心的是他的公審。」

「對，可是你瞭解他，他絕不會按照牌理出牌。如果他認定自己沒有希望了，就會拖我們下水，作爲報復。」

我從來沒有對莉莎提起過我和迪米特里之間的事，可我們最大的敵人卻對此瞭若指掌，這比艾德里安知道這件事還要詭異。維克多一直在觀察我們，並且收集了大量的情報，我猜想，一個城府極深的壞蛋一定很擅長這些事，不過，他從來沒有把這些公之於眾，反而利用這件事，在我們身上下了情慾咒。這種符咒只有在兩個人眞的互相鍾情時才會起作用，所以它成了一劑催化劑，我和迪米特里愈陷愈深，差一點就走到了最後一步！

維克多這麼做十分聰明，他無需使用暴力就將我們打敗了。如果他派人來偷襲，我們肯定會打漂亮的一仗，但是，讓我們迷失在對彼此的情意當中呢？想要打贏就要大費周章了。

迪米特里沉默了一會兒，我知道他也認爲我說得有道理。「那只好兵來將擋、水來土掩了，」他終於說道。「不過，如果維克多眞的想這麼做，不管妳在不在場，他都會做的。」

我拒絕再回應他什麼，就這樣一直走到教堂。安德魯神父告訴我們，他後來又想了想，覺得只要再給戴維絲小姐搬一箱去就夠了。

「我來吧!」在走到神父聽不見的地方時，我生硬地對迪米特里說，「你不用跟過來了。」

「蘿絲，拜託妳不要把這件事搞得這麼嚴重。」

「它就是很嚴重!」我嚷起來，「你一點都不明白。」

「我很明白，妳眞的以爲我想看見維克多被無罪釋放嗎?妳以爲我希望我們這些人再次陷入危險嗎?」這是這麼長時間以來，我第一次看見他控制不住自己，差點失去理智。「我告訴妳，我已經做了所有能做的事。我不像妳，不會因爲事情不順心就亂發脾氣。」

「我沒有!」

「妳現在就在發脾氣!」

他說得對，我也隱約知道自己確實過分了，不過就像最近發生的所有狀況一樣，我控制不住自己的嘴。

「你今天到底爲什麼來幫我?」我問道，「你爲什麼還在這裡?」

「有那麼不可思議嗎?」他反問，好像很傷心。

「對。你是來監視我的嗎?想弄明白我失手的原因?想確信我不會再惹麻煩?」

他看著我，撥開眼前的頭髮，非常仔細。「爲什麼一定要有個目的?」

如果沒有目的，那就代表他只是想和我在一起，可這根本沒有意義，因爲我們都知道，我們只能維持師生關係。他是所有人當中最明白這一點的，也是他親口告訴我這一點的。

「因爲每件事都有目的。」

「對，但並不見得是妳以爲的那種。」他推開門，「一會兒見。」

我看著他的背影，心裡十分煩亂，困惑和憤怒攪在一起。

如果事情不是變成這種奇怪的樣子，我幾乎要以爲我們倆剛剛是在約會！

10

翌日，我再次將自己投入別人的生活裡，繼續守護克里斯蒂安的工作。

「妳的工作做得如何？」我們從他的宿舍走去教學樓時，他問我說。

我打了個哈欠，但仍然保持警惕。

斯坦的兩次偷襲都是在這裡，而且還有變態的其他守護者跟著我，等著我筋疲力盡的時候趁火打劫。昨天晚上，我一直沒有睡好，一半是因爲我對迪米特里的感情，一半是因爲安德魯神父對我說的那些話。

「還可以，神父早早就放我們走了。」

「我們？」

「迪米特里來幫我，我猜他可能是良心發現了吧！」

「有可能，他除了給妳補課，也沒有別的事情好做了。」

「也許吧！不過我不太相信。不過不管怎麼說，昨天還不算是太壞的一天。」如果你不認爲有個怨靈跟著是件壞事。

「我過得很不錯。」克里斯蒂安說，聲音中透出小小的沾沾自喜。

我克制住想翻白眼的衝動。「是，我知道了。」

我已經快餓死了，等不及要吃早飯。我能聞到法式麵包和熱楓葉糖漿的味道。碳水化合物外面又裹了一層碳水化合物，味道好極了！但是，在我們吃眞正的食物之前，克里斯蒂安想先去吸血，而我必須以他爲主。很顯然，他昨天沒有去吸血，也許是爲了珍惜他和莉莎在一起的每一秒。

餵食室裡人不多，可我們還是要排隊。

「嘿，」我說，「你認識布萊特．歐澤拉嗎？你們是親戚吧？」

自從我偶遇吉兒之後，終於能把事情拼湊個大概。布萊特和達尼讓我想起斯坦第一次偷襲那天布蘭頓的樣子。那場災難性的襲擊令我完全忘記了布蘭頓的事，而這種巧合突然引起了我的好奇。

他們三個人都被打了一頓，但是三個人都矢口否認。

克里斯蒂安點點頭。「對，我們算是遠親，不過我和他並不是很熟，他是我的三弟還是四弟來著？他們那一支和我們這一支往來並不密切……呃……妳明白的。」

「我聽說他身上發生了很奇怪的事。」然後，我把吉兒告訴我關於他和達尼的事，又重複了一遍。

「是很奇怪。」克里斯蒂安同意道，「不過男生總是會打架的。」

「對，不過這幾件怪事肯定是有關聯的，皇室一般都不會是打敗的那一方，而這三個傢伙全輸了！」

「哦，有可能就是這麼巧。妳知道這些事的，所有的皇室都很氣那些平民，認爲他們想改變對守護者分派的情況，還想學著去參加戰鬥。這也是傑西和拉爾夫成立他們那個愚蠢俱樂部的原因，他們想保持皇室至高無上的地位，有可能是惹毛了一些平民，報復性地揍了他們一頓。」

「你是說有個類似自衛隊的組織打算跟皇室對抗？」

「這在這裡又不是什麼特別値得大驚小怪的事。」他一針見血地指出。

「這該死的倒是眞的。」我小聲嘀咕著。

叫到克里斯蒂安的名字了，他伸長脖子看了看，高興地說：「看！又是愛麗絲。」

「眞不明白你在興奮個什麼勁兒？」我們走過去時，我看了看，說，「莉莎看見她的時候也很高興，可愛麗絲已經老糊塗了。」

「我知道，」他說，「這就是她最棒的地方。」

克里斯蒂安在愛麗絲身邊落坐，她熱情地歡迎我們。

我倚著牆，雙臂環胸，有些高高在上地說：「愛麗絲，這裡的風景一點都沒有變，和上次一樣。」

她轉過頭，張大眼睛看著我。「耐心點，蘿絲，妳一定要有耐心，做好準備。妳準備好了嗎？」

話鋒突然指向我，讓我微微一怔，好像我和吉兒聊天時那樣，只不過她比較正常。「呃……準備什麼？看風景嗎？」

這肯定是她對我還以顏色的最佳時機，愛麗絲看著我，好像我是精神不正常的人。「動武。妳已經有武器了嗎？妳以後會來保護我們，對吧？」

我將手伸進大衣，拿出發給我的訓練銀樁。「足夠保護妳了。」我說。

她立刻鬆了一口氣，很明顯不知道這銀樁的眞假。

「很好。」她說，「現在我們安全了！」

「說得對，」克里斯蒂安說，「有了蘿絲的武器，我們什麼都不用怕，所有莫里都可以放心了。」

愛麗絲很明白他話中的嘲諷。「是呀！這裡從沒有這麼安全過！」

我重新將銀樁收好。「我們很安全，有世界上最好的守護者保護我們，而且學院外面還有結界，血族是進不來的。」

我沒有告訴他們我最近才知道的事——血族可以靠人類破壞結界。

結界是集合四種元素的力量所形成的一道看不見的防線，需要有四名具備不同元素能力且法力十分強大的莫里一起，沿著需要保護的地方走一圈，將魔法注入整個區域上空，創造出一個保護層。

莫里的法力是天生就有，且伴隨他們一生的，他們的法力之所以可以阻住血族，是因爲那等於是將它們的生命力化爲魔法，所以結界一般都圍著莫里族群的聚集地展開，學院外面也有很多。可是銀樁也是用四種元素的法力創造而成的，用它沿著整個結界線劃一下，便可以消除結界的保護效果。

不過，一般人不會擔心這件事，因爲血族是不能碰銀樁的。然而，在最近發生的幾次事件中，可以碰觸銀樁的人類效忠血族，用它破壞了結界。我們認爲我殺死的那名血族，便是這個集團的首腦之一，不過目前還沒有辦法確認。

愛麗絲湊近我，仔細地看著，張大了混濁的眼睛，好像知道我在想什麼。「沒有絕對安全的地方了，結界消失了，守護者死了。」

我看了一眼克里斯蒂安，他聳聳肩，彷彿在說：妳還期待她能怎樣？

「如果你們兩個說完了悄悄話，我可以用餐了嗎？」他問道。

愛麗絲高興得說不出話，克里斯蒂安可是她今天第一個客人。她很快就忘記了結界的事，放任自己沉醉在被他吸血帶來的快感之中。

我也忘記了結界，腦子裡只有一件事——我想知道梅森的鬼魂到底是不是眞的。拋開神父嚇人的解釋不說，我得承認，梅森每次出現都不太恐怖，只是有點嚇人。如果他是來報仇的，那還眞是很不成功！再一次，我認爲還是把他解釋爲幻覺比較令人信服。

「現在，該輪到我去吃飯了吧？」克里斯蒂安吸完血後，我說。

我很確信自己已經聞到了培根的香味，也許克里斯蒂安也會高興看見培根的，他可以把它裹在法式麵包外面一起吃。

還沒等我們走出餵食室，莉莎就向我們跑過來了，愛迪跟在她後面。她的臉上洋溢著興奮，雖然根據心電感應傳來的資訊，她並沒有那麼高興。

「妳聽說了嗎？」她問，說話有點喘。

「聽說什麼？」我問。

「快！快去收拾妳的行李！我們要去參加維克多的公審了，現在就出發！」

根本沒有人對我們說過維克多的公審就要開始了，也沒有人說過要帶我們去。我和克里斯蒂安驚訝地對視了一下，急急忙忙回到他的房間，收拾東西。

要帶的東西很少，我的包包根本不用收拾，而克里斯蒂安只花了幾分鐘就收拾好自己的東西了。不到半個小時後，我們已經到了學院的機場，兩架私人的噴射飛機正停在那裡，其中一架已經發動了引擎，幾名莫里正匆匆忙忙地進行起飛前的最後檢查，隨時準備出發。

沒人知道是怎麼回事。莉莎只說有人通知，要她、克里斯蒂安和我一起去參加公審，愛迪也可以一起去，繼續執行他在實戰演練期間的任務。

沒人向我們解釋為什麼突然改變了主意，但我們都既興奮又不安，雖然每個人都很想親眼看見維克多罪有應得的下場，可是現在眞的要去參加公審，能夠面對他了……呃……卻又都有點害怕。有幾名守護者在上飛機的梯子旁巡視，我認出他們也是幫忙逮捕維克多的人。他們可能有雙重任務，既要當證人，又要保護我們的安全。迪米特里也在一旁巡邏，我急忙向他跑去。

「對不起！」我哽咽地說，「對不起！」

他轉過頭看著我，臉上仍然是那副他十分擅長的撲克臉。「對不起什麼？」

「我昨天說的所有蠢話。你做到了！你眞的做到了！你讓他們同意帶我們去。」想到要去見維克多，我雖然有些緊張，但仍很高興。迪米特里眞的做到了！我就知道他一直是眞心對我的，這就是最好的證明！如果周圍不是有這麼多人，我肯定會緊緊抱住他。

迪米特里不為所動。「不是我，蘿絲，我什麼都沒有做。」

奧伯黛發出信號，表示我們可以登機了，迪米特里立刻轉身去找其他人。

我愣愣地站在原地，看著他的背影，不知道這是怎麼回事。如果不是他，我們怎麼可能可以去呢？莉莎的「催眠外交」已經暫停了一段時間，究竟是誰在中間發揮了作用？

我的朋友們都已經上了飛機，我急忙趕過去。當我走進機艙，一個聲音叫住了我：「小拜爾，妳終於來了！」

我轉頭，看見艾德里安向我揮著手，手裡還拿著一杯酒。好極了！我們爲了能參加公審，低聲下氣地求了好半天，可他勾勾小指就做到了！

莉莎和克里斯蒂安坐在一起，我走過去，坐到愛迪旁邊，希望能遠離艾德里安，愛迪將靠窗的座位讓給我。艾德里安換到我們前排坐下來，和我們在同一列，一如既往地扭著頭和我聊天。他的談吐和誇張的語氣顯示出他已經坐在這裡喝了好一會兒的雞尾酒，我暗自希望飛機起飛之後，他能安靜一會兒。

起飛之後，我覺得頭有些隱隱作痛，要了一杯夢幻伏特加，希望能緩解頭痛。

「我們將要出庭了，」艾德里安說，「妳不高興嗎？」

我閉上眼睛，揉著太陽穴。「去哪個？皇室的還是法院的？」

「皇室的，妳帶裙子了嗎？」

「沒人告訴我要穿裙子。」

「那就是沒帶囉？」

「對。」

「對？妳眞的沒帶？」

我張開眼瞪著他。「就是這個意思，你明知故問。沒有，我確實沒帶裙子。」

「我去幫妳買一條。」他傲慢地說。

「你還要帶我去逛街？那我算是落入虎口了，他們不會認爲你是個合格的伴侶的。」

「逛街？也行，但我知道有幾個裁縫不錯，可以給妳量身訂做一件。」

「我們待不了那麼久，而且，我眞的必須穿著裙子才能出庭嗎？」

「不用，我只是喜歡看妳穿裙子的模樣。」

我嘆了口氣，將頭靠在窗戶上，覺得頭疼得越來越厲害，好像被空氣壓擠著一樣。突然，有東西從我眼前閃過，我嚇了一跳，但是眼前什麼都沒有。

「黑色的，」他還在說，「要用緞子，我想……可以再加上點蕾絲花邊。妳喜歡蕾絲嗎？有的女人覺得蕾絲會讓人很癢。」

「艾德里安。」像是有把錘子從裡到外地敲著我的頭。

「不過，妳可能也喜歡天鵝絨的花邊，那樣就不會癢了。」

「艾德里安。」我連眼睛也開始疼了。

「側面還可以開個衩，這樣能露出妳漂亮的長腿，可以一直開到臀部，然後加上一個可愛的小蝴蝶……」

「艾德里安！」我終於爆發了，「你能不能見鬼的閉嘴五秒？」我的聲音很大，幾乎整架飛機裡的人都聽見，艾德里安臉上露出罕見的驚訝。

奧伯黛的位子與艾德里安只隔著一條走道，她從座位上露出頭，喊道：「蘿絲，發生什麼事了？」

我咬著牙，用力揉自己的頭。「我的頭他媽的疼得要死，他還在不停地絮絮叨叨。」我並沒有意識到自己是在對老師說話，一會兒之後才反應過來。

在我的另一方，我的眼尾餘光好像看見了什麼，飛機裡有一團黑影，我覺得像是黑色的翅膀，就像蝙蝠或是烏鴉。我摀住自己的眼睛，告訴自己飛機裡是不會有這些東西的。

「天哪！爲什麼就不能放過我？」

我本以爲奧伯黛會因爲我的不禮貌批評我，不過卻聽見克里斯蒂安說：「她今天還沒有吃東西，之前已經餓慘了！」

我放下手，奧伯黛正關切地望著我，迪米特里也出現在她身後。

我的眼前出現更大一片黑影，大部分都是模模糊糊的，可我發誓我看見裡面有幾個骷髏。我立刻眨眨眼，這些東西又都消失了。

奧伯黛轉身對空服員說：「妳能拿點吃的來嗎？還有止痛藥。」

「妳哪裡不舒服？」迪米特里問，「哪裡痛？」

看見他們這麼關心我，我的頭似乎痛得更厲害了！「頭……應該很快就好……」看著他嚴肅的表情，我指了指眉心，「好像有人在擠我的頭，眼睛後面也很痛。我總覺得……呃……好像眼睛裡進了什麼東西，總覺得自己看見了黑影一樣的東西，但是眨眨眼，就又看不見了。」

「啊！」奧伯黛說，「那是典型的偏頭疼引起的，叫作靈光，人在頭痛時偶爾會出現這種情況。」

「靈光？那是什麼東西？」我張大眼睛問道，瞥了一眼艾德里安，他正從靠背探出頭來看我，胳膊搭在椅背上，晃來晃去的。

他微笑著說：「偏頭疼的靈光是頭痛之前出現的幻覺，和我看見的人周圍的靈光是不同的。不過我得告訴妳……我看見的靈光……就是妳的……哇哦！」

「是黑色的？」

「不只，沒想到我喝了這麼多酒還能看得見，我從沒有見過這樣的呢！」

我不知道怎麼會這樣，但是空服員已經爲我拿來了一根香蕉、一塊麥麩餅乾和幾片止痛藥。這些雖然比法式麵包差得遠，但對我空空如也的胃袋也算是好消息。

我吃完之後，放了個枕頭抵住窗戶，然後閉上眼睛，將頭枕上去，希望在飛機降落之前可以睡一覺，緩解一下頭痛，所有人都很善解人意地保持安靜。

我迷迷糊糊地睡著，突然感覺到有人輕輕地碰我的胳膊。「蘿絲？」

我張開眼睛，看見莉莎坐在愛迪的位子上。那雙黑翅膀在她身後一閃而過。我的頭還是很痛，在那些黑影裡，我又看見了好像人臉的東西，這一次還看見了張大的嘴巴和像火一樣的眼睛，我不禁打了個冷顫。

「妳還很痛嗎？」莉莎看著我問。

我眨眨眼，那張臉不見了。

「對，我……哦，不行，」我知道她想幹什麼。「不可以，別在我身上浪費精力。」

「小事一樁，」她說，「我不會怎麼樣的。」

「對，可是妳用的次數越多……副作用累積在一起，對妳的傷害就越大，雖然現在好像不算什麼。」

「這個留著我以後再擔心，來。」她雙手握住我的手，閉上眼睛。

透過心電感應，我能感覺到魔法在她體內聚集，然後源源不斷地輸送她的治癒能力。對她來說，這魔法很溫暖，發出金色的光芒。我曾經被治好過，但是這次傳到我身上的體驗卻不同，一般都是冷熱交替的感覺，可現在，當她將法力送進我的身體時，我什麼都感覺不到，仍然頭痛得厲害。

她張開眼睛，問道：「怎麼樣？」

「沒發揮作用，」我說，「頭還是很痛。」

「可我……」她困惑的表情和我感應到的震驚相呼應，「我做到了，我感受到了魔法，而且它也發揮作用了。」

「我也不知道，莉茲，但我想不會有事的。」

「我那天幫愛迪療傷明明沒問題，還有艾德里安。」她澀澀地說。

艾德里安又從椅背上探出頭來，饒富興味地看著我們。

「那些都是外傷，」我說，「這可是傳說中的五星級偏頭疼，也許妳需要再恢復一段時間。」

莉莎咬著下嘴唇。「妳不會認爲那些藥還有效吧？」

「不會，」艾德里安揚起頭說，「妳召喚魔法的樣子像一顆超級耀眼的行星，妳是有魔法的，只不過對她起不了作用。」

「怎麼會？」她問道。

「也許她身上有些東西是妳無法治癒的。」

「頭痛嗎？」我很懷疑。

他聳聳肩，「妳們以爲我是誰？醫生嗎？我不知道，只是把我看見的告訴妳們。」

我嘆了口氣，將手放在額頭上。「哦，我很感謝妳來幫我，莉茲，也謝謝你的多嘴多舌，艾德里安，不過我現在最好還是睡上一覺，也許是我壓力太大了。」

當然是這樣，不然還會是怎樣呢？壓力似乎是最近所有事的根源，幽靈、治不好的頭痛，還有飛在空中奇怪的臉，也許這就是治不好的原因。

「有可能。」莉莎說，好像很不滿我身上居然有東西是她無法治好的，不過在她內心深處，其實是對自己無能爲力的懊惱，不是生我的氣，她很擔心她恢復不到原來的水準。

「沒事的，」我安慰她說，「妳剛剛才恢復能力，等妳完全恢復，我會打斷一條肋骨來讓妳做實驗的。」

她哀怨地嘆了口氣。「最可怕的是，我知道妳不是在開玩笑。」她用力握了握我的手，站了起來。「睡個好覺吧！」

她走了，但是愛迪沒有回來，他坐到了別的地方，好讓我睡得更舒服一點。我心懷感激地拍了拍枕頭，將它重新放好，然後伸腿跨過座椅，盡可能地展開自己的身體。又一片烏雲飄了過來，我閉上眼睛，繼續睡覺。

飛機降落時，我醒了，轟鳴的引擎聲將我從熟睡中吵醒。讓我高興的是，頭不痛了，那些圍繞著我的黑影也不見了。

「好點了？」我站起來打哈欠的時候，莉莎問。

我點點頭。「好多了，如果我能吃飽，那就更好了。」

「好吧！」她笑著說，「這裡可不會有缺水少食的事情發生。」

她說得對，我向窗戶外望了望，想看看能不能知道這是哪裡。

我看出來了，我們降落在莫里皇室的宮廷裡！

11

我們下了飛機，馬上闖入了一個狂風大作、陰冷潮濕的世界。雨水夾著冰雪襲向我們，比蒙大拿滿天飛舞的雪片還要惹人惱怒。我們現在置身於東部的海岸，呃……反正離那裡很近就對了。

女王的宮殿坐落在賓夕法尼亞州靠近波科諾山的某處，對這裡，我只有大概的印象，離費城或者匹茲堡那樣的大城市不是很近。不過在賓州，我只知道這兩個地方。

我們降落的跑道也位於皇宮的領地範圍之內，所以已經是在結界內了，如同學院的那個小型機場一樣。事實上，這裡有很多地方都跟學院類似，就是人類口中的複合式建築。整個宮廷是一個建築群，美倫美奐，沿著鋪設整齊的地板散開，中間綴滿了樹木和鮮花，至少在春天時是綴滿的。和蒙大拿一樣，這裡也是樹葉凋零、萬木皆枯。

五個守護者來接我們，全都穿著黑色的褲子和同色的大衣，裡面露出雪白的襯衣。他們穿的並不是制服，是適合正規場合的正裝，這樣整體看起來會很有氣勢。相比之下，我們的牛仔褲T恤就顯得寒酸多了，像是某人鄉下來的窮親戚。

我禁不住酸溜溜地想：萬一眞的和血族打起來，我們的衣著會舒服許多！

他們和奧伯黛及迪米特里都認識，老實說，這兩個傢伙好像沒有不認識的人。在一陣客套寒暄之後，大家都放鬆下來，變得親切友好。

我們都迫不及待地想進屋，離開這一片天寒地凍。我們的護衛領著我們向皇宮走去，我對皇宮很瞭解，知道面積最大、裝飾最華麗的那一棟，是所有莫里族的政要處理公務的行政大樓，它的外觀是哥德式的，但是裡面……我懷疑就像是人類的現代化政府機關。

不過，我們並不是要去那裡，而是被帶進旁邊的一棟建築物，外表和行政大樓一樣華麗，但是只有它一半大小。有一個守護者對我們解釋說，這裡是供所有客人和貴賓落腳的地方，方便他們出入皇宮。令我驚訝的是，我們每個人都有自己的房間。

愛迪對這種安排提出反對，他擲地有聲地要求和莉莎住在一起。迪米特里笑了笑，說沒有這個必要，在這種地方，守護者不用和自己要保護的莫里時刻不離，事實上，他們經常分開，各自行事。皇宮和學院一樣，結界重重，到學院拜訪的莫里客人也很少隨身帶著他們自己的守護者，只有在實戰演練中，我們才會如此。愛迪勉強接受了這一點，但是我再一次為他的敬業精神所折服。

奧伯黛簡單地感謝了幾句之後，轉過來對我們幾個說：「休息一會兒，四個小時後吃晚飯。莉莎，女王希望一個小時之內能夠見到妳。」

莉莎身子猛地一顫，吃了一驚，我們倆交換了一下眼色，都不知道為什麼。上次莉莎見到女王的時候，女王因為我們兩個的逃跑而故意怠慢她，令她在眾人面前很是尷尬，我們兩個現在都很想知道她為什麼召見莉莎。

「好的。」莉莎說，「我和蘿絲隨時等候吩咐。」

奧伯黛搖了搖頭。「蘿絲不用去，女王特別吩咐過，只召見妳一個人。」

當然是這樣，堂堂的女王陛下怎麼會對瓦西莉莎．德拉格米爾的影子感興趣呢？一個邪惡的聲音在我心裡說：妳只是個陪襯……陪襯……

這種陰暗的想法嚇了我一跳，我用力將它甩到一邊。回到房間，我看見房裡有一台電視，心情稍稍變好了一點。一想到自己可以看四個小時的電視，就覺得很不可思議！房間裡其他的陳設也超級夢幻，非常現代的風格，擺著的黑色桌子光可鑑人，皮沙發雪白無瑕，我都不敢坐上去了。

諷刺的是，這裡雖然一切都很完美，但仍不及我們滑雪旅行時住的那家度假飯店舒適。我猜這是因爲凡是來到這裡的人都是爲了公事，而不是來度假的。

我剛剛在皮沙發上窩好，打開了電視，莉莎的思緒便闖了進來。

過來聊聊！她這麼說。

我坐起來，對自己能「聽見」的這句話和這句話的內容感到震驚。一般我們之間的心電感應傳達的，都是感受或者畫面，這種有針對性的請求非常少有。

我站起來，走出房間，來到隔壁，莉莎打開房門。

「怎麼了？妳爲什麼不來我房間？」我開門見山地問。

「對不起，」她非常誠懇地說，這副模樣讓人很難生氣。「我時間有限，正在挑待會兒要穿的衣服。」

她的行李箱已經攤開，就放在床上，裡面的衣服全都掛在衣櫥裡。和我不同，她帶了各種不同場合要穿的衣服，禮服和便裝都有。我躺在沙發上，發現她這裡的沙發是天鵝絨的，不是皮的。

「那件花罩衫配黑褲子，」我說，「別穿裙子。」

「爲什麼不能穿裙子？」

「因爲妳不會希望自己看起來一副卑躬屈節的樣子。」

「她可是女王，蘿絲。穿裙子表示對她的尊敬，不是卑躬屈節。」

不過，莉莎還是按照我說的做了。她一邊化妝，一邊和我聊天。我嫉妒地看著她的動作，還沒有意識到自己有多麼想念化妝品。

當我們和人類一起居住的時候，我每天都像小蜜蜂一樣精心打扮自己，而現在，既沒有化妝的時間，也沒有理由。我經常要面對各種打鬥，化妝毫無意義，而且也很快就會被蹭掉。

我所能做的最接近化妝的事，就是在臉上塗上厚厚的保濕粉底。但是早上這麼做很誇張，就像戴了一張面具，不過，一旦我曝露在寒冬或者其他惡劣的天氣下，總會感嘆於皮膚將所有的保濕成分都吸收了。

我的心被一陣短暫的懊惱小小地刺痛，後半輩子裡，我大概很少有機會再化妝。莉莎可以花一天來打扮自己，出席各種皇室的宴會，但沒有人會注意我。這很奇怪，直到去年爲止，我還是兩個人裡經常惹人注目的那一個。

「妳猜，她爲什麼要召見我？」莉莎問道。

「也許是要說明一下爲什麼讓我們來這裡。」

「也許吧！」

莉莎充滿了不安，但是外表卻顯得很鎮定。她還是沒能從去年秋天女王當眾羞辱她的陰影裡走出來。我自己無聊的嫉妒和鬱悶跟這比起來，突然間顯得十分愚蠢。我在腦子裡打了自己一嘴巴，提醒自己，我不僅僅是她的影子守護者，還是她最好的好朋友，但我們最近已經很久沒有聊天了。

「沒什麼好擔心的，莉茲，妳又沒做錯事，而且說眞的，妳做的每件事幾乎都是對的。妳的成績優秀、行爲舉止堪稱完美，還記得滑雪旅行時妳給別人留下的印象嗎？那個賤人根本挑不出妳什麼缺失。」

「妳不能這麼稱呼她！」莉莎立刻說。她正在塗睫毛膏，仔細檢查了一下，然後又塗了一層。

「我只是照實說而已，如果她刁難妳，只能說明她怕妳。」

莉莎笑了起來。「她爲什麼要怕我？」

「因爲所有人都喜歡妳，而她這樣的人不喜歡被別人搶了鋒頭。」我對自己說的話有些自鳴得意，「另外，妳是德拉格米爾家族最後的一名成員，而且經常是別人矚目的焦點。可她是誰？只不過是又一個姓伊瓦什科夫的人，姓這個姓的人多了，而且很可能姓這個的男生都跟艾德里安一樣，每個人都有一大把私生子。」

「艾德里安可沒有私生子。」

「我們知道的是這樣。」我故作神祕地說。

她咯咯笑著，站到鏡子前面，後退了一步，很滿意自己的妝容。「爲什麼妳對他總是那麼刻薄？」

我沒有禮貌地嘲笑她：「妳現在站在艾德里安那邊了？妳不是還特別警告我離他遠一點嗎？我第一次和他出去的時候，妳差點咬下我的頭，而我那時甚至還是被迫的。」

她從行李箱裡拿出一條金項鏈，戴在脖子上。「呃……對，那時我還不瞭解他。其實他沒有那麼壞，我眞正想說的是，他雖然不是什麼正人君子，但我仍然認爲那些關於他和其他女生的風流韻事，都是編出來的。」

「我可不這麼想。」我說著，從沙發上跳起來。她還沒有戴好項鏈，我從她手裡接過來，幫她戴好。

「謝謝妳，」她說著，雙手調整了一下項鏈。「我覺得艾德里安對妳是眞心的，就是想要『認認眞眞愛一回』的那種。」

我搖了搖頭，走回沙發。「才不，他對我是想要『認認眞眞想脫下這個可愛小拜爾的衣服』的那種。」

「我不信。」

「那是因爲妳總把人往好處想。」

她面帶懷疑地開始梳理自己披在肩頭的柔滑秀髮。「我不覺得，不過我確實認爲他沒有妳想的那麼壞。我知道梅森才剛過世不久，不過妳應該試著考慮接受其他人……」

「把頭髮盤上，」我從行李箱裡找出髮夾，遞給她。「我和梅森從來沒有眞正約過會，妳知道的。」

「對，所以我認爲妳就更有理由去和別人約會了。我們的校園生活還沒有結束，妳應該活得輕鬆自在、隨心所欲一點。」

隨心所欲？這眞是太諷刺了！幾個月以前，我還跟迪米特里爭論作爲一名在校的守護者，就要時時刻刻顧及名譽、謹小慎微是多麼不公平。他也認爲我不能過同齡其他女生的那種生活很不公平，但這是我為更好的將來付出的代價。

我曾經很傷心，但是，自從維克多事件之後，我開始明白迪米特里話中的含義了，他是在暗示我不能圖一時歡樂，而影響長遠的發展。現在，自從斯波坎回來之後，我已經脫胎換骨，再也不是去年秋天和迪米特里爭論隨心所欲的那個女生了。

還有幾個月我就要畢業，校園中的種種，比如舞會、男朋友……跟今後的計畫比起來又算得了什麼呢？每件事似乎都微不足道了，除了能幫我成為更加優秀的守護者那些。

「我真的不覺得我需要有個男朋友來填補我的校園經歷。」我對她說。

「我也不認為妳需要。」她同意道，手裡用力將她的馬尾辮拉直。「但是妳過去還會與男生打打鬧鬧，有時也去約會，現在卻……我只是覺得這麼做對妳有好處，不代表妳一定要跟艾德里安很認真地談戀愛。」

「哦，他肯定不會反對妳的這種說法，我認為他最不希望的事就是負責任，但這就是問題所在。」

「好吧！不過從流傳的幾個謠言來看，他還是很有責任感的。我那天聽說你們兩個已經訂婚了，還有人說他被人趕出家門，因為他對他父親說，他不會再愛上除了妳以外的任何人。」

「哈哈哈哈哈……」實在找不到比這種反應更適合這些蠢到家的謠言了。「真滑稽！同樣版本的故事也傳遍了整個初級生部。」我瞪著天花板。「為什麼這些事總發生在我身上？」

她走過來，站在沙發旁低頭看著我。「因為妳很有魅力，每個人都愛妳。」

「才怪！妳才是大家都喜歡的。」

「好吧！我們兩個都魅力無窮、惹人喜愛。畢業之前……」她的眼裡閃著淘氣的亮光，「我會爲妳找到一個令妳滿意的男朋友的。」

「別忍了，想笑就笑出聲吧！反正這些都沒關係，也不是眼前的事。妳才是我要擔心的人。我們就要畢業了，妳也要離開學院了，這是多好的一件事啊！沒有校規，只有我們兩個。」

「想起可能只剩我一個人，」她小聲說道，「總有點害怕。但是妳會成爲我的守護者的，還有迪米特里。」她嘆了口氣，「我眞不敢想像沒有妳在身邊的生活！」

我坐起來，輕輕地捶了一下她的胳膊。「嘿，小心，妳這樣會讓克里斯蒂安吃醋的。不過，這是廢話，我想到時候他肯定也會在的，不管我們最後要去什麼地方。」

「有可能，妳、我、他和迪米特里，還有克里斯蒂安的守護者，一個幸福的大家庭。」

我表面上取笑她，但是內心深處卻有一股暖流漸漸湧起。我們的生活最近變得有些瘋狂，但是我的生命裡還有這些可愛的朋友，只要我們一直在一起，所有難關都會過去的。

她看了看錶，又變得有些膽怯。「我要走了，妳……妳要跟我一起來嗎？」

「妳知道我去不了。」

「我知道……不過不需要眞人出現，就是那種……妳可以做到吧？妳會在心裡陪著我嗎？這樣我才不會覺得很孤單。」

這是第一次莉莎讓我這麼做，平時她都不喜歡被我一眼看穿，這也說明了她現在眞的很緊張。

「當然，」我說，「反正我除了看電視也沒別的事，這麼做可能更有意思。」

我回到自己的房間，坐到剛才那個地方，清理了一下自己的思緒後，放開我自己，進入到莉莎的意識中，來到剛好可以感應到她內心感受的地方。

能做到這個地步，多少要感謝影吻者的心電感應，這不僅僅能知道她的想法，簡直可以說是和她融為了一體，能透過她的眼睛看見外面，並且感受到她的體驗。我最近才學會怎麼做到這一點，過去我都是在無意識的狀態下感應到的，就像很多時候我無法將她的感受從腦海中趕走，而現在我已經可以這樣做，還可以有意識地潛進去，也就是我待會兒即將要做的。

莉莎剛剛走到女王的會客室外，正等候被召見。

莫里族雖然會使用「皇室」這樣的字眼，有時也行下跪這樣的禮儀，但是並沒有寶座之類的東西。塔蒂安娜女王正坐在一把普通的扶手椅上，穿著海藍色的裙子和上衣，看起來更像是個上班族，而不是君王。

她並不是自己一個人獨自在那兒，有個人高馬大、用銀絲帶將一頭捲髮綁起來的莫里坐在她旁邊。我認出她是普里西拉·沃達——女王的閨中密友兼顧問，我們在滑雪旅行的時候見過她，她對莉莎印象深刻，我將她的出現看成是個好兆頭。

沉默的守護者們穿著黑西服、白襯衣，沿牆站了一排。令我吃驚的是，艾德里安也在會客廳裡。他靠在一張小小的雙人沙發上，完全不顧他正與莫里的最高領袖共處一室這個事實。

陪同莉莎的守護者向女王報告：「瓦西莉莎·德拉格米爾公主殿下覲見。」

塔蒂安娜女王點頭表示歡迎。「歡迎妳，瓦西莉莎，請坐。」

莉莎坐在艾德里安旁邊，她的心已經提到了喉嚨。這時，一名莫里侍從走過來，問她要喝茶還是咖啡，不過莉莎婉言謝絕了。

塔蒂安娜女王輕呷了一口茶，仔仔細細地把莉莎從頭到腳打量了一番。

普里西拉開口打破了尷尬的沉默：「還記得我對妳說過的吧？在愛荷華的晚宴時，她給我們留下了很深的印象，漂亮地處理了一場莫里和守護者之間的爭鬥，她還設法令艾德里安的父親冷靜了下來。」

塔蒂安娜女王冰冷的表情有所緩和，笑了一下。「確實令人嘆服！很多時候，我都覺得南森只有十二歲。」

「我也是。」艾德里安又喝了一口。

塔蒂安娜沒有理會他，又看著莉莎。「似乎所有人都很喜歡妳，眞的，關於妳，我聽到的總是讚揚，除了妳少不經事時做的糊塗事……不過我也理解了，這事他們也有不對。」

莉莎吃驚的表情令女王開懷大笑，可是笑聲中並沒有太多感情色彩或是幽默感。

「是的，是的，我知道所有關於妳能力的事，當然也知道維克多都幹了什麼。艾德里安也對我說過精神能力的事。這太神奇了！告訴我……妳眞的能……」她看了一眼一旁的桌子，上面擺了一個花瓶，深綠色的嫩芽剛剛頂出個小土包，好像是某種溫室種植的球莖植物，但是，跟外面庭院裡的植物一樣，它也在等待春天的降臨。

莉莎猶豫了一下，當眾使用她的能力對她來說很陌生，但是，塔蒂安娜正充滿期待地看著她。莉莎就湊過去，碰了碰那個土包，小芽立刻破土而出，長高了些，足有一英尺高，同時還在枝條上長出了巨大的花苞，不久便綻放出香氣怡人的白花，是東方百合。莉莎收回了自己的手。

塔蒂安娜女王的臉上露出驚嘆，她喃喃低語了些什麼，但是我聽不懂。她並不是土生土長的美國人，只是選擇將自己的行宮建造在這裡。她講英語時沒有口音，不過，如同迪米特里一樣，他們在感到震驚的時候，母語會自然而然地脫口而出，但很快地，她又戴上了那副不苟言笑的面具。

「哦！真是有意思！」她輕描淡寫地說。

「這絕對會派上用場，」普里西拉說，「瓦西莉莎和艾德里安肯定不是僅有的兩個會使用精神能力的人，如果我們找到其他人，肯定可以發現更多特別的能力！治癒本身已經是上帝的恩賜，更不用說其他的，想想我們可以用這些做多少事。」

莉莎稍微高興了點。有一陣子，她總是想出去尋找其他和自己類似的人，艾德里安是她發現的唯一一個，但那純粹是運氣好。如果女王和莫里的議會動用他們的資源一起尋找，毫無疑問還能找到更多。只不過，普里西拉的用詞令莉莎感覺不太舒服。

「我請求您的原諒，女王殿下，我認爲您的想法有些操之過急，目前還不宜將我或是其他人的治癒能力派上用場。」

「爲什麼？」塔蒂安娜女王問道，「就我的理解來說，妳可以治好任何傷病。」

「是的……」莉莎從容地說，「我也打從心底願意這麼做，希望能夠治好所有人，可是我不能。我是說，千萬不要對我有所誤解，我是真心實意地想要幫助別人，可我知道我們還會遇見像維克多這樣想要濫用這種能力的人。不久之後……我是說，您會如何抉擇？誰生誰死呢？組成生命的還有一部分是……嗯，某些人的逝去是命中注定的。我的力量並不是您在需要時便可以取用的靈丹妙藥，老實說，我希望這種能力只能用在……嗯……某些特殊的人身上，比如那些守護者。」

會客廳的氣氛微微變得緊張，莉莎暗示的東西，是任何人都不敢公開談論的。

「妳究竟想說什麼？」塔蒂安娜女王瞇起了眼睛，我打賭她絕對聽懂了。

莉莎不敢繼續說下去，可她還是說了：「所有人都知道分派守護者時有一種特殊的……呃……規則。只有菁英人士才能獲得分派，比如皇室、有錢人和有權勢的人。」

房間裡寒氣逼人，塔蒂安娜女王的嘴抿成了一條直線。她已經沉默了好一會兒，我能感覺到所有人都屏住了呼吸，我也不例外。

「妳不認爲皇室的成員值得這種特殊的對待嗎？」她終於開口，「妳不認爲妳自己——德拉格米爾家最後的傳人，值得這種特殊的對待嗎？」

「我確實認爲女王陛下的安全非常重要，可我同樣也認爲有時要停下來看看自己做的事。現在是時候重新思考是否有必要遵循傳統了。」

莉莎見解獨到、充滿自信，我爲她感到驕傲。看著普里西拉的表情，我知道她也覺得很驕傲，她從一開始就很喜歡莉莎，可我也打賭她同時也很緊張，她長年伴隨女王左右，知道莉莎正在危險的水域裡游泳。

塔蒂安娜女王又呷了一口茶，我猜她是在藉機釐清思路。「明白了。」她說，「那麼妳也贊同莫里應該跟守護者一起戰鬥，主動出擊，消滅血族嘍？」

又一個危險話題，被莉莎逼出來的。「我認爲如果有莫里有此意願，應該給他們一個機會。」

我突然想到了吉兒。

「莫里的性命是十分寶貴的，」女王說，「不應該去冒險。」

「拜爾的性命同樣寶貴。」莉莎駁斥道，「如果他們和莫里一起戰鬥，大家都能得救。我想要再次重申，如果莫里有此意願，爲什麼要拒絕他們呢？他們有權利知道要如何保護自己。而且還有像塔莎．歐澤拉那樣的人在探索如何用魔法戰鬥。」

聽見克里斯蒂安姑姑的名字，塔蒂安娜女王皺起了眉頭。塔莎年輕的時候曾經被血族襲擊過，於是將畢生的精力放在研究怎麼反擊上。

「塔莎．歐澤拉……她是個愛惹麻煩的傢伙，她還召集了很多同樣愛惹麻煩的傢伙！」

「她只是想推廣一下最新的觀點。」我發現莉莎已經不再害怕了，她堅信自己的觀點，並且想將它們說出來。「縱觀過去，那些擁有新觀念的人，就是想法和常人不同，並且希望改變現狀的人，他們總會被當成惹麻煩的傢伙，可眞的是這樣嗎？妳想聽眞話嗎？」

塔蒂安娜女王的表情已經很難看了，但仍然勉強擠出一絲微笑。「洗耳恭聽。」

「我們需要變革！我是說，我們的傳統是很重要，不應該拋棄，但有時候，我認爲我們可能在傳統中迷失了方向。」

「迷失方向？」

「隨著時間的流逝，我們身處的時代發生了巨大的變化，我們也變了。世界上有了電、電腦和基因技術，我們都承認這些東西讓我們的生活更便利，但我們自己的行爲方式爲什麼不能改變一下呢？爲什麼我們仍然墨守成規，不去選一條對我們更有利的道路呢？」

莉莎一口氣說完，激動萬分，她的臉頰通紅、心跳加速。我們所有人都看著塔蒂安娜女王，在她那張雕像一般的臉上尋找蛛絲馬跡。

「和妳談話很有意思，」塔蒂安娜女王最後說。她說「有意思」的時候，令人覺得這個詞像是在罵人。「不過我現在還有事要做。」

她站起來，在座的每個人都跟著站起來，甚至連艾德里安也不例外。

「我不會出席你們的晚宴，妳和妳的隨從可以自便。我們明天公審時見。不管妳的觀點有多麼激進、天眞、理想化，我仍然很高興妳能參加對他的審判，至少，對他應該進監獄這一點，我們是達成共識的。」

塔蒂安娜女王走了出去，兩名守護者立刻緊隨其後，普里西拉也跟出去，只留下莉莎和艾德里安兩個人。

「幹得漂亮！表妹。能讓這個老太婆失態的人並不多。」

「她看起來並沒有很丟臉。」

「哦，她很丟臉了，相信我。她每天都見很多人，但沒有一個敢這麼和她說話，更別說是像妳這樣的小丫頭了。」他站起來，將手伸向莉莎。「來，我帶妳逛逛這個地方，讓妳放鬆一下。」

「我來過這裡，」她說，「那時還很小。」

「這樣啊……好吧！不過我們小時候看見的和我們長大以後看見的並不一樣。妳知道這裡有一個二十四小時的酒吧嗎？我們去喝一杯。」

「我不想喝酒。」

「回去之前妳總會喝的。」

我從莉莎的意識中抽離出來，回到我自己的身體裡。女王的召見結束了，莉莎也不需要我隱形的支援了，而且，我現在眞的不想見到艾德里安。

我坐起來，驚訝地發現自己的精神好了很多，在她的意識裡就像睡了個午覺。

我決定自己去探個險。我從來沒有到過宮廷，這裡看起來像是個迷你小鎮，我很好奇這裡的其他地方都是什麼樣的，除了那間酒吧——艾德里安可能會一直在裡面待到我們離開。

我走下樓，認爲自己應該先到外面去。就我所知的來看，這裡只有客房，很像是這個宮廷裡的酒店。走到門口時，我看見克里斯蒂安和愛迪正在跟別人講話，我的位置看不見這個人的模樣。時刻保持警惕的愛迪看見我，向我打了個招呼。

「嘿，蘿絲，看看我們遇見了誰。」

我走過去的時候，克里斯蒂安向旁邊側了側身，揭曉了神祕人的答案。這人朝我微微一笑·我呆住了。

「嗨！蘿絲。」

過了一會兒，我才感到一絲微笑慢慢爬上自己的臉。

「哈囉！米婭。」

12

如果半年以前你問我，我肯定會說在皇宮裡碰見米婭對我來說，絕不是一件開心的事。她比我小一歲，從入學之日起就對莉莎心懷妒意，其妒意之大，令她做出了很多極端的事，給我們添了不少麻煩。她做得很成功，傑西和拉爾夫傳播的關於我的謠言，就是她在後面當推手的結果。

可後來米婭和我們一起去了斯波坎、一起被血族抓走，正如這件事對克里斯蒂安和愛迪產生的深深影響，她也變了。她和我們一起親身經歷了那可怕的一切，事實上，她是唯一一個和我一起目睹了梅森之死的戰友，也見證了我是如何殺死血族的，她甚至還用水魔法暫時制止了一個血族，救了我一命。在整個莫里族掀起的這場「莫里是否應該同守護者並肩作戰」的大討論中，她堅定地站在參戰的一方。

我已經有一個月沒看見她了，上一次是在梅森的葬禮上。我細細地看著她，覺得好像隔了有一年那麼久。

我一直認爲米婭長得像個洋娃娃，她比一般莫里族的女生個子都要矮，臉圓圓的，而且，她很喜歡把頭髮捲成大捲，這讓她離洋娃娃又更近了一步。可今天，她幾乎沒怎麼打扮就出來了，金色的捲髮只綁了個馬尾，在髮梢才能看出一點點輕微的自然捲。她沒有化妝的臉透露出她經常在戶外活動，臉上的皮膚已經被風吹皺了，還曬成了古銅色，這種膚色不會出現在莫里族的身上，因爲他們不可能待在陽光下。這是有史以來第一次，米婭的外表看起來和她的年齡相符。

她看見我呆呆的樣子，嘲弄地說：「得了吧！我們才一個月不見，別裝得妳好像認不出我來了。」

「我眞的差點沒認出來。」我們擁抱，分開，再擁抱，眞不敢相信她曾經不擇手段地想要毀掉我的生活，也不敢相信我差點打斷她的鼻梁骨。「妳在這裡做什麼？」

「我們正打算出去玩。」

我們走到一旁的購物中心，雖然規模並不是很大，不過確實有一些店鋪可以滿足這裡的工作人員，和來這裡辦事的莫里族人的需要，比如餐館、小店，還有可以提供各種服務的工作間。這裡也有咖啡館，而那就是米婭要帶我們去的地方。

雖然咖啡館是再常見不過的，但我很少進去。和朋友坐在這種公共（或是半公共）場所，不用去想學校的事，眞是太爽了！這令我想起我和莉莎在人類社會時那種無拘無束的日子。

「我爸爸現在在這裡工作，」她說，「所以，我也搬來和他一起住了。」

莫里的孩子很少和父母住在一起，他們都被送到像聖弗拉米爾這樣的學院，這樣才能保證他們安全地長大。

「那學校怎麼辦？」我問。

「這裡雖然小孩不多，可也還有幾個，家裡都很有錢，請得起各種家庭教師。我爸爸認爲我可以隨不同的人上不同的課，所以，我還是會繼續念書，只不過是以另一種方式，其實還挺酷的！上課的時間不長，但是功課很重。」

「妳在這裡不只學這些吧！」愛迪說，「除非妳是在室外上課。」他也注意到了我注意到的，她捧著咖啡的雙手，上面居然還有繭子！

她動了動手指。「我還和這裡的幾名守護者成了朋友，他們有時會教我幾招。」

「這太冒險了！」克里斯蒂安說，雖然他的語氣像是表示贊同，「這件事外面仍然有爭議。」

「你說的是關於莫里使用魔法參戰的事，」她更正道，「人們爭論的是這點，沒人特別針對莫里族赤手空拳去戰鬥這件事提出過異議。」

「其實是有的，」我說，「只不過被討論魔法那些人的聲音蓋過去了。」

「這又不犯法，」她一本正經地說，「在沒有法律規定它時，我會一直堅持下去。妳認爲這裡的事和會議還不夠他們忙嗎？沒人會注意我在做什麼。」

米婭的家庭在莫里的平民中地位也算不上特別高，雖然這不是錯，可她肯定感受到周遭的人因此對她態度的變化。

不過，我發現她並沒有受到什麼影響，比起以前我認識她的時候，她更快樂也更開朗了。她似乎……自由了！

克里斯蒂安搶在我前面說出了我的想法：「妳變了！」

「我們都變了，」她糾正道，「特別是妳，蘿絲，雖然我說不出來究竟是哪兒變了。」

「我們五個經歷了那種事，不可能沒有變化。」克里斯蒂安指出來，過了一會兒，他又改口道：「我們四個。」

所有人都陷入了沉默，想到梅森已經不在，每個人的心情都很沉重。和他們一起，我一直試圖掩藏的悲傷又重新升起，而他們的表情也讓我知道，他們經歷著與我相同的煎熬。

話題不停地改換，我們的心情逐漸平復，聊著這裡和學院發生的事情。可我仍然耿耿於懷，想著米婭說比起其他人來，我的變化最大。我反覆回想自己最近的情緒常常失控，有一半的行為和想法都不像是我會有的。

坐在這裡一比較，米婭整個人顯得積極陽光，而我則顯得消沉陰鬱，和艾德里安的對話再次在腦海中迴響，他曾告訴我，我的靈光是多麼的黑暗可怕。

眞是說曹操，曹操到，不過反正他和莉莎早晚會回來找我們。我猜，他們兩個去的酒吧很可能也在這裡，不過我已經從她的意識裡退出來，沒有特別關注。

艾德里安沒有把她灌醉，謝天謝地，但是莉莎也承認自己喝了兩杯。透過靈光，我能夠感受到她微醺的醉意，只好仔細地將它關在心靈之外。

她覺得很奇怪，我們怎麼會和米婭在一起，不過仍然跟她熱情地擁抱，然後互相寒暄。米婭說的，大部分我都知道了，所以只在一邊做個聽眾，喝著自己的印度紅茶。我從不喝咖啡，大部分守護者喝咖啡就像莫里在吸血，可我對這個東西連碰都不碰。

「妳見女王的事怎麼樣了？」克里斯蒂安逮住一個機會問莉莎。

「還不錯，」她說，「但也不太好，不過她沒有吼我，也沒再羞辱我，總之，這是個開始。」

「別謙虛了！」艾德里安摟住她的肩膀，「德拉格米爾公主完全佔了上風，你們眞應該看一看。」

莉莎笑了起來。

「我猜，她沒有提起爲什麼讓我們來參加公審的事吧？」克里斯蒂安嚴肅地問，他好像不怎麼高興這兩個人主導了整個局面，或者是艾德里安的鹹豬手。

莉莎的笑聲退去，臉上仍然帶著微笑。「是艾德里安幹的。」

「什麼？」我和克里斯蒂安同時叫出聲。

艾德里安笑而不語，任由莉莎繼續說下去。「他對女王說我們應該要出席，纏了女王好久，直到她終於點頭。」

「這叫『說服』，不叫『纏人』。」艾德里安更正說，莉莎又咯咯笑了起來。

我對塔蒂安娜女王的那番評論重新浮了上來——她是誰？只不過是又一個姓伊瓦什科夫的人，姓這個姓的人多了……

確實很多！我瞄了艾德里安一眼。

「你們兩個是什麼關係？」答案搶先透過心電感應從莉莎那裡傳了過來。「她是你姑姑？」

「偉大的姑姑，而我是她疼愛的侄子，也是唯一的侄子，不過這不重要，反正我還是她最疼愛的。」

「眞難以置信！」克里斯蒂安說。

「我很懷疑。」我說。

「你們都沒有人感謝我！讓你們相信我眞的想在這個危難關頭出一份力，怎麼會這麼難呢？」艾德里安站起身，竭力想做出一副生氣的樣子，但是臉上的抽動卻透露出他覺得這麼做很好玩。

「我的雪茄和我要告辭了，至少它們對我還有些敬意。」

他的背影一消失，克里斯蒂安馬上問莉莎道：「妳怎麼跟他一起喝醉了？」

「我沒醉，只喝了兩杯。」她回答說，「你什麼時候變得這麼保守了？」

「從妳受了艾德里安的壞影響開始。」

「別這樣！是他幫我們爭取出庭的，別人都辦不到。他沒有責任要幫我們，可他還是幫了，但你和蘿絲卻坐在這裡，表現得好像他是地球上最壞的一個惡棍。」這話說得並不正確，我坐在這裡，像個呆子，仍然被嚇得沒有回過神來。

「對，我相信他這麼做是出於一番好意。」克里斯蒂安碎碎唸。

「不然還會有什麼呢？」

「哦，天！我也想知道呢！」

莉莎的眼睛張得大大的。「你的意思是，他是爲了討好我？你認爲我們兩個之間有什麼？」

「你們一起喝酒、一起練習魔法，還一起參加上流社會的聚會。妳說呢？」

米婭和愛迪很尷尬，一副想要離開這裡的樣子，我的心電感應也開始有反應了。

莉莎生氣了，怒火一波波向我湧來，她眞的是肝火大動，倒不是因爲說她和艾德里安怎麼了，而是因爲克里斯蒂安不相信她。而克里斯蒂安，我不用心電感應也明白他的感受，他吃醋並不僅僅是因爲莉莎和艾德里安出去，而是嫉妒艾德里安能夠影響到莉莎。就好像傑西和拉爾夫說過的，一把鑰匙開一個鎖，而克里斯蒂安沒有這把鑰匙！

我用膝蓋頂了頂克里斯蒂安的腿，希望他在事態惡化之前能夠意識到，及時閉嘴。莉莎的怒火變得愈加強烈，還帶著點尷尬，她開始懷疑自己，用力回想自己是不是和艾德里安走得太近。這整件事眞是太荒唐了！

「我以上帝的名義起誓，克里斯蒂安，如果艾德里安眞有別的目的，那也是因爲我，還有他自以爲是的執著。他之前曾經說過他能幫我們，可我並不相信。」我又轉頭看著莉莎。我需要她冷靜下來，將那些壞情緒趕出去，避免有可能發生的失控。「莉茲，妳現在可能很生氣，不過妳需要冷靜一個小時，然後再繼續，不然很可能會說出和他一樣蠢的蠢話，那我還得去忙著救火，和以前一樣。」

我說著說著，也火大了起來，希望此時有人能攔住我，說我的話聽起來有多麼像個潑婦。不過，莉莎的情緒得到了緩和，她對克里斯蒂安微微一笑。「好吧！我們確實應該過一會兒再談。今天發生太多事了。」

他猶豫了一下，點了點頭。「說得對，抱歉我對妳發火了。」他回給莉莎一個微笑，暫時休戰。

「那麼，」莉莎轉頭問米婭，「妳在這裡見過了誰？」

我驚訝地看著他們，不過沒人注意到。我令他們重歸於好，可是居然連聲謝謝都沒有！沒人對我說「謝謝妳，蘿絲，妳讓我們明白了自己剛剛有多麼蠢」這樣的話。我一天到晚看著他們卿卿我我我已經夠難受了，但我的感受根本沒人管，現在我修補了他們的關係，居然沒人意識到！

「我出去一會兒。」我打斷米婭的話，害怕自己再坐下去，就會說出令自己後悔的話，很可能還會摔椅子。這股無名火是從哪裡來的呢？

我走出咖啡館，希望吹吹冷風可以令我冷靜下來，結果，我卻看見了一張噴著丁香煙霧的臉。

「妳別想拿我抽煙的事做文章。」艾德里安警告說，他的身子倚在磚牆上，「妳何必到外面來？明知道我在這裡。」

「我就是非得出來，呃……我覺得如果在裡面多待一分鐘，恐怕就要發瘋了！」

他抬起頭看著我，揚起眉毛。「妳不是在開玩笑吧？發生什麼事了？五分鐘以前妳還好好的。」

我在他面前走來走去。「不知道，我本來挺好的，後來克里斯蒂安和莉莎因爲你的事開始吵架。太奇怪了！本來是他們兩個心情不好，結果後來我的心情比他們兩個加在一起還不好。」

「等一下，他們因爲我吵架？」

「對，就是這樣，你沒長耳朵嗎？」

「嘿，別拿我出氣，我可沒惹妳。」

我雙手抱胸。「克里斯蒂安吃醋是因爲你老是纏著莉莎。」

「我們在研究精神能力。」艾德里安說，「他要加入也很歡迎。」

「嗯，對，但是沒人說過熱戀的人是有智商的。看見你們兩個一起回來，他就受不了了。不過最大的原因，還是因爲他以爲你是爲了幫莉莎才去找女王的。」

「我可不是爲了她，我是爲了大家，嗯，特別是妳。」

我終於停住了踱步。「因爲我不信你能做到？」

他笑了起來。「看來那天在夢裡，妳根本沒有仔細聽我講我們家族的歷史。」

「大概吧！我本來以爲……」

我說不下去了。我一直以爲能夠出庭，是迪米特里爲了我而動用關係，我以爲他是無所不能的，雖然他嘴上不承認。可惜，竟然不是他。

「以爲什麼？」艾德里安追問道。

「沒事了，」我花了好大力氣才將下面的話說出來：「謝謝你肯幫我們。」

「哦，上帝！」他說，「蘿絲·海瑟薇也會說好聽的話？我死而無憾了！」

「你在說什麼？我平時表現得像個令人討厭的潑婦嗎？」

他只是看著我。

「嘿！別裝酷！」

「也許妳可以用擁抱補償我。」

我瞪了他一眼。

「小小地擁抱一下呢？」他乞求道。

我嘆了口氣，走過去伸出胳膊環住他，將頭輕輕地靠在他的肩膀上。「多謝，艾德里安。」

我們這樣站了幾秒，雖然沒有我和迪米特里那種觸電的感覺和心靈的默契，我還是不得不承認莉莎有些話是對的——艾德里安有時很討厭，可他並不是我口中說的那種眞正的壞蛋。

這時，莉莎和其他人都走了出來。他們的震驚可以理解，可我也管不了了，就算他們以爲我懷了艾德里安的孩子，那又怎麼樣呢？我鬆開了手。

「要回去了？」我問。

「對，米婭還有要緊的事要做，不能一直陪我們。」克里斯蒂安打趣說。

米婭轉身要走，但是突然又折了回來。「天！我差點忘了！」

她伸手在大衣口袋裡摸了摸，遞給我一張摺疊起來的紙。「這是我來找你們的部分原因，一個法庭看守讓我交給妳的。」

「謝了，」我疑惑地說。

她轉身離開了，我們其他人則往回走去。

我放慢腳步，打開了那張紙，想知道這個世界上還會有誰想要寫信給我。

蘿絲：

聽說妳來了，我非常高興，看來明天的審理過程不會那麼乏味無趣了！我對瓦西莉莎最近的表現很好奇，而妳的禁忌之戀也是我調劑生活的絕佳趣聞，我已經迫不及待地想在法庭上和眾人分享了，就在明天。

V.D.

「怎麼了？」愛迪走到我身邊問。

我急忙把紙條摺好，放進口袋。「沒事……」

13

我們一回到房間，我便編了個藉口，告訴莉莎我有一些守護者的問題需要處理。她也心急地想要彌補剛才和克里斯蒂安的口角——大概想用寬衣解帶來彌補吧！所以也沒怎麼追問。

我的房間裡有一部電話，我打到櫃台，請他們告訴我迪米特里的房間號碼。

當他看見我站在門外時，有些驚訝，還有一點謹慎。上次發生這種事時，我已經中了維克多的情慾咒，行為舉止有些……過火！

「我有事必須要跟你說。」我說。

他放我進屋，我立刻掏出那張字條給他看。

「V.D是……」

「我知道是誰，」迪米特里看完，將字條還給我。「維克多．達什科夫。」

「我們要怎麼辦？我是說，我們之前討論過這件事，現在他真的要說出來了！」

迪米特里沒有回話，我打賭他在想這件事可能帶來的各種後果，就像他在戰鬥時一樣。終於，他掏出手機，這比我使用房間裡的電話顯得更酷一點。「等我一會兒。」

我坐在他的床上，覺得這樣做有點危險，於是換到了沙發上。我不知道他在跟誰通話，只聽見他們在用俄語講電話。

「怎麼樣?」他掛掉電話後，我問。

「等會兒再告訴妳，現在，我們先安靜等著。」

「太好了!這是我最喜歡的事。」

他拉過一把椅子，坐在我對面。這椅子對他的身材來說太小了些，不過，跟以往一樣，他仍然有辦法讓自己優雅地坐進去。

我身邊放著一本他平時總是帶在身上的牛仔小說，我拿起來，又一次想著他到底有多麼孤獨。就連現在，在皇宮裡，他還是選擇待在房間不出門。

「你爲什麼喜歡看這個?」

「消遣而已。」他簡單地說。

「嘿，別太過分。我也看書的，用來找那些威脅我好朋友性命和神智健康的奇怪事件的答案。我覺得牛仔什麼的對我這樣的人沒有什麼幫助。」

他把書從我手中抽走，翻了翻，想了想，然後一本正經地對我說:「和看別的書一樣，只是爲了逃避現實。而且這裡面……嗯，我不知道該怎麼講，有時可以知道原來的西部是什麼樣子的，沒有約束，所有人都是憑自己的喜好生活，用不著一直按照別人的想法去判斷對錯，或者品評是非。」

「等一下!」我笑了，「我以爲我才是不喜歡循規蹈矩的那個!」

「我並不是說我想這麼做，只不過想知道那是什麼樣子。」

「你騙不了我的，夥伴，你肯定想頂著牛仔帽，然後將那些無法無天的銀行搶匪繩之以法!」

「沒那個時間，讓妳老老實實就已經夠頭大的了！」

我咯咯笑了起來，突然間，彷彿又回到了我們一起打掃教堂的時候……至少是回到沒有吵架之前，相處得輕鬆自在，事實上，更像是回到我們開始一起訓練的時候，那時所有的事都還很純潔簡單……呃……好吧！所有的事最後都會變複雜，但總有那麼一刻是簡單的。

我有些傷感，希望我們能夠重返往日時光，那時還沒有維克多．達什科夫，我的手上也沒染過鮮血。

「對不起。」迪米特里突然說。

「爲什麼？因爲看這些暢銷小說？」

「我沒有能力幫妳參加公審，讓妳失望了。」我在他臉上看見愧疚一閃而過，他好像覺得自己傷害了我們之間的關係。

他的道歉完全將我的心防擊潰，有一刻，我在想他是不是也像克里斯蒂安一樣，嫉妒艾德里安在這件事上的影響力，但馬上我就看出不是這樣。我一直怨恨迪米特里，因爲我覺得他是無所不能的，他的內心深處也有同樣的想法，至少我是這麼想的。不管我對他提出什麼要求，他都不想拒絕我。

先前那些積攢了很長時間的怨氣消解於無形，我突然間覺得自己心力交瘁，還有無可救藥的愚蠢。

「你沒有。」我對他說。「我太孩子氣了，你從來沒有讓我失望過，這次也一樣。」

他感激的目光讓我飄飄欲仙，如果時間再長一點，我想他可能會說出令我高興得昏過去的甜言蜜語。可這時，他的手機響了。

又是一陣俄語的嘰哩咕嚕，講完電話，他站了起來。「好，我們走吧！」

「去哪兒？」

「去見維克多。」

事實擺在眼前，迪米特里的朋友遍天下，雖然這裡是守衛森嚴的莫里皇宮，我們還是被帶進了設置在這裡的監獄。

「我們爲什麼要來這裡？」我們下樓前往維克多所在的牢房時，我悄悄問。

我眞的希望這裡是那種四面都是石頭牆、上面還掛滿了火把的監獄，但是這裡其實很現代，鋪著大理石的地板，四周的牆刷得雪白，不過倒也算固若金湯，至少這裡沒有窗戶。

「你認爲我們能夠讓他打消這個念頭嗎？」

迪米特里搖了搖頭。「如果他想以此報復我們，只要做就好，根本不用給我們什麼警告。沒有目的，他是不會這麼做的，我們現在就去看看他到底有什麼居心。」

我們來到維克多的牢房前，他是這裡唯一關押的犯人。像其他監獄一樣，他的房間讓我想到醫院，乾淨明亮，充斥著一股消毒水的味道，而且空空蕩蕩，沒有任何顏色和娛樂設施。如果我在這裡待上一個鐘頭，肯定會抓狂！牢房門銀色的鐵棍牢不可摧，這是最重要的。

維克多坐在椅子上，頗爲無聊地修著自己的指甲。我們上次見面是三個月以前，再看見他還是讓我直起雞皮疙瘩，內心深處潛藏的怒意突然之間便湧到心頭。

最令我火大的地方，就是看見他這麼健康年輕。他是經由對莉莎的折磨才換來這一切的，對此，我恨之入骨。如果他的病沒有治好，現在可能已經歸天了！

他的頭髮重新變得烏黑亮麗，只有幾根白髮摻雜其間。這個四十出頭的人英俊帥氣，神情儼然如帝王一般。聽見我們的腳步，他抬了抬眼皮，用與莉莎一模一樣的淺綠色眼睛看著我——德拉格米爾家族和達什科夫家族交往的歷史源遠流長——而看見別人也有同樣顏色的眼睛令我有點不自在。

「哦，我的天，貴客來了！可愛的蘿絲瑪麗，妳現在已經像個大人了。」他露出一絲笑意，又瞥向迪米特里，「當然，在某人眼裡，妳早就已經是個大人了。」

我將臉貼在牢門上。「別說這些沒用的！你到底想怎麼樣？」

迪米特里輕輕將手搭在我的肩膀上，把我拉回來。「別激動，蘿絲。」

我深吸了一口氣，然後不情不願地後退了一點。維克多從椅子上站起來，放聲大笑。

「到現在你的小女孩還沒學會怎麼控制自己的脾氣。不過，也許你一直不希望她能學會。」

「我們來這裡不是爲了鬥嘴。」迪米特里冷靜地說，「你千方百計把蘿絲引到這裡，我們想知道是爲了什麼。」

「這就一定是個陰謀嗎？我只想知道她最近過得怎麼樣，而我有種預感，明天不可能讓我們有機會進行這麼友好的交談。」他臉上又露出那副討厭的假笑，我覺得有這些鐵棍幫他攔著我，眞的是非常走運。

「誰打算跟你友好交談了？」我低吼道。

「啊！我可不是在開玩笑。我眞的想知道妳最近過得如何，對我來說，妳永遠是令人著迷的話題，蘿絲瑪麗。妳是我們知道的唯一影吻者。我曾經對妳說過，這不僅僅是妳死而復生那麼簡單，妳也不可能享有平凡普通的學校生活，像妳這樣的人是絕對不會沒沒無聞的。」

「我不是你的試驗品！」

他對此置若罔聞。「具體的情況怎麼樣？妳都看見了什麼？」

「我們沒時間說這個，如果你不快點說重點，」迪米特里警告他說，「我們就要走了。」

我不明白迪米特里怎麼能表現得這麼冷靜，我向前湊了湊，用最無情的笑容看著他。「明天你不會被無罪釋放的，希望你好好享受你的監獄生活。我打賭看你重新病懨懨是很令人愉快的，而且你知道，那一天早晚會來的。」

維克多看著我，臉上仍然掛著那種假惺惺的微笑，讓我有想掐死他的衝動。「啊！萬物都會死的，蘿絲。哦，我想妳或許除外，不過可能妳已經死了，誰知道呢？那些去過死神世界的人，有可能永遠也擺脫不了和那個世界的關聯。」

那些惡毒的字眼已經到了我的唇邊，但出於某種原因，我還是嚥了回去。那些去過死神世界的人？如果我看見梅森不是因爲我的神智出了問題，也不是因爲他來找我報仇呢？如果這是因爲我自己，因爲我自己曾經死而復生，所以才和梅森有了某種關聯呢？第一個向我解釋影吻者含義的人是維克多，我很想知道他是不是知道我苦尋多時的答案。

我的想法一定寫在臉上，因爲他一副看出了什麼的樣子。「妳是不是有話想和我說呢？」

我討厭向他求證，那令人噁心得想吐，可我還是放下了自己的高傲，問道：「死神的世界是怎麼回事？是天堂還是地獄？」

「都不是。」他說。

「那裡有什麼？」我問，「鬼嗎？我回得去嗎？那裡的東西能出來嗎？」

維克多非常享受我向他求取答案的迫切神情，我就知道他會這樣。

「哦，肯定已經有什麼從那裡出來了，妳現在人在這裡就是最好的證明。」他的笑意更濃了。

「他在捉弄妳，」迪米特里說，「別理他。」

維克多瞥了迪米特里一眼。「我是在幫她，」他又看回我，「想聽實話嗎？我知道的也不是太多，妳才是去過那裡的人，蘿絲，不是我。我雖然還沒去過，不過總有一天會去的，也許到時候反而要求助於妳呢！我唯一肯定的是，妳殺死的人越多，離那裡就越近！」

「夠了！」迪米特里的語氣很嚴厲。「我們走。」

「等一下！等一下！」維克多和顏悅色地說，「妳還沒跟我說瓦西莉莎的事呢！」

我又向前邁進了一步。「離她遠點！她和這件事沒關係。」

維克多冷冷地看了我一眼。「由於我目前人被關在這裡，除了離她遠一點，我別無選擇。而且妳說錯了，瓦西莉莎和所有事都有關係！」

「我懂了！」我突然間恍然大悟，「這才是你寫那張紙條的眞正目的，你把我引到這裡來，就是爲了打探她的事，你知道她絕不可能來見你，因爲你手裡沒有她的把柄。」

「『把柄』這個詞太難聽了！」

「你根本不可能見到她，至少在法庭以外沒這個可能。她永遠不會治好你的，我說過了，你還會舊病復發，並且因此而去見上帝。從那個地方寄來明信片的人，也會是你！」

「妳認爲我是爲了這個？妳眞的認爲我這麼淺薄？」他的嘲諷不見了，綠色的眼睛裡透出的是熱情和幾近瘋狂的激動。他抿緊的嘴角微微扯動著臉上的皮膚，我發現他比上一次我見他時要瘦了很多，也許他在監獄的生活比我想的要艱難。「妳已經忘了我所做的一切都是爲了什麼，只顧著自己眼前的這一點，忘記了我爲妳規畫的宏偉藍圖。」

我搜腸刮肚地想著去年秋天的情形。他說得對，我一直在想他對我和莉莎犯下的滔天大罪，忘記了其他的話，忘記了他解釋自己宏偉計畫的那些瘋話。

「你想發動一場革命，居然現在還這麼想，那種事太瘋狂了，絕不可能發生。」我說。

「已經發生了，妳眞的以爲我對外面的事一無所知？我有自己的情報源，人是可以用錢收買的，不然妳以爲我的紙條是怎麼送到妳手上的？我知道外面的騷亂，知道塔莎．歐澤拉發起的讓莫里跟守護者一起戰鬥的運動。妳支持她卻反對我，蘿絲瑪麗，我去年秋天做的是同樣的事情，但是，不知爲什麼，妳對她的態度卻大不相同！」

「塔莎和你的方法不一樣！」迪米特里插嘴說。

「這就是爲什麼她還沒有進展，」維克多駁斥他，「塔蒂安娜和她的議會幾百年來一直都頑固不化，只知道遵循傳統。只要這些陳規陋習還在束縛我們，就不會有任何改變。我們永遠學不會如何戰鬥，那些平民的莫里也永遠沒機會發出自己的聲音，像你一樣的拜爾，還會繼續被派上前線。」

「那是我們活著的意義。」迪米特里說。我能感到他內心的緊張，他表面上也許看起來比我冷靜，可我知道，他剛到這裡就已經忍不住了。

「也是你們喪命的原因，你們都淪爲別人的奴隸卻不自知。我問你，你們爲什麼要保護我們？」

「因爲……我們需要莫里，」我遲疑地說，「爲了我們的種族得以延續。」

「但也沒有必要將自己的命豁出去，生孩子其實不是件難事。」

我沒有理會他的挖苦。「還因爲莫里……莫里和他們天生的魔法很重要，他們可以做很多令人意想不到的事。」

維克多憤怒地攤開雙手。「我們過去可以，人類曾經將我們奉若神明，可是到了現在，我們變懶了，而且科技的發展令我們的魔法變得越來越不重要。現在，我們能做的只是變幾個小戲法。」

「如果你有這麼多想法，」迪米特里的眼睛裡閃爍著危險的亮光，「那就在監獄裡幹點有用的事，比如寫個宣言。」

「可這些和莉莎有什麼關係？」我問。

「因爲瓦西莉莎是變革的關鍵。」

我不敢置信地瞪著他。「你是說，她會領導你的革命？」

「哦，我更希望親自來領導它，會有這一天的，直言不諱地說，我認爲她早晚會參與其中的。我聽說了她做的事，她是一顆正在升起的新星，當然了，還很稚嫩，不過人們已經開始發現這點了。所有的皇室地位都不是平等的，德拉格米爾家的家徽是一條龍，而且，德拉格米爾家的傳人個個不俗，這也是爲什麼血族總是以他們爲目標。

德拉格米爾家族重新掌管權利不是件小事，特別是對她來說。從我獲得的情報來看，她一定已經學會了掌控自己的魔法，如果是這樣，再加上她的天賦，誰都不知道她能強到什麼地步。她不費吹灰之力便能吸引眾人的目光，如果她有意識地向他們施加影響……哦，他們肯定會對她唯命是從的。」

他在說話時兩眼放光，在描繪莉莎在他白日夢裡的樣子時，充滿了希望和幸福。

「眞不敢相信！」我說，「你先是想將她藏起來，做你的『不老泉』，現在又想讓她用她的催眠術幫你實現你的瘋狂計畫！」

「我說過，她是變革的中堅力量。就像妳是影吻者，她也是我們知道的唯一具有精神能力的人，這令她變得危險，但是也有利用價值。」

哦，這很有意思，維克多並不是什麼都知道，他不知道艾德里安也有精神能力。

「莉莎絕不會這麼做的，」我說，「她不會濫用自己的能力。」

「維克多也會對我們的事守口如瓶。」迪米特里說著，抓起我的胳膊。「他已經達到了目的，他把妳引到這裡來，就是想知道莉莎的事。」

「可他知道得不多。」我說。

「你會有驚喜的，」維克多笑著對迪米特里說，「而且你怎麼這麼肯定我不會向全世界公開你們的風流事？」

「因爲這沒辦法幫你從監獄裡逃出來。而且，如果你毀了蘿絲，就是毀了自己唯一的機會，莉莎永遠不會幫你實現你那個瘋狂的計畫了。」

維克多變得有些畏縮，顯然，迪米特里說中了！

迪米特里走過去，像我剛才那樣將臉靠近門邊。我本來以為自己的語氣夠令人害怕了，可他說出來的話，讓我意識到我連「害怕」的邊都沒靠近。

「不過，這些都不是最重要的，因為在監獄裡，你很可能活不到看見美夢成眞的時候。在這裡，不是只有你一個人有同夥。」

我一口氣差點沒上來。迪米特里給我帶來過許多感受，比如愛、愜意和教導。我太習慣於這樣的他，有時忘記了他也是很危險的。他站在這裡，高大魁梧，看著維克多的眼神殺意無限，我覺得自己後背一陣發涼，記起自己第一次回到學院時，那些人是怎麼說他是如同神一樣的存在，而此刻，他看起來就像是神！

如果說維克多確實被迪米特里嚇到了，他也沒有表現出來。他碧綠的眼睛來回審視著我們。

「你們兩個眞是天造地設的一對，也可能是魔鬼造的。」

「法庭見。」我說。

我和迪米特里離開了，在回去的路上，他用俄語對值班的守護者說了些話。從他們的動作來看，我猜迪米特里是在表示自己的感謝。

我們走到戶外，穿過一片寬闊的、美得像公園一樣的地方，回到自己的房間。雨雪已經停了，籠罩著一切，像是給建築物和樹裹上了一層冰晶銀亮的外衣，整個世界好像是水晶打造的一般。

我看著迪米特里，發現他一直注視著前方。雖然在行進中很難開口，可我發誓他在發抖。

「你還好嗎?」我問。

「嗯。」

「確定?」

「不能再好了。」

「你覺得他會把我們的事說出去嗎?」

「不會。」

我們又默默地走了一會兒，終於我忍不住，將藏在心底許久的問題問了出來——

「你是說……如果維克多眞的說了……那你就會……」我沒有辦法講完，我眞的沒有辦法把那個「殺」字說出口。

「雖然在莫里皇室這方面我的影響力不夠，但是在那些無惡不作的守護者中，還是很有威信的。」

「你沒有回答我的問題。你眞的會這麼做嗎?」

「我會盡一切努力來保護妳，蘿莎。」

我的心怦怦直跳。他只有在情不自禁的時候，才會叫我「蘿莎」。

「事實上，這不是在保護我，某種意義上說，這是很冷血的，你不能做這種事，」我對他說，「復仇比我的事要重要的多，殺他的事我來做。」

我本來是在開玩笑，但是他卻當眞了。「別說這種話，反正這事不會發生，維克多什麼都不會說的。」

我們回到酒店，他便離開我，回到自己的房間。我打開自己的房門時，莉莎正坐在客廳的一角。

「妳終於回來了，發生了什麼事？妳錯過了晚餐。」

我已經完全忘了還有這檔事。「抱歉……我因為守護者的事走開了一會兒，這說來可就話長了。」

為了出席晚宴，她換了個造型，頭髮仍然高高挽起，但是衣服換成了絲質的銀色晚禮服。她的樣子美極了！完全展現了她的皇室氣質。

我想起維克多的話，不知道她是不是眞的如同他說的那樣，是實現變革的重要力量。看到她現在的樣子，那麼光彩照人、鎮定自若，我能想像人們追隨她到天涯海角的樣子。我當然是要追隨她的，但如果這樣，我的說法就有失偏頗了。

「為什麼妳一直用那種眼光看著我？」她微微一笑。

我不能說我剛剛去見了一個她最害怕的人，也不能說當她在外面悠然自得的時候，我卻在暗地裡遠遠地保護著她，如同我今後要做的那樣。

我只好回給她一個微笑，說道：「我喜歡這條裙子。」

14

第二天一早，我設定好的鬧鐘還有半個小時才響，已經有人來敲我的房門了。我以爲是莉莎，但是我迷迷糊糊地用心電感應確定了一下，發現她還躺在床上呼呼大睡。我滿腹狐疑地下了床，走去開門，一個我不認識的莫里族女生遞給我一打衣服，上面還放了一張紙條。我還在想需不需要給她一點小費什麼的時候，她已經飛快地離開了。

我坐在床上，將這些衣服抖開。黑褲子、白襯衣，還有一件黑外套。這是一套這裡的守護者穿的標準套裝，而且是我的尺碼。哇哦！我要成爲他們中的一員了！

我臉上展露出一抹笑容，同時打開了紙條，上面是迪米特里的筆跡：記得把頭髮盤起來。

我繼續呆笑不已。許多女性守護者都把頭髮剪短，爲了露出自己的閃電紋身。我也曾經猶豫著自己要不要這麼做，但迪米特里攔住了我。他喜歡我的頭髮，跟我說我只要把頭髮盤上就好。當時他的回應令我激動不已，就像現在這樣。

一小時以後，我和莉莎、克里斯蒂安以及愛迪一起走在前往法庭的路上。有人也給了愛迪一套這樣的黑白套裝，我覺得我們兩個像是穿著大人衣服扮家家酒的孩子。我的短外套和有彈性的襯衣非常漂亮，我很想知道自己能不能把這套衣服帶回去。

法庭就在我們來時路過的那棟高大、華麗的建築物裡，我們穿過它的大廳時，發現這裡既古典又現代。它的外面全是拱形的窗戶和石頭砌的塔尖，而裡面卻是標準的現代活動場所。這裡工作人員工作用的電腦都是液晶螢幕，連接各個樓層的是電扶梯。不過除了這些以外，仍然能看見牆上偶然掛著幾個古董火炬、裝飾用的雕像，以及大廳裡高高掛起的燭台吊燈。

法庭裡面，漂亮的壁畫從牆角一直延伸到天花板，在法庭的最前面，各個皇室的家族徽章都掛在牆上。莉莎走著走著，突然停了下來，目光落在德拉格米爾家的龍形徽章上。

此時，她的內心湧起一陣複雜的情緒，深感自己作為德拉格米爾家族最後一名成員的責任重若千斤。一方面，她為自己是這個家族的一員而驕傲自豪；另一方面，又怕自己不夠優秀，辱沒了這個姓氏。

我輕輕地摟了摟她，擁著她向我們的座位走去。

旁聽席中間被一條走道分隔開，我們坐在右手邊的第一排。離開庭還有幾分鐘的時間，房間裡的人並沒到滿坑滿谷的地步。我猜來旁聽的也只有這麼多人了，畢竟對維克多的審判是保密的。法官坐在我們對面，周圍沒有像陪審團的人。房間的另一邊擺著一把精緻的椅子，那是女王進來後落坐的地方。她將是對審判作出最終決定的人，這種模式一直用於對皇室成員的審判。

我指了指那邊，對莉莎說：「希望她是反對他的，看起來她是唯一有決定權的人。」

莉莎皺了皺眉頭。「沒有陪審團的感覺怪怪的。」

「那是因為我們和人類一起混的時間太長了。」

莉莎笑了。「也許吧！我不知道。只不過覺得這樣的話，黑箱作業的空間比較大。」

「哦，說得好，不過我們談的可是維克多。」

過了一會兒，維克多．達什科夫王子殿下本人走進了法庭，更準確地說，是公民維克多．達什科夫。他在關押的期間，已經被奪去了皇室的頭銜，「王子」這一名號由達什科夫家族僅次於他的長者繼承。

莉莎非常害怕，臉上僅有的一點紅潤也消失不見了，跟害怕一起出現的情緒，還有出乎我意料之外的惋惜。在他綁架她之前，維克多對她來說就像自己的親叔叔，她甚至想過他是一個可以依靠的人，她是那麼敬愛他，可他卻背叛了她！

我握住她的雙手，「別怕！」我小聲說，「沒事的。」

他的眼睛瞇起來，透出狡黠的目光，打量著法庭裡的種種，好像這裡即將開始的是一場盛大的聚會，臉上仍然是見到我和迪米特里時那副漫不經心的表情。

我譏諷地冷笑了一聲，急紅了眼，要拚命努力才能像這裡其他的守護者一樣保持鎮靜。他終於看見了莉莎，當莉莎對上那雙和自己家族顏色一樣的眼睛，顫抖了一下，而維克多向她點了點頭，算是打招呼。

我覺得自己快要爆發了！在我有任何實質性的行動之前，我聽到自己的腦海中冒出另一個聲音——莉莎的聲音。

深呼吸！蘿絲，深呼吸！我們兩個好像要彼此扶持，才能闖過這關。

又停留了一會兒，維克多才重新邁開步伐，走到法庭的左邊，坐了下來。

「謝謝，」他的眼神一移開，我便對莉莎說：「妳好像也會讀心術了。」

「不用會也知道，」她溫柔地說，「妳的手告訴了我。」

我低頭看著自己握住她雙手的手，本來這是爲了安慰她，結果卻因爲我自己的憤怒，而將她的手指都攥紅了。

「唉呀！」我說著，猛地把手移開，希望沒有攥得她骨折。「對不起！」

塔蒂安娜女王跟在他後面走了進來，這幫我分散了些注意力，讓我的壞心情得以逐漸平復。她一出現，我們便都起身然後下跪。這些都是古代的規矩，但是這套繁文縟節，莫里已經沿用了好幾百年。我們一直跪著，直到她落了坐，然後其他人才能起身，重新坐下。

公審開始了，那些曾經見證維克多事件的證人，一個一個陸續走上了證人席，訴說他們看到的。這些證人大部分都是去尋找並且將莉莎從維克多的祕密駐地救出來的守護者。

迪米特里是最後一個證人，表面上，他的證詞和其他人沒有什麼不同，他們都經歷了這次救援行動，但是在此之前，關於他自己經歷的部分，要稍微講得多一些。

「我當時和我的學生蘿絲·海瑟薇在一起，」他說，「她跟公主殿下有心電感應，是第一個知道發生了什麼事的人。」

維克多的律師翻了幾頁資料，又看向迪米特里。我簡直不敢相信他們竟然能找到願意爲他辯護的人！

「根據這些證詞，在她被發現之後，到你們通知其他人之前，有一段時間是空白的。」

迪米特里點點頭，表情始終沒變。「她沒辦法立即通知其他人，是因爲達什科夫先生在她身上下了咒，讓她來襲擊我。」

他可以如此平靜地說出這些話，令我十分震驚，居然連律師都沒有找到破綻。不過他因這些違背良心的話而遭受的內心譴責，只有我才能看出來，或許是因爲只有我才瞭解他。

哦……他想保護我們，特別是我，這就是讓他如此表現的全部動機。他泯滅了自己的部分天性，站在那裡，對眾人宣誓、對眾人撒謊。迪米特里並不完美，雖然我過去對此堅信不疑，但他一直都很誠實，可今天，他連誠實也做不到了！

「達什科夫先生對土魔法運用自如，那些法力高強而又擅長催眠術的土魔法使用者，是可以改變一個人的心智的。」迪米特里繼續說。「在本案中，他使用一件法器來影響蘿絲，令她變得暴躁易怒，而且十分野蠻！」

我的左邊響起一個聲音，好像是有人極力忍住不笑出聲來。法官是一名年邁但脾氣火爆的莫里老太太，她向那邊瞪了一眼。

「達什科夫先生，請尊重法庭！」

維克多帶著笑意揮了揮手，道歉說：「我眞的感到萬分抱歉，法官閣下、女王陛下。貝里科夫守護者的證詞裡，有幾句話令我感到很好笑，就是這樣，我保證不會再笑了。」

我屏住呼吸，等著維克多說出更可怕的話，可是並沒有，迪米特里結束了他的證人使命，然後輪到克里斯蒂安。

他的部分很簡單，只說他本來和莉莎在一起，結果她被人綁走，然後他被人敲暈了。他指認出了幾名維克多的守護者便是實施綁架的人。

等克里斯蒂安回到旁聽席上，就輪到我了！

我站起來，希望自己在這麼多雙眼睛前夠冷靜，尤其是當著維克多的面。事實上，我在作證的過程中一直避免看他。我說了自己的姓名、宣讀了自己的誓言，並保證所說都是事實，接著突然感受到迪米特里剛剛肯定也感受過的那種沉重壓力。

我站在這些人面前，宣誓說我是誠實的，可當我想如實相告時，卻不得不馬上改口說謊！

我盡可能詳細地訴說了綁架發生之前的事，尤其是關於維克多用各種恐怖的詭計測試莉莎的能力。不過，我的故事在說到迪米特里和其他守護者的時候，就截然不同了。

我曾說過自己是個漂亮的撒謊者，我用輕鬆的語氣，很快地將「襲擊老師」這個精采的部分一語帶過，沒有人留意到這點，除了維克多，雖然我盡量不去看他，但是當我提到這一部分時，還是不自覺地瞄向他的方向。

他目不轉睛地盯著我，唇邊露出一絲譏諷的微笑。我心裡清楚，他的自鳴得意不只是因為我在撒謊，還因爲他對事情的眞相瞭解得鉅細靡遺。他的表情告訴我，他的力量在我和迪米特里之上，那力量足以在眾人面前將我們擊得粉碎，哪怕迪米特里曾經威脅過他。

整個過程中，我都竭力保持冷靜，完美的表演足以令迪米特里爲我自豪，可其實我的心臟一直怦怦地跳個不停。

整個過程漫長得似乎沒有盡頭，可我知道自己其實不過站了幾分鐘。當我結束作證，因爲維克多並沒有將我的事公諸於眾而心神鬆懈時，莉莎上去了。

作爲受害人，她提供了目前爲止最有說服力的證詞，每個人都被她的故事深深地吸引住了。那是一種催眠，從來沒有人會如此入迷地聽一個人的證詞，但同時我也知道，莉莎並非有意，這只不過是含在她精神能力之內的一種迷人魅力而已。

當莉莎說到維克多是怎麼折磨她、逼迫她給他治病時，我看見眾人的臉都嚇得慘白，連塔蒂安娜女王那一成不變的撲克臉也稍稍動容了些，不過她是出於同情還是僅僅是被嚇到，就不得而知了。

但最令人吃驚的，還是莉莎設法用平靜的語氣來訴說整件事情。客觀地看，她舉止沉穩、美麗動人，可當她在作證過程中，特別是講到維克多的手下折磨她的那一段時，彷彿又回到了那個可怕的夜晚，重新體驗了一次那種傷痛。

那傢伙是個氣的使用者，可以將氣玩弄於鼓掌間，有時他會將莉莎四周的氣奪走，令她無法呼吸，有時又令她的肺塡滿了空氣。那眞是太可怕了！我當時也陪同她一起經歷了這些，事實上，現在也是如此，當她在證人席上講述這一切時，我又陪她一起回憶了那可怕的晚上。每個痛苦的細節她都記得清清楚楚，痛苦的感受在我們兩個人的體內迴蕩。當她的證詞說完，我們兩個同時有種如釋重負的感覺。

終於，輪到維克多上去了，從他臉上的表情來看，你永遠都不會想到他是在參加公審。他並沒有表現出生氣或者暴躁，也沒有悔恨、沒有爲自己辯解。他的樣子好像我們這些人都不存在，好像這世界上根本就沒什麼值得他擔心的，這多少令我火大。

就連在接受律師盤問的時候，他都一副理所當然的樣子。原告律師在問他爲什麼這麼做時，他像是看瘋子一樣看著她。

「爲什麼？因爲我別無選擇。」他語氣歡快地說，「我就要死了，又沒有人公開支持我去測試公主的能力。如果換成是妳，妳會怎麼做呢？」

律師沒有理會他的挑釁，她避開他的目光，繼續盤問：「那麼，你哄騙自己的女兒變成血族，也是逼不得已的了？」

法庭裡所有的人都不安地動了動身子。血族是最令人厭惡的，一個血族可以強迫一個人類，或是拜爾，或者莫里變成血族，只要他們在吸血的同時又將血液反哺回去。被吸血人的意願無關緊要，一旦成為血族，便失去了原來所有的情感、失去了理智，只能慢慢變成一個魔鬼，以殺人求得生存。血族會挑選那些他們認為能夠增強血族族群實力的人，將他們變成自己的同類，有時甚至會採取一些非常殘酷的手段。

另一種可以成為血族的方式，是莫里自願在吸血時殺死被吸血者，拋棄自己所擁有的魔法和生命。克里斯蒂安的父母就是這樣，因為他們嚮往永生，無論要付出多大的代價。維克多的女兒娜塔莉也這麼做，卻是因為他的授命，變成血族之後獲得的額外力量和速度，可以令她把他從監獄裡救出來。

他認為為了自己的偉大事業，任何犧牲都是值得的！

這一次，維克多仍然沒有悔意，他的答案簡單至極。「這是娜塔莉自己的選擇。」

「或者說，你為了達到目的，不惜利用身邊的每一個人？貝里科夫守護者和海瑟薇小姐並沒有明確地說你對他們都做了什麼。」

維克多咯咯笑了起來。「哦，這件事的看法因人而異。老實說，我不認為他們對我的作法有多麼介懷，如果這件案子結束以後妳有時間，法官閣下，也許妳可以考慮依法審理一件強暴案。」

我愣住了。他說了！他真的說出來了！我本來以為法庭裡所有人都會看著我和迪米特里，對我們指指點點，可是，根本沒有人向我們這邊望，大部分人都是一副吃驚的表情。我意識到維克多早就料到會有這種結果，他只不過是想戲耍我們一番，並不是眞的希望別人將他的話當眞。

莉莎的情緒透過心電感應傳過來，並沒有很激動。她以爲維克多這麼做是要轉移注意力，編個故事將話題轉移到我和迪米特里身上，很吃驚他居然會使出這麼卑劣的手段。

法官也是一樣，她喝斥維克多不要轉移話題。到了此刻，審問基本上已經到了尾聲，律師們都回到座位，等著女王陛下宣佈最後的裁決。

我又可以重新呼吸，想知道她會怎麼說。維克多沒有否認任何控罪，況且鐵證如山，這要感謝我朋友們的證詞，但是，就連維克多自己都承認，皇室裡是存在很多舞弊現象的，女王完全可以因爲不想陷入將權高位重的皇室打入監獄的醜聞，而宣判他無罪。就算人們對其中的緣由毫不知情，他的入獄也會惹來一場爭議。也許這種結果女王並不願見到，也許維克多也收買了她。

不過最後，她還是宣佈維克多罪名成立，判處終生監禁，這次是眞正的監獄，而不是皇宮裡的這個。我聽過莫里族監獄的許多傳聞，那是非常可怕的地方，我猜，他的新家可能不會有我們去探望他時的那個地方那麼舒適了。

維克多仍然非常冷靜，整個過程都像是在看一齣精彩絕倫的大戲，如同他昨天一樣。我不喜歡他這個樣子，昨天的談話令我覺得，他並沒有像表現出來的那樣心平氣和，希望他們把他看緊一些。

女王揮手，宣佈公審結束，我們剩下的人都站起來，開始議論紛紛。女王用嚴厲的目光俯瞰著整個法庭，也許是在寫什麼東西。維克多的看守帶著他準備離開，再一次，他從我們身邊經過，而這次，他停下來，開口說了話。

「瓦西莉莎，我相信妳一定過得很好。」

莉莎沒有回答，她對他仍是又怕又恨，不過在這種情況下，她總算相信他不會再傷害她了，困擾了她幾個月的篇章終於到了結尾，她總算可以翻開新的一頁，滿懷希望地讓這些痛苦的記憶慢慢淡去。

「真遺憾我們沒有機會好好談一談，不過我想下次一定會的。」他又加了一句。

「快走！」一個看守催促著他，然後將他帶走了。

「他瘋了！」當他的背影消失在門口時，莉莎喃喃地說，「真不敢相信他居然那麼污蔑妳和迪米特里。」

迪米特里就站在她身後，我抬起頭，正好迎上他看著我們的眼睛。他跟我一樣都鬆了一口氣，我們今天曾與危險比武，但，我們贏了！

克里斯蒂安走過來，抱了抱莉莎，久久不肯鬆開。我傻傻地看著他們，驚訝地發現這次我居然沒有嫉妒。這時，有人碰了碰我的胳膊，我嚇了一跳。是艾德里安！

「妳還好吧？小拜爾。」他溫柔地問，「達什科夫說了幾句……呃……很有建設性的話。」

我向他走近了點，壓低嗓音：「沒有人相信他的鬼話，我覺得沒問題，謝謝關心。」

他微笑著點了點我的鼻子。「這兩天妳已經說了兩次謝謝了，我毫不懷疑自己還能等到……呃……更特別的感謝方式。」

我哼了一聲。「就這麼多，別作白日夢了。」

他輕輕抱了抱我，然後放開手。「可以，不過我作了個好夢。」

我們準備離開法庭，這時，普里西拉匆忙對莉莎喊：「女王想在你們走之前再見妳一面，單獨的。」

我看向女王高高在上的位子，她正目不轉睛地看著我們，我不知道她這回又想要幹什麼。

「當然。」莉莎回答，雖然她和我一樣一頭霧水。

她透過心電感應對我說：妳這次會陪我嗎？我飛快地對她點了點頭，這時，普里西拉剛好走過來接她。

我回到自己的房間，一邊收拾東西，一邊調整自己，好讓自己進入莉莎的意識當中。我們等了一會兒，因爲塔蒂安娜女王還有其他的案件需要審理，最後，我們總算等到她回到昨天接見莉莎的那個會客廳。莉莎和普里西拉在她進入時，向她行鞠躬禮，等著她就座。

塔蒂安娜女王將自己的姿勢調整得舒服點。「瓦西莉莎，妳很快就要上飛機，所以我就開門見山地說了——我這裡有一份給妳的邀請。」

「什麼邀請？女王陛下。」

「很快妳就要上大學了，」她說得好像這件事已經定下來了一樣。對，莉莎是計畫要去上大學，但是我不喜歡塔蒂安娜女王的這種專橫自大。「我知道妳對目前可以選擇的學校並不是十分滿意。」

「嗯……其實也還好，只不過，莫里能去念的大學都太小了，我是說，我知道這是出於對安全的考量，但我希望能去比較大的地方，一間享有盛名的大學。」

這個國家裡有幾所大學是守護者可以一手掌控的，這樣可以令在那裡念書的莫里安全有保證。不過，正如莉莎所說的，那些都是很小的學校。

塔蒂安娜不耐煩地點點頭，好像她早就知道了。「我給妳一個機會，就我所知，這個機會是別人不曾有過的。等妳畢業之後，我會讓妳留在這裡，就住在皇宮中。妳已經無家可歸了，住在政治中心對妳學習如何掌握政治權利是有好處的。除了這些，我還會寫信推薦妳去上里海大學，從這裡去那兒只要一個小時而已。妳知道這所大學吧？」

莉莎點點頭。我從來沒聽過這所學校，不過莉莎研究全美國的大學已經快入迷了。

「那是所好學校，女王陛下，不過……還是太小了！」

「那兒比一般莫里去的學校都要大。」女王說道。

「沒錯。」我感應到莉莎心裡很迷惑，不知道為什麼塔蒂安娜女王一定要讓她去那兒？為什麼塔蒂安娜要給她提供這麼一個機會？特別是之前她還表現得對莉莎的觀點很不贊同的樣子，這裡面一定有古怪！她決定看看自己能逼出她多少真實想法。「但，賓夕法尼亞大學離這裡也不是很遠，女王陛下。」

「那所學校太大了！瓦西莉莎，我們沒有辦法確保妳在那裡的安全。」

莉莎聳聳肩。「哦，那我去里海大學還是去別的大學都無所謂了。」

女王很吃驚，普里西拉也一樣。她們都不敢相信莉莎居然對這個邀請不感興趣。老實說，莉莎並不是不感興趣，里海大學已經超出了她的預估，她十分想去，不過她也非常想知道女王安排她去的原因。

塔蒂安娜皺著眉，很顯然在想要如何說服她。「根據妳在里海的成績和表現，我們可能會在大二或者大三的時候幫妳轉學。我要重申一點，其他學校不能保證妳的絕對安全。」

哇哦！女王眞的很希望她在身邊。但是原因呢？莉莎決定直截了當地問。

「我眞是受寵若驚！女王陛下，對您感激不盡。但是爲什麼您要這麼幫我？」

「作爲德拉格米爾家族最後的一員，妳的生命變得異常寶貴。我希望能盡可能確保妳將來的安全，也非常不喜歡妳這樣的人才被浪費。而且……」她停了一下，猶豫著後面的話該怎麼說，「妳說的東西，從某方面來看，是對的。莫里要想改革，確實存在著很多的問題，這裡如果有不同的聲音出現，會是件好事。」

莉莎並沒有立刻作出回答，她仍然在琢磨這件事背後的各種可能。她希望我能夠給她一點建議，可我知道，我根本給不了她任何意見。在皇宮和一家非常棒的大學裡度過我的守護者生涯是件非常美妙的事，另一方面，我們也可以比在別的地方更加自由一些。

最後，莉莎決定接受這份邀請。

「好的，」她最後說，「我接受您的提議。非常感謝您，女王陛下。」

「好極了！」塔蒂安娜女王說，「我們會開始著手安排。妳可以離開了。」

塔蒂安娜女王不再有任何表示，於是，莉莎再次行了個鞠躬禮，幾步退到門邊，心裡仍然在想著剛剛的這些事。

突然，塔蒂安娜女王又叫住了她。

「瓦西莉莎，妳能不能讓妳的朋友到這裡來讓我見見？那個海瑟薇家的女孩。」

「蘿絲？」她吃驚地問，「為什麼……好的，當然可以，我會轉告她。」

莉莎匆匆離開會客廳，我在中途遇上她。

「發生什麼事了？」我問道。

「我也不知道。」莉莎說，「妳聽見她說什麼了嗎？」

「聽見了，也許她想囑咐我，要我在那間學校要特別小心地保護妳什麼的。」

「也許吧！我不知道。」莉莎匆匆地抱了我一下。「祝妳好運，我們一會兒見。」

我走進剛才那間會客廳，看見塔蒂安娜女王雙手緊握地站在那裡，好像非常焦急不安。她又穿得像一間大公司的女主管，上身是一件棕色絲綢外衣，下身是件窄裙。在我看來，這顏色與她花白色的頭髮一點不相配，不過這是她的造型顧問的問題，不是我的。

我學莉莎的樣子行了個鞠躬禮，打量著整個會客廳。普里西拉已經走了，只留下幾名守護者。我以為塔蒂安娜會讓我先坐下，可她卻逕自向我走過來，臉色非常不好看。

「海瑟薇小姐，」她厲聲說。「我會長話短說。我要妳和我偉大的侄子斷絕往來！立刻！」

15

「我……什麼!?」

「妳聽見我說的了，我不知道你們倆發展到什麼程度，老實說，我眞的不想聽那些細節。但這不是重點，重點是，不能再任由這事繼續發展下去了!」

女王低頭看著我，手扠著腰，明顯是在等著聽我向她保證，保證不讓她失望之類的。

我看著四周，想知道這一切是不是有人在惡作劇。我看見客廳那邊有兩個守護者，有點想去問問他們，這到底是怎麼回事?不過他們似乎奉行著「睜一眼閉一眼」守則，根本不敢和我對視。

我轉頭看著女王。「呃……女王陛下，妳可能誤會了，我和艾德里安什麼關係都沒有。」

「妳認爲我是個傻子嗎?」她問。

哇哦!好戲要開鑼了。

「不敢，女王陛下。」

「好，明白就好，妳是騙不了我的。有人看見你們兩個在一起，不管是在這裡，還是在你們的學校，我自己在法庭上也看見了。」

該死!爲什麼艾德里安選擇在那個時候表現得風度翩翩，還偷了我另一個擁抱?

「我聽說了你們之間的所有事，所以你們兩個必須分開，立刻分開。艾德里安．伊瓦什科夫是不會和低賤的拜爾私奔的，所以從此刻開始，妳最好不要再抱有幻想！」

「我從來沒想過他會……我們之間本來就沒有關係。」我說，「我的意思是，我們是朋友，僅此而已。他的確喜歡我，但他是個花花公子，如果妳想談那些偷偷摸摸的事，那……對，我肯定他已經列了一長串想和我偷偷摸摸做的事，一長串，不過我們從來沒做過，女王陛下。」

這些話剛一出口，我就知道自己幹了件蠢事。不過她的表情倒沒有眞的想把我怎麼樣的意思。

「我知道妳的事，」她說，「所有人都在講妳最近的英勇表現和事蹟，可我也還記得是妳把莉莎從學院裡帶走的。我還知道妳曾經做的不光彩的事，比如酗酒、比如和那些小夥子的事，如果依我的意思，我會打包把妳轟走，送到那些吸血妓女集中的地方，妳應該會適應得很好。」

酗酒和男人？她讓我聽起來像個酗酒如命的婊子。不過老實說，我從前確實可能在那些高中生的派對上喝得比其他人多了點，不過跟她辯解也沒用，告訴她我還是個處女並不會對事情有所幫助。

「不過，」她繼續說，「從妳最近的表現看來，把妳送走是不太可能了，所有人都相信前面有美好的未來等著妳。也許妳確實可以做到，但如果我執意想做的話，即使不能阻止妳成爲一名守護者，也可以決定妳成爲誰的守護者。」

我猛地繃直了身子。「妳這是什麼意思？在嚇唬我嗎？」我說這些話的時候有些心虛，但並不是要挑釁什麼的。

她肯定是嚇唬我的！在實戰演練裡不讓我當莉莎的守護者是一回事，但是我們現在談的，完全是另外一回事。

「我只是說我對莉莎的未來充滿期待，僅此而已。如果一定要我出面保持她的純潔，那我會的。我們可以給她另找一名守護者，也可以將妳分派給其他人。」

「妳不能這麼做！」我失聲喊道。我敢打賭，從她臉上的表情來看，她十分樂見於終於逼出了我最眞實的反應。我既生氣又害怕，努力不讓自己的脾氣爆發出來，謙遜和忠誠是我現在最需要的。「我和艾德里安眞的什麼事都沒有，我保證，妳不能因爲我沒做過的事懲罰我。」我很快記得在後面加上：「女王陛下。」

「從我內心來說，我也不想懲罰妳，蘿絲，我只是想確保我們都理解了對方的意思。莫里的男人是不會跟拜爾的女人結婚的，他們頂多和她們玩玩感情遊戲。每個女生都以爲自己會是例外，就連妳母親也是這麼想亞伯罕默的，可她錯了！」

「想誰？」我問道。這個名字讓我有如雷灌頂的感覺。亞伯罕默？我從來沒有聽過這個名字，也沒聽見有人提起過。我想知道他是誰、他和我媽媽是什麼關係，但是塔蒂安娜女主只是自顧自地說下去。

「她們一直都錯了，妳可以盡自己最大的努力去感動她們，可那只是浪費時間。」她搖了搖頭，好像很同情那些拜爾的女生，可她自命不凡的氣勢，卻不像眞的同情她們。「妳可以利用妳漂亮的臉蛋和姣好的身材，可到頭來，還是會淪爲被我們利用的人。他現在可能口口聲聲說愛妳，但終有他感到厭倦的那天。別讓自己走到那個地步，我這是在幫妳。」

「可他沒說過他愛……」算了！說了也沒用。最諷刺的是，我確實打從心底認爲他只不過是想和我上床罷了，我對他根本就沒有抱什麼幻想。

這件事對我來說眞的不算什麼，不過，對塔蒂安娜女王來說就很成問題了。我嘆了口氣，認為不管怎麼分辯，她都不會相信我對她的侄子眞的不感興趣。「如果妳眞的認爲我們不會有未來，那妳爲什麼還要跟我說這些？女王陛下。」

她一時無語，我差點笑出聲來。我媽媽和其他的拜爾，還有女王，多多少少都很擔心我的魅力和美麗，確實有可能勾著艾德里安去締結一樁不名譽的婚姻。

她馬上恢復了平靜。「我喜歡在事情變得一團糟之前先將它們理順，這就是我找妳談話的原因。而且，如果沒有妳在中間，他和瓦西莉莎的事情會很順利。」

哇哦！哇哦！我短暫的志得意滿又被動搖了，轉成疑惑。從我剛一進門，她就將話題引到艾德里安身上，並因此爲此責備我時，我就已經沒什麼邏輯可言了。

「他和瓦西莉莎？妳到底想說什麼？」我忘了稱呼她爲女王陛下，不過我想她也不在乎了。

「他們兩個是絕配！」她說，好像正準備拍下一件藝術品。「先不論妳帶給她的壞影響，瓦西莉莎以後會是一個非常有前途的年輕女士，她端莊、樂於奉獻的性格正好彌補艾德里安的不足，他們兩人的結合，還可以令他們繼續探索他們……不同凡響的魔法領域。」

五分鐘之前，我會嫁給艾德里安是我聽過最瘋狂的事，不過，現在這些已經不算什麼了，因爲我聽到了更瘋狂的事。

「莉莎和艾德里安在一起？妳不是說眞的吧？女王陛下。」

「如果他們兩個都住在這裡，早晚有一天他們兩個會相愛的。他們彼此之間已經有了特別的吸引力，另外，艾德里安父母的血統往上追溯，都可以追到德拉格米爾家族的旁系。他的這種血統有助於幫她一起保證德拉格米爾家族血統的純正。」

「克里斯蒂安．歐澤拉也可以。」

有一次他們兩個在卿卿我我甜蜜約會的時候，莉莎和克里斯蒂安突如其來地查了查克里斯蒂安的家譜，想看看他是不是有足夠的德拉格米爾家族的基因來承擔今後的姓氏，結果是，他確實可以，於是兩人便開始爲還未出生的孩子取名字了。

那種情況眞是令人難以忍受！莉莎告訴我說，他們將用我的名字來給他們的第三個女兒命名，我聽了之後，立刻落荒而逃。

「克里斯蒂安．歐澤拉？」塔蒂安娜女王那種紆尊降貴的笑容綳緊了。「瓦西莉莎．德拉格米爾是不會嫁給他的！」

「哦，對，時候還沒到。我是說，他們兩個要上大學，還要……」

「現在不行，以後也不行。」塔蒂安娜女王打斷我的話，「德拉格米爾是皇室中最爲古老和高貴的一支，他們最後的繼承人絕不能嫁給一個像他那樣的人。」

「他也是皇室，」我壓低了嗓音，避免自己發出可怕的聲音。不管出於什麼原因，她對克里斯蒂安的侮辱，比羞辱我還要令我火大。「歐澤拉家族無論從哪方面都可以比得上德拉格米爾家族和伊瓦什科夫家族。他是皇室，和莉莎一樣、和艾德里安一樣，也和妳一樣。」

她輕蔑地說：「他和我們不一樣！對，歐澤拉家族是皇室裡的一支；對，他是有幾個値得尊敬的遠親堂兄弟，但我們說的不是那些人，我們說的是兩個自願變成血族的人的兒子。妳知道我一生中見過幾個這樣的人嗎？九個，五十五年來只有九個，而他們家就占了兩個！」

「可……那是他的父母，」我說，「又不是他。」

「這不重要。德拉格米爾家的公主不應該下嫁給這樣的人，在她這個位子，名聲是很珍貴的。」

「但妳的侄子也不見得是最佳選擇。」我痛苦地說，「女王陛下。」

「如果妳眞的是個聰明女生，妳來告訴我，在聖弗拉米爾學院裡，他們各自的境遇如何？妳的同學們是怎麼看克里斯蒂安的？他們是怎麼看待他們兩個的戀情的？」她的眼中閃著老練世故的微光。

「非常好，」我說，「他們有很多朋友。」

「克里斯蒂安完全被大家接受了？」

立刻，我想到了傑西和拉爾夫對我說的關於克里斯蒂安的壞話，而且也有大批人躲著他，好像他已經變成了血族，這就是爲什麼他在上烹飪技術課的時候沒有搭檔。

我想隱瞞自己的想法，但是我的猶疑已經給出了答案。

「妳瞧！」她感嘆地說，「學校就是一個濃縮的社會。想像一下你們處於更大的人群中，想像莉莎活躍在政壇，需要獲得別人的支援，到時，他就是莉莎的負擔，她將到處樹敵，只因爲他。妳眞的希望這種事發生在她的身上嗎？」

這確實也是克里斯蒂安害怕的，可我現在必須否認，正如我當時不同意他的看法一樣。「這種事不會發生，妳說的不對。」

「妳太年輕了，海瑟薇小姐，而且，妳快趕不上飛機了。」她轉身向門口走去。守護者一眨眼的工夫便從房間的另一邊趕過來，守在她身旁。「我沒有其他好說的了，希望這是我們最後一次討論這個話題。」

最好別的話題也不要談了！我在心裡補充道。

她離開以後，我用最快的速度向前狂奔而去，但是腦子裡並沒有閒著。這個女人到底有多不正常？她不僅認爲我就快要跟艾德里安私奔，還堅信她透過努力就能促成他與莉莎的一段好姻緣。真不知道這場談話裡，到底哪部分才是最荒謬的？

我已經迫不及待地想要告訴別人剛剛發生了什麼，然後對塔蒂安娜女王大肆嘲弄一番。可是，我在回房間取行李的路上，又仔細思考了一下。最近關於我和艾德里安的緋聞已經夠多了，我可不想再加油添醋。我也不認爲克里斯蒂安應該知道這件事，對於他和莉莎地位懸殊這一點，他已經很沒有安全感了，如果他知道女王計畫徹底判他出局，他會難受成什麼樣子？

所以，我決定先不告訴別人，但這不太容易做到，因爲莉莎已經在房門外等著我回來了。

「嘿！」我說，「我以爲妳已經飛走了！」

「沒，他們決定延遲幾個小時。」

「哦。」回家突然間是再好不過的主意了。

「女王要幹什麼？」莉莎問。

「恭喜我。」我不假思索地說，「恭喜我殺死了血族。我沒想到她會這麼做，有點怪怪的。」

「一點都不奇怪。」她說，「妳做的事那麼驚世駭俗，我肯定她因此才想要見見妳。」

「對，我猜也是。那接下來要幹什麼？我們這幾個小時要怎麼打發？」她的眼睛和心裡都透著興奮，我很喜歡可以轉移話題。

「嗯……我正在想。我們現在是在皇宮……妳想不想去逛一逛？這裡可不是只有酒吧和咖啡館，如果我們以後要住在這裡的話，最好先去瞭解一下，而且，我們有很多事要慶祝。」

我這才意識到現在的情況，自從我滿腦子想的都是維克多之後，基本上就忽略掉別的事了。要知道，我們可是在皇宮，莫里族領導人居住的中心，這裡的大小和學院差不多，可能還要再大一點，一定還有很多東西是我們到目前為止還沒有見到過的，不僅僅是它莊嚴肅穆的一面。

另外，莉莎說得對，我們有很多值得高興的事。維克多已經被關起來了，她還有了一份甜蜜的大學邀約。雖然我和艾德里安的緋聞有些令人掃興，不過我很願意將它拋在一邊，讓莉莎的興奮感染我。

「克里斯蒂安去哪兒了？」我問。

「做他自己的事去了。」她說。「妳覺得我們需要有他陪伴嗎？」

「哦，他最近已經陪妳陪得夠多了。」

「沒錯，」莉莎同意道，「我更希望我們兩個人一起去。」我感受到她內心的堅決。

我們在她去見女王之前的短暫談話，彷彿回到了往日的舊時光，回到了只有我們兩個人的簡單歲月。

「我不是想要抱怨，」我說，「不過，三個小時我們能逛幾個地方啊？」

她臉上露出一個神祕的笑容。「大概看看吧！」我打賭她心裡已經有主意了，只不過想保密。

她無法中斷我們的心電感應，不過已經學會了只要她對某件事不要太過執著去想，我就無法輕易地感知到。她喜歡這種能讓我覺得驚喜的感覺，不過遇到重大事件和問題，她的努力對我來說完全是白費力氣。

我們走出大樓，來到寒冷的天氣裡。莉莎在前面帶路，她帶我繞過行政大樓，向皇宮遠處的那處建築群走去。

「女王就住在第一棟大樓裡，」莉莎解釋說，「雖然不是宮殿，不過也差不多了。當皇宮還在歐洲時，莫里的皇室一般都住在城堡裡。」

我扮了個鬼臉。「妳說得好像那裡很漂亮似的。」

「妳是指石牆嗎？還是塔頂？就算是妳，也不得不承認那裡確實很漂亮。」

「對，不過我打賭那裡面不會有網路可以用。」

莉莎無奈地搖搖頭，笑了，沒有對我誇張的評論作任何回覆。我們經過了許多同樣石牆外表、裝飾華麗、風格一致的建築物，不過這些比起其他的建築要更高一點，讓人不禁聯想到公寓，莉莎也有同樣的感受。

「這些是別墅區，住在這裡的人，一般都是常年定居在此的。」

我看了它們一眼，不知道它們裡面是什麼樣子，隨即又覺得很高興。「妳想我們會住在這裡嗎？」

這突如其來的說法令她稍稍愣了一下，隨後變得和我一樣興奮起來。她和我一樣，也很喜歡有屬於自己的地方住，可以按照自己的喜好佈置房子，然後想來就來、想走就走。

我希望迪米特里也能和我們一起住，不過這裡是皇宮，他無需隨時都跟在莉莎身邊。這麼看來，我可能也不用時刻不離地貼身守護她。他們會同意讓我和她一起住嗎？還是說，這很可能是有沒有我都無所謂的另一個理由？

「希望如此，」她說，根本不知道我的擔心，「最上面有個觀景台。」

我重新露出笑顏。「還有個游泳池。」

「在這種天氣裡，妳怎麼還能想到游泳池呢？」

「嘿，如果我們一直在這裡作夢，那就什麼地方都去不了了！我打賭女王有個游泳池，我還打賭她會穿比基尼，有超帥的男生會幫她塗防曬油。」

我以為自己會得到另外一個白眼，不過莉莎只是笑著帶我走進了別墅區附近的一棟大樓。「妳說的話眞好笑。」

「不會吧？」我大聲喊道。

她已經準備要想那個小祕密，我差點就能從她的意識裡找到了，如果不是周圍的一切令人太過驚訝，我肯定能找到的。這裡太美了！優美的旋律、噴泉、綠色的植物、穿著白色長袍的人，所有東西都像鍍了層銀，閃閃發光……

這是一個礦泉的美容會所，隱藏在皇宮裡古老的石砌建築物中的頂級奢華美容會所。一個長長的花崗岩接待台橫在大門口，我們只能看見一部分，但是目及之處已經非常吸引人了。沿牆處，女士們坐成一排，接受修腳或是修指甲的服務。這裡還有一個美髮沙龍，裡面有剪頭髮和染頭髮的人，不管男生還是女生都是莫里。最令人驚嘆的就是沙龍後面，上面掛著指示不同方向的箭頭，分別通往按摩部、蒸氣浴室和美容部什麼的。

莉莎笑著看我。「妳覺得怎麼樣？」

「我覺得艾德里安說的是對的，皇宮裡有各種各樣的小祕密。」我自嘲地嘆了口氣。「我討厭承認他說得對這件事。」

「妳最近的心情太不好，因爲實戰演練的事……還有別的。」她不用明說梅森和血族的事，我是會讀心的。「我覺得妳可以藉此放鬆一下。妳見女王的時候，我來確認過他們的時間安排了，他們可以幫我們擠出一點時間來。」

莉莎走上前，報上自己的名字。櫃台的服務生立刻找到了我們的預約，她似乎覺得很奇怪，居然還會有一個拜爾的女生，不過我不介意，這裡的景色和音樂已經將我催眠了。比起我過去那種簡樸、嚴厲的生活方式，這種舒適和奢華幾乎摧毀了我的信仰。

在登記過後，莉莎轉身看著我，一臉渴望，雙眼放光。「我幫我們安排了按摩，用的是這裡……」

「指甲。」我打斷她。

「什麼？」

「我想先弄弄我的指甲，我能先去修個指甲嗎？」

這是我能想到最吸引人，但是也最不實用的事情了。好吧！對一般女生來講並不是毫無用處，但是對我來說呢？對我這佈滿老繭和疤痕、經常與髒土和大風打交道的雙手來說，是的，絕對不實用。我已經有好幾百年沒有塗過指甲油了，因爲找不到合適的理由。一節訓練課下來，估計有一半的指甲油會剝落。我這樣的實習生是過不起這種奢侈生活的，這也是我爲什麼這麼渴望去修一次指甲的原因。

看見莉莎化妝喚醒了我內心對美麗的渴望，我已經認命地知道，這種事永遠不會成為我日常生活的一部分，不過我今天既然到了這裡，上帝啊！我還是想去做個漂亮的指甲。

莉莎有些失望，很顯然她已經安排好了整套的按摩計畫，不過，她很難拒絕我，於是再次去找服務生商量。這麼做可能會打亂早就作好的安排，不過她說她可以搞定。

「當然，公主殿下。」服務生高興地笑著，折服於莉莎的天然魅力之下。有一半的時間，莉莎根本無需使用自己的精神能力來命令別人幫助她。

「我不希望給妳們添麻煩。」莉莎說。

「不，不，絕對不麻煩！」

我們很快被安排坐在一起，一名莫里女士用熱水幫我們洗乾淨手，然後用混合了糖和海鹽的奇怪混合物幫我們去死皮。

「怎麼想要修指甲呢？」莉莎很好奇。

我向她解釋了一下，告訴她我以後幾乎就沒有化妝的機會了，還有我的手是怎麼飽經蹂躪，讓任何想做護理的念頭都成為了泡影。

她聽完了，若有所思。「這些我以前從來沒有想過，只是以為妳最近對這些不太感興趣，要不就是妳不需要，反正妳已經很漂亮了。」

「才不呢！」我說，「男生們追捧的人可是妳。」

「那是因為我的姓氏，妳不一樣，妳才是那個令男生們蜂擁而上的人。」

老天！我很想知道她口中說的那個人到底是誰。「對，不過他們蜂擁而上的原因可不怎麼好。」

她聳聳肩。「反正重點都是一樣的，妳不需要化妝，也能令他們對妳趨之若鶩。」

這時，一種很奇怪的感覺透過心電感應傳過來。我在她的眼睛裡看見我自己，好像是在照鏡子，不過只能看見自己的輪廓。但是，當她注視著我的時候，我發現她眞的認爲我很美，我的古銅色皮膚和深棕色的頭髮，對她來說充滿了異域的風情。相比之下，她覺得自己是那麼的蒼白，身材也不若我的玲瓏有致。

這眞是太不可思議了！和她的高貴氣質相比，我總覺得自己顯得粗魯不堪。她的嫉妒並非出於惡意，因爲她生性就不懂何謂惡意，她的嫉妒大多是出於渴望，一種她從未有過的羨慕情緒。

我本想問出口，確認一下，不過另一方面又覺得她不希望我知道她心底的不安。而且，我的思緒這時被打斷了，修指甲的女士正在問我要塗什麼顏色。我選了一個金光閃閃的顏色，有可能俗氣了點，但我自己還是很滿意，反正也維持不了多長的時間。莉莎選了淡粉色，這顏色同她本人一樣精緻、優雅。她的處理速度比我的要快一點，因爲我的護理師花了大力氣來柔軟我的雙手。莉莎早就塗好了顏色，在一旁等著我。

我們兩個的手都變得漂亮迷人以後，我不禁沾沾自喜地把它們舉起來。

「妳看起來美極了！親愛的。」她故作深沉地說著。

我們大笑著向按摩區走去，莉莎本來幫我們預約了全身按摩，但是手部護理佔用了一部分時間，所以我們只能將全身按摩改爲足部按摩，不過這樣正好不用換上礙事的長袍，也不用因爲脫脫換換，弄花還沒有乾透的指甲油。我們只要脫掉鞋子，捲起褲管就好。

我坐在椅子上，雙腳泡在溫暖的水裡。有人在桶裡倒了點聞起來有丁香味道的東西，不過我沒看清那是什麼。我被自己的雙手迷住了，它們堪稱完美，護理師將我手上的死皮全都除去，令它們像絲綢一般柔滑，我的指甲也被修成了橢圓形。

「蘿絲。」我聽見莉莎叫我。

「嗯？」護理師還在金色的指甲油外面塗了一層亮油，我不知道這是不是眞的能讓指甲油留在手上的時間更長。

「蘿絲。」

我察覺到莉莎想引起我的注意，不情願地從我漂亮的手上移開目光。

「怎麼了？」我問道。

她努了努下巴。「蘿絲，這位是安布羅斯。」

我漫不經心地瞥了一眼正在爲我做足部按摩的人。「嘿，安布羅斯，這個……」我及時閉上嘴，沒讓自己發出「我的天哪」或者「哇哦」的聲音。

這個幫我做足部按摩的小夥子絕對比我大不了多少，他有一頭自然捲的黑髮，全身都是肌肉。我知道得這麼清楚，是因爲他赤裸著上身，蹲著的姿勢也得以讓我們從一個絕佳的視角來看他如雕塑般的胸肌和肱二頭肌。他深棕色的皮膚肯定是經過常年日曬的結果，這說明他是人類。他脖子上的咬痕也可以證實這一點，他是一個非常漂亮的男餵食者，非常非常漂亮！

迪米特里也很帥，不過他有些小缺點，讓他無法得到比帥氣更高的評價。而安布羅斯太完美了，就像是一尊藝術品！我倒不是花癡得想立刻投入他的懷抱，不過他確實很養眼。

仍然關心我情感世界的莉莎顯然認爲這就是我現在急需的，她的按摩師是個女的。

「很高興認識妳，蘿絲。」安布羅斯說，他的聲音十分悅耳。

「我也很高興。」我說，突然間有些害羞起來，因爲他正舉著我的腳，將它們從泡腳桶裡拿出來，放在腿上擦乾。我尤其不好意思自己腳的樣子，倒不是因爲我的腳也很粗糙，它們和我的手不一樣，沒有經過風雨的侵蝕。不過如果是這個人要來按摩的話，我還是希望自己的腳可以再嫩滑一點的。

機靈的莉莎已經看出了我的窘迫，幾乎忍不住要仰天大笑。

我腦中響起她的聲音：不錯吧？我看了她一眼，拒絕將自己的眞實想法告訴她。他是塔蒂安娜的私人按摩師，這可是妳獨享的尊貴待遇。我大聲地嘆了一口氣，表示她說的笑話一點都不好笑。我說的私人，是指特別私密的那種。

我猛地吃了一驚，差點踢到了他。安布羅斯的大手在我踢到他漂亮的臉蛋之前及時抓住了我的腳，謝天謝地！

也許我不能透過心電感應和人聊天，不過我很確定自己看著莉莎的表情毫無疑問是在說：別逗了！如果妳說的是眞的，那妳就惹上大麻煩了！

她咧嘴向我笑了笑。我以為妳會喜歡呢！被女王的地下情人服侍。

其實她用的不是「服侍」這個詞，看著安布羅斯年輕漂亮的外表，我實在是想像不出他和那個老女人在一起的情景。當然，也許這種否認是因爲我的潛意識拒絕承認，那雙曾經碰過她的手現在正在碰我，嘔……

安布羅斯的手正沿著我腳上的穴位一個一個按，開始以稱讚我的腿打開了話題。他的臉上一直掛著燦爛的笑容，可我的回應卻含糊不清，還是忍不住回想起他和塔蒂安娜女王在一起的情景。

莉莎的哀嘆打破了沉默。他在誇妳呢！蘿絲。她透過心電感應對我說。妳在幹什麼？妳以前可不是這樣，我冒了這麼大的風險才給妳找來了這裡最帥的小夥子，妳就是這麼報答我的!?

這種單方面談話的感覺眞是糟透了！我想告訴她我從來沒有請她幫我安排這麼一個人，事實上，我突然開始幻想女王再次叫我單獨談話，對我和安布羅斯之間莫須有的事進行指責。

安布羅斯繼續笑著，用大拇指幫我按壓足底。太疼了！不過疼得很舒服。我從不知道按腳底會這樣又酸又脹的。

「他們大費周章地爲妳找來黑白兩色的套裝，但是卻沒有人考慮過妳的腳？」他貼心地說，「妳怎麼能穿著那麼破的鞋站一整天，還要站貓步和設法踢出迴旋踢呢？」

我本來想告訴他眞的不用爲我的腳費心，不過突然發現一個可疑之處。「迴旋踢」和「站貓步」都不是頂級機密的守護技巧術語，只要有人去Google搜索「實戰藝術」，都會搜出來一大堆這種名稱。不過，我想一般莫里不會特地和一名餵食者討論這樣的話題。

我彎下腰，仔細地看了看安布羅斯，注意到他的黑色眼睛是如何小心地注視著周圍的一切，又想起他抓住我的腳那敏捷的動作。

我的下巴差點掉了下來，還好及時閉上了嘴巴，沒有露出白癡表情。

「你是拜爾!?」我屏住呼吸問。

16

「妳也是呀！」他揶揄我說。

「對，可我以為……」

「以為我是人類？因為我有咬痕？」

「是這樣沒錯。」我承認道。

「我們都要生存。」他說，「拜爾族很善於為自己找到一條活路。」

「沒錯，可是大部分的人都去當守護者了。」我指給他看，「尤其是男生。」

我還是無法相信他是拜爾，或者說，我不能這麼快接受他是拜爾的事實。

很久以前，人類和莫里的結合誕下了拜爾這個種族。我們的血統一半是吸血鬼，一半是人類。許多年過去以後，莫里開始遠離人類，獨自居住，而人類數量的大肆增長，也不再需要莫里魔法的保護。現在的莫里族非常懼怕被人類發現，從而淪落為人類的試驗品，所以，再也沒有以這種結合方式誕生下來的拜爾了，而根據奇怪的基因定律，拜爾族和拜爾族的結合，是無法誕下後代的，唯一能夠確保我們種族繼續存在的結合，就是莫里和拜爾。

按照一般的遺傳邏輯來說，你可能會以為，一名拜爾和一名莫里會生下一名莫里，不對！這樣出生的我們，身上還是帶著完美的拜爾基因，一半人類、一半莫里，將兩個種族的優點完美地融合在一起。大部分拜爾都是有一個拜爾族的母親和一個莫里族的父親，好幾個世紀以來，這些女人不得不和自己的孩子分開，看著他們被送到別的地方撫養長大，這樣，這些母親才能繼續安心回去擔任守護者的工作——我媽媽就是這樣的。

不過，又過了幾年，有些拜爾的女性認爲她們應該自己撫養孩子們長大，這些拒絕再成爲守護者的媽媽們住在一起——迪米特里的媽媽就是這樣的。

關於這些媽媽，流傳著許多難聽的謠言，因爲很多莫里族的男人都到這種地方來尋求廉價的歡愛。迪米特里告訴我，很多傳聞都誇大了，而且那些拜爾族的女性也不低賤。這些謠言的根源，是因爲這些女性大部分都無法與孩子的莫里父親取得聯繫的單身媽媽，而且還有一些人願意在歡愛的過程中，讓莫里族吸食自己的血液。在我們的文化裡，這是十分低賤、骯髒的行爲，所以這些不再是守護者的拜爾女性還有了一個外號——吸血妓女。

可我從來沒想到還會有「吸血牛郎」。

我的腦子一團亂。「大部分不想當守護者的拜爾男生都跑掉了。」我說。

雖然這種事情很少見，不過偶有發生，那些人趁學院放假的時候跑出來，然後藏匿於人類社會中，就此消失不見了，這是另一件說出來臉上無光的事。

「我不想逃跑，」安布羅斯說，而且好像對這點還非常引以爲傲。「可我也不想去和血族打仗，所以我選擇了幹這行。」

不光是我，連莉莎都覺得很吃驚。要知道，吸血妓女可是我們這個社會的邊緣人，而現在她的眼前就出現了一個，而且還是一個不折不扣的男人，這太不可思議了！

「做這行要比當守護者好嗎？」我不敢置信地問。

「哦，我們可以一起算算。守護者要終其一生守護別人、拿自己的生命冒險，穿的還是最差的鞋子。可我呢？我有最好的鞋子穿，現在正在爲一個漂亮的女生做按摩，還可以睡最舒服的床。」

我扮了個鬼臉。「我們能不能不要說你睡覺的地方？」

「而且，讓人吸血也沒有你們想的那麼壞。我讓人吸的血沒有餵食者那麼多，可是獲得的快感是一樣的。」

「這個話題也不要談了吧！」我說。

要我承認被吸血是可以「獲得快感」的，作夢！雖然我知道確實是這樣。

「好吧！不過不管妳想談什麼，我的生活都過得很好。」他朝我歪歪一笑。

「不過你不是人類，而是……嗯，他們不會對你很刻薄嗎？他們一定對你說過……」

「啊！是的。」他也贊同地說，「我被取過很多難聽的外號，不過妳猜我聽到過最難聽的話是誰說的？別的拜爾族。莫里們充其量不過對我視而不見罷了。」

「那是因爲他們不明白守護者的生活，也不明白守護者的重要性。」這些話把我自己也嚇了一跳，我心懷不安地想著：這些話聽起來眞像我媽媽會說的！「拜爾族生來就是爲成爲守護者而存在的。」

安布羅斯站起來，打開雙腿，俯下臉看著我，我只能看見他肌肉結實的胸膛。「妳確定嗎？妳怎麼能知道自己生存的意義是什麼？我倒是認識一個人可以告訴妳這些。」

「安布羅斯，別這樣。」幫莉莎按摩的按摩師低聲喊，「那女人是個瘋子！」

「她是個靈媒，伊芙。」

「她才不是靈媒！你不能帶德拉格米爾公主殿下去見她。」

「女王自己也常常去聽取她的建議。」他反駁說。

「那也是不對的……」伊芙嘟噥著說。

我和莉莎交換了個眼色。她被「靈媒」這個詞打動了。靈媒和預言家一般和鬼魂一樣，都不太值得信任，不過我們倆也是最近才知道，這些靈媒的能力並不如以前所想那般是天方夜譚，而是確確實實是精神能力的一種表現，希望她是另一個精神能力使用者的念頭在莉莎心中漸漸升起。

「我們很想去見見這個靈媒，可以帶我們去嗎？拜託！」莉莎看了一眼牆上的掛鐘。「馬上，我們還要去趕飛機。」

很明顯，伊芙認爲這純粹是浪費時間，不過安布羅斯已經等不及要帶我們去了。我們穿上鞋，走出按摩區。療養會所的前面是沙龍，沙龍後面是如迷宮一般的各種房間。我們很快被帶進了另一個迷宮，還要往裡走很遠。

「這裡根本就辨不出方向！」我們走過一扇扇緊閉的房門時，我抱怨說，「這些房間都是做什麼的？」

「什麼都行，只要有人肯花錢。」安布羅斯回答說。

「比如呢？」

「哦，蘿絲，妳太天眞了！」

我們終於來到了大廳盡頭的一扇門前，推門而入。整個房間很小，只擺放著一張書桌，書桌後面還有一扇關著的門。坐在書桌後面的莫里抬起頭來，她和安布羅斯顯然很熟，他走過去，兩人悄悄爭執了一番，安布羅斯正在說服她同意讓我們進去。

莉莎轉頭看著我，柔柔地說：「妳覺得怎麼樣？」

我仍然盯著安布羅斯。「那身肌肉眞是浪費了！」

「別再想吸血牛郎那種事了，我是說這個靈媒。妳認爲她會是另外一個精神能力的使用者嗎？」她迫切地問。

「如果像艾德里安那種花花公子都是，那麼一個可以預言未來的人也有這種可能。」

安布羅斯回過身，笑著對我們說：「蘇珊很樂意讓妳們在飛機起飛之前插個隊，蘭達還有幾分鐘就接待完現在這個客人了。」

蘇珊的表情並不是很高興，不過我沒有時間細想，因爲裡面的門已經打開，走出來一名不算年輕的莫里族男性。他將幾張鈔票塞進蘇珊的手裡，向我們幾個點了點頭，然後離開了。安布羅斯站在原地，向我們做了個「請進」的手勢。

「輪到妳們了。」

我和莉莎走進去，安布羅斯跟著我們，並且關上了門。

這就像走進了某人的心房，屋子裡所有東西都是紅色的：紅色的長絨地毯、紅色的天鵝絨沙發、紅色的錦織壁紙，地板上擺放的則是紅色緞面靠墊。

靠墊上坐著一名四十多歲的莫里女士，她有著一頭烏黑的捲髮和同樣深邃的黑眼睛，皮膚呈淡淡的橄欖色，但總體上和所有的莫里一樣，還是蒼白的。她一襲黑衣，與整間房間的紅呈現出強烈的對比，非常顯眼，我指甲上的亮片泛著金光，照著她的脖子和雙手。我以爲她說話會是用那種神祕、有點可怕的聲音，而且帶著異域的口音，結果她卻說著一口標準的美語。

「請吧！」她指指散落在自己周圍的墊子，安布羅斯坐在沙發上。

「你帶來的是誰？」我和莉莎落坐後，她向安布羅斯問道。

「瓦西莉莎．德拉格米爾公主和她未來的守護者蘿絲。她們想做個快速占卜。」

「你怎麼總是這麼說風就是雨的呢？」蘭達問道。

「嘿！不是我，她們要趕飛機。」

「不趕飛機的時候你也是這樣，著急慌忙的。」

我抑下這個房間讓人產生的恐懼，專注地看著他們兩個互相吐槽，發現他們的頭髮顏色很相似。

「你們是親戚嗎？」

「她是我的姑姑。」安布羅斯傻乎乎地說，「她可疼愛我了！」

蘭達翻了個白眼。

又是一個驚喜！拜爾很少和他們莫里這一支的親戚有聯繫，不過安布羅斯也不算是個正常人。

莉莎對所有的事都覺得很好奇，不過她感興趣的和我感興趣的不是同一件事。她還在暗暗地觀察蘭達，想找到能證明這個女人也許是個精神能力使用者的蛛絲馬跡。

「妳是吉普賽人嗎？」我問。

蘭達扮了個鬼臉，開始洗牌。「羅馬人，」她說，「有很多人都說我們是吉普賽人，不過他們說的不準。而且說眞的，我是一個莫里。」她又多洗了幾次牌，然後遞給莉莎。「請分牌。」

莉莎還在盯著她看，半帶希望地認爲她也許可以看見靈光。艾德里安可以感應到其他精神能力的使用者，可她目前還沒有掌握這種技能。她分過牌後，將它們還回去，蘭達將所有的牌都合在一起，然後抽出了三張，擺在莉莎面前。

我向前湊了湊。「眞酷！」面前的是一副塔羅牌，我對這種牌不是很瞭解，只知道它們好像有一種神祕的力量，可以預知未來。我不太相信這種事，就像我不太信上帝一樣，不過在最近之前，我也同樣不相信有鬼魂的存在。

這三張牌分別是月牌、皇后和聖杯A。

安布羅斯湊到我身後，伸長了脖子用力看。「哦……」他說，「太有意思了！」

蘭達看了他一眼。「安靜！」她又看向那些牌，點了點那張聖杯A。「妳即將要面臨一個嶄新的開始，面臨一種偉大力量和情感的重生。妳的生活將被改變，這改變會引領妳前進，雖然路途艱難，但最終會爲整個世界帶來光明。」

「哇哦！」我感嘆道。

蘭達又指了指皇后牌。「力量和權利在前方等待著妳，需要妳用優雅和智慧來征服。種子已經播下，不過仍然有不確定的地方，會有一團迷霧似的東西圍繞在妳周圍。」她說這些話時，眼睛始終看著那張月牌。「不過從總體的感受來看，這些未知的因素不會影響妳的命運。」

莉莎眼睛張得大大的。「僅憑這麼幾張牌，妳就能知道這麼多？」

蘭達聳了聳肩。「命運就藏在牌中，是的，不過我也有自己的天賦，可以讓我有超群的力量，看見別人看不到的東西。」

她重新洗過牌，然後交給我來分牌。我分好後，她又抽出三張，分別是寶劍9，日牌和寶劍A，日牌是倒放著的。

現在，即使我對這些一無所知，也立刻能看出來我的牌沒有莉莎的牌好。皇后牌上是一個穿著長裙的女人，頭頂上都是星星。月牌上是一輪滿月，下面有兩隻狗，而聖杯A上畫著鑲滿寶石的聖杯，周圍花團錦簇。

而我的寶劍9上，畫的是一個女人正對著一面掛滿寶劍的牆啜泣；寶劍A是一隻枯槁的手舉著一把鐵劍；日牌看起來倒是令人欣慰，上面好像畫了一個騎著白馬的天使，頭頂上陽光四射。

「這張牌不能轉過來嗎？」我問道。

「不行。」她盯著這些牌說，隨後便是令人喘不過氣的沉默。終於，她開口道：「妳將摧毀那些永生不死之人。」

我等了半分鐘，想聽她後面說什麼，可什麼都沒有。「等等！這就完了？」

她點點頭。「這些牌就告訴我這麼多。」

我指著它們。「它們上面蘊含的，好像比妳說的要多一點。妳告訴莉莎的都夠編一部百科全書了！而且我早就知道我會去殺死那些不死的怪物，那是我的工作。」對我未來的批語只有這麼一句已經夠慘的了，結果還沒什麼新鮮的內容。

蘭達聳聳肩，算是給了我某種解釋。

我希望她最好別想用這麼簡單一句話就把我打發，這時卻響起了輕柔的敲門聲。門開了，出人意料的，迪米特里的頭伸了進來。

他看著我和莉莎。「啊！他們說妳們倆在這裡。」他走進來，看見蘭達，更加出人意料地向她充滿敬意地點了點頭，非常恭敬地說：「很抱歉打擾妳，我必須要帶她們倆上飛機了。」

蘭達仔細地看著他，但不是用那種質疑的目光，而是他身上好像有什麼祕密是她想知道的。「不用道歉，不過如果你有時間的話，能不能讓我幫你卜一卦？」

有鑒於我們兩個對宗教有共同的看法，我以爲迪米特里會對她說，他沒有時間參與她這種等同於詐騙的預言活動，誰知他表情嚴肅地想了想後，竟然點頭同意，在我旁邊坐了下來。我又聞到了他身上好聞的皮大衣味和鬍後水甜甜的味道。

「謝謝妳。」他的語氣仍然恭恭敬敬的。

「我動作會快一點。」蘭達已經將我面前的牌收起來，開始洗，沒多久，她便完成了分牌、收回、抽牌的動作。

她將那三張牌放在迪米特里面前，分別是權杖騎士、命運之輪和聖杯5。我說不清自己對這些牌的感覺。權杖騎士上面畫的是一個騎在馬背上的男子，手裡拿一枝長長的木矛；命運之輪是一個畫滿了奇怪符號的圈，周圍雲霧繚繞；而聖杯5則是一個男人背對著五只倒扣過來還灑著水的杯子。

她來回看著這些牌，又看了看迪米特里，又看了看這些牌，表情平靜似水。「你會失去自己最珍貴的東西，所以趁著還擁有的時候，好好珍惜。」她指著命運之輪這張牌。「命運之輪在轉，而且會一直轉下去。」

這個評語跟莉莎的比起來也不怎麼樣，但比起我的倒是詳細不少。莉莎的手肘捅了捅我，用這種無聲的警告要我別出聲。我本來是被嚇了一跳，不自覺地想要出聲爭辯，不過我後來還是閉上嘴，只是氣鼓鼓地瞪著眼睛。

迪米特里沉著臉看著這些牌，若有所思。我不知道他是不是瞭解這些，不過他看著那些牌的方式，好像眞的覺得那些牌裡充滿了世界的祕密。最後，他又必恭必敬地向蘭達點點頭。「謝謝。」

蘭達也點點頭。我們三個便起身準備去趕飛機。安布羅斯說占卜的費用算在他帳上，他會找蘇珊結帳。

「這錢花得値得！」他對我說，「能讓你們重新思考自己的人生，花點錢是値得的。」

我不置可否。「雖然我不想冒犯，不過這些牌似乎沒告訴我要重新思考什麼。」和我說的其他話一樣，他聽了只是哈哈大笑。

我們正要離開蘇珊那裡時，莉莎突然轉身衝進還沒關上門的蘭達那間房間，我寸步不離地跟著她。

「呃……很抱歉打擾妳。」莉莎說。

蘭達抬起頭，手裡還在洗著牌。她面色沉重地說：「還有什麼事？」

「雖然這麼說很奇怪，不過，妳能告訴我妳的能力是哪種元素嗎？」

我能夠感覺到莉莎屏住了呼吸，她是這麼期待聽到蘭達說她沒有擅長的元素，這代表她也是一名精神能力的使用者。還有很多未知的東西等待她去探索，她很想找到其他可以給她指點的人，尤其希望有人能教她如何預言未來。

「氣，」蘭達回答說完，控制著一股輕柔的冷風穿過我們的髮絲，以示證明。「怎麼了？」

莉莎恢復了呼吸，失望透過心電感應傳達過來。「沒什麼，再次謝謝妳。」

17

跑道一旁，克里斯蒂安站在登機的入口處，一旁還有其他的幾名守護者。莉莎跑過去跟他講話，剩下我和迪米特里在後面。從美容會所出來的這一路上，他一句話都沒說。堅強和沉默一向是他的典型作風，不過這一次，我能嗅出他情緒中某些微小的變化。

「你還在想蘭達說的那些鬼話嗎？那個女人就是個徹頭徹尾的騙子！」

「怎麼這麼說？」他問著。

一陣冷風撲面而來，如刀割一般，我希望可以馬上進到飛機裡。

「因爲她什麼都沒告訴我們！你眞應該聽聽她給我預言的未來，基本上，就是廢話一句。莉莎的未來倒是好一點。」我老實承認道，「但也不是什麼特別深奧難懂了不起的話。蘭達說她會成爲一位偉大的領袖，我是說，說眞的，這點不是很明顯了嗎？」

迪米特里笑了。「如果她告訴妳的是那種特別有意思的事，妳就會相信了嗎？」

「如果是好話可能就會信。」他剛開口笑出聲，我緊跟著問：「可是你聽的時候一本正經的。爲什麼？你眞的相信這種事嗎？」

「不是特別信，也不是一點都不信。」他今天戴了一頂黑色的針織帽，伸手往下拉了拉帽子，好蓋住耳朵。「我只是很尊敬她那樣的人，他們獲得特許，有著別人沒有的知識。」

「可她並不是精神能力的使用者，我眞的不認爲她會有這些知識，我還是認爲她不過是個大騙子。」

「事實上，她是一名Vrajitoare。」

「一名……」我根本沒打算說出這個字，「一名什麼？那是俄語嗎？」

「羅馬尼亞語，意思是……呃……其實並沒有合適的翻譯，比較像是『女巫』，不過也不是很貼切，他們說的女巫和美國人說的女巫不太一樣。」

我從沒想過會和他聊這種話題，因爲我從沒想過迪米特里也是這種迷信的人。有那麼一會兒，我在想，如果他相信巫師或者預言家這種事，也許他能理解我見鬼的事。我本想對他透露一點，但是立刻打消了這個念頭。我連一個字都沒有說，因爲迪米特里一直在不停地講話，我根本插不了嘴。

「我的外婆就是像蘭達這樣的人。」他解釋說。「她們都很善於占卜，不過是不同類型的人，她很聰明。」

「你的外婆是一個……V什麼什麼？」

「俄語裡是另一種叫法了，不過意思都差不多。她過去也會用牌給人占卜，這是她謀生的方式。」

我閉口不再提「騙子」這兩個字。「她算得準嗎？預言都實現了嗎？」

「有一部分。別這樣看著我！」

「哪樣？」

「妳臉上的表情好像在說妳認爲我是個『妄想狂』，只不過很好心地沒有說出來。」

「『妄想狂』有點嚴重了，我只是很好奇，僅此而已，我從來沒想過你會相信這種事。」

「哦，我就是聽這種話長大的，這對我來說一點都不奇怪。不過我也說了，對這種事，我並不是百分之一百地相信。」

這時，艾德里安走到飛機旁的人群中，大聲抗議爲什麼我們還不登機。

「我從來沒想過你還有一個外婆。」我對迪米特里說。「我是說，很明顯，你是有的。不過，一想到你是外婆看著長大的，還是覺得很奇怪。」我連和自己的親生母親聯繫都不多，更別提見過她家裡其他的親戚了。「有一個當女巫的外婆是不是感覺很怪、很害怕？她是不是經常……嗯……用詛咒嚇唬你千萬不要做壞事？」

「大部分時候她只是嚇唬我說要把我送回房間。」

「這種話一點都嚇不倒我。」

「那是因爲妳沒見過她。」

我注意到他的用詞。「她還活著嗎？」

他點點頭。「對，衰老還不足以令她失掉活著的信心，她的身子骨很硬朗，事實上，她還當過一陣子的守護者。」

「眞的!?」聽起來她很像安布羅斯。我對拜爾族、守護者和吸血妓女這些事的固有看法有點動搖了。「那就是說，她放棄了守護者的職責，選擇成爲了一名……呃……選擇和自己的孩子在一起？」

「她有很強的家庭觀念，在你們聽來，她的這種家庭觀念可能稍微有點性別歧視的嫌疑。她認爲所有的拜爾都應該受訓，終其一生去盡守護者的職責。不過她也認爲女人應該逐漸回歸家庭，撫養自己的孩子，陪他們一起長大。」

「但是男人不行？」

「對，」他苦笑著說，「她認爲男人還是應該待在外面，殺死血族。」

「哇哦！」迪米特里很少提起和他家有關的事，他只有姊妹，沒有兄弟，他的爸爸有一段時間經常造訪，不過那也是那個男人在他生命中唯一的記憶了。

老實說，我並不覺得他外婆的想法是性別歧視，我也認爲男人應該出去打仗，所以才覺得安布羅斯的作法很奇特。「你是唯一要去當守護者的人，你家裡的女人會把你踢出去。」

「不只這樣。」他大笑起來，「如果我想回家，她會在一秒鐘之內把我送回去。」他的笑容好像這些話只是個玩笑，不過我看到他眼底深處有著濃濃的思鄉情緒，但也只是一閃而過，隨後，他轉過身，正好看見艾德里安假裝咳嗽說我們總算要上飛機了。

我們在飛機上坐好之後，莉莎已經迫不及待地告訴朋友們她的一些新聞了。她從我是怎麼被女王點名召見開始講起，這個話題我其實並不想說，不過她講得倒是津津有味，還特別興奮地提到女王想要「表彰」我。所有人都對她說的堅信不疑，除了艾德里安。

艾德里安的樣子告訴我，他很確定女王叫我去絕不是因爲這個原因，不過，他眼中的不解也告訴我，他對眞正的原因毫無頭緒。總算有件事是我知道而他不知道的了，我有種預感，如果他知道女王打算讓他和莉莎訂婚，一定會和我一樣震驚的。

後來莉莎又對他們說了被邀請住到皇宮，然後進里海大學念書的事。

「我還是不敢相信！」她喃喃地說，「這些聽起來太美好了，簡直不像是眞的！」

艾德里安喝光了手中的威士忌。他是怎麼這麼快就弄到一杯酒的？

「和我偉大的姑姑一起住？這有點太好了，好得不太可能。」

「你這是什麼意思？」我問。在被塔蒂安娜女王指責我有一段莫名的浪漫史，又發現她有一名拜爾族的情人兼餵食者之後，再沒什麼能讓我感到意外的事了。「莉莎有麻煩了嗎？」

「什麼？身體上的嗎？不不，只是，我偉大的姑姑做事永遠不會出自好心。嗯……」艾德里安略有歉意地補充道：「有時也會，她還沒有那麼陰險，我想她可能是眞正關心德拉格米爾家族，我聽人說過，她很喜歡妳的父母。不過至於她爲什麼要這麼做，我不知道，可能是妳有一些比較激進的觀點，而她需要聽到不同的意見；或者是她想監視妳，免得妳到外面惹麻煩。」

又或者是她想要安排莉莎嫁給你。我偷偷在心裡加上一句。

克里斯蒂安一句話都不願意聽。「他說得對，他們可能是要軟禁妳。妳應該去和塔莎姑姑一起住，也不用非去上莫里的大學。」

「不過如果她同意的話，安全會有保證。」我實話實說。

我完全同意與現有的體制抗衡，也想讓莉莎遠離那些皇室的陰謀，不過如果她去了一間沒有在莫里控制範圍內的大學，就會置於危險之中，我肯定也不希望這樣。我本來想接著說下去，但是這時，頭痛又開始了。飛機剛起飛，昨天的頭痛就又回來了，好像周圍的空氣都在擠壓著我的腦袋。

「該死的！」我低吟，伸手抵住額頭。

「妳又病了？」莉莎問，滿臉擔憂。

我點點頭。

「妳坐飛機的時候經常這樣嗎？」艾德里安問，同時揮手招人來蓄滿他的空杯子。

「從來沒有過，」我說，「該死！我可不想再來一遍了。」

我咬緊牙，想要無視這痛楚，這時，那些黑影好像又來了，雖然要很用力，但只要我的注意力夠集中去看別的事物，這些東西就不見了。太奇怪了！不過我還是不想對此多說，只告訴其他人讓我安靜一下。關於上學的話題暫時告一段落了。

幾個小時過去，算算時間，差不多要降落在學院了。一名莫里族的空服員出現在走道上，向我們走過來，眉頭緊鎖。

奧伯黛立刻緊張起來。「怎麼了？」

「剛剛有一股冷空氣抵達這片區域，」空服員說，「我們無法在聖弗拉米爾學院降落，因爲跑道在這種冰雪大風的天氣沒有降落的條件，而且，我們的燃料也不多了，所以要在馬丁維爾地區降落，那裡有個小型的機場，如果開車只需要幾小時，不過那裡的天氣條件還好。我們計畫在那裡著陸，補充燃料，然後等學院清理跑道之後再飛回學院，飛回去的話不用一個小時。」

這眞是個令人沮喪的消息，不過也沒有那麼壞。而且，我們能怎麼辦呢？至少至少，我的頭痛可以稍稍緩解一下。說不定情況會和上次一樣，我們降落之後，我的頭痛也就沒了。

我們都豎直椅背，繫好了安全帶，準備降落。外面的天氣很糟，不過對駕駛員來說還不錯，安全著落是沒問題的。

這時，事情發生了！我們一降落到地面，我的世界就爆炸了，頭痛並沒有消失，反而痛得更厲害，我的整個頭骨好像都要被掀開了。

然而，這不過是個開始，突然間，我的周圍全是臉，幽靈般透明的臉和身體，就像梅森。哦，天哪！它們到處都是，我根本看不清座椅也看不見我的朋友們，除了那些臉……和手。蒼白的、泛著微光的手向我伸過來。那些臉張著嘴，好像在講話，所有的臉都好像有事情要對我說。

那些臉離我越近，我看得便越清楚。我看見了維克多的守護者，那些我們在救莉莎時被殺死的守護者，他們的眼睛張得大大的，害怕極了。他們在害怕什麼呢？他們要獲得重生了嗎？他們之中混著一些孩子的臉，我實在不知道他們是誰。後來，我知道了，他們是我和迪米特里在那次血族大屠殺中發現的受害的孩子。這些孩子有與梅森同樣蒼白的臉色，他們的脖子上全是血，和他們遇難時一樣。那抹鮮紅同他們虛幻、幽暗、泛著微光的屍體形成了鮮明的對比。

這些臉越來越多，但是沒有一個能夠真正發出聲音，只是不停地在我耳邊嗡嗡著，聲音隨著臉的增多越來越大、越來越近。又有三張臉出現了，他們並沒有混跡在其他的臉之中，而是像那些孩子脖子上的鮮血一樣顯眼。

那是莉莎的家人！她的媽媽、爸爸和哥哥安德列。他們的樣子和我最後一次見到他們時一模一樣，就是在那場車禍之前。金色的頭髮、漂亮的臉孔、帝王般的氣質。和梅森一樣，他們身上並沒有留下死亡的烙印，雖然我知道那場事故對他們來講是多麼可怕。跟梅森相同的是，他們只用悲傷的眼睛看著我，一句話都不說，但很顯然是想告訴我些什麼，只是，和梅森不同的是，我明白他們想說的。

安德列身後有一大片黑影，正旋轉著越變越大。他指著我，又指了指後面。我知道，雖然不明白我是怎麼知道的，但我知道那就是通往死神世界的入口，是我曾經闖過一遭的地方。安德列死的時候和我現在一樣，也是十八歲。他又指了指那裡，他的父母也一起指給我看，不用說我也知道他們在說什麼。

妳不應該活著，妳應該和我們一起回去……

我開始尖叫，一直叫、一直叫。

我覺得飛機上好像有人在跟我說話，但是我不敢肯定，除了那些臉、那些手，以及安德列身後的黑影以外，我什麼都看不見。不時地，梅森的臉也會露出來，嚴肅而悲傷，我開始向他求助。

「讓他們走！」我喊道，「讓他們都走！」

但是他不想，或者是不能幫這個忙。狂亂中，我解開了自己的安全帶，想要站起來。那些鬼沒有碰我，可他們離得太近了，仍然伸著那些骷髏般的手指指點點。我揮著胳膊想將他們趕開，尖叫著找人來幫我，讓這一切趕緊過去。

但是，沒人來幫我，沒人幫我將這些手、這些可怕的眼睛和這該死的頭痛弄走。情況越來越糟，那片黑影開始在我的眼前起舞。我有預感自己要昏過去了，而且很高興自己可以昏過去，這樣我的頭就不會覺得痛，那些臉也消失了。

那陰影越來越大、越來越大，很快的，我什麼都看不見了。那些臉不見了，頭也不痛了，甜蜜的黑色之水將我越拽越深、越拽越深。

18

這之後，所有的事都變得一團混亂。我迷迷糊糊記得自己的意識斷斷續續、記得有人喊我的名字，然後飛機重新起飛。漸漸地，我睜開眼，發現自己是在學校的醫院，奧蘭德斯基醫生正低頭看著我。

「哈囉！蘿絲，」她說。她是一名中年的莫里，經常開玩笑說我是她的頭號病人。「妳覺得怎麼樣？」

發生的一幕幕漸漸清晰了起來，那些臉、梅森、其他的鬼、可怕的頭痛……現在這些全都不見了！

「很好！」我說，同時有些驚訝自己是怎麼說出這些字的。

有一刻，我有些恍惚，不知道那些是不是都是夢。這時，我看見她身後的迪米特里和奧伯黛往這邊走來，他們的表情告訴我，飛機上發生的一切都不是夢。

奧伯黛清了清喉嚨，奧蘭德斯基醫生轉過頭。

「可以了嗎？」奧伯黛問。醫生點點頭，那兩個人向前邁了一步。

迪米特里一如既往是我的鎮定劑，不管發生什麼事，有他在，我總能覺得稍微安慰一些。雖然他也不能阻止機場的那些事發生，他現在低頭看著我的這種表情，充滿了溫柔和關愛，又攪亂了我澎湃的心湖。一方面，我很喜歡他這麼關心我，另一方面又覺得應該在他面前繼續堅強，不要讓他擔心。

「蘿絲……」奧伯黛猶豫著開了口。我打賭她對此毫無頭緒，發生的這些事，已經超出了她的經驗範圍。

迪米特里把話接過來：「蘿絲，在機場發生了什麼事？」在我想要敷衍他時，他先攔住了我。「這次別想說什麼事都沒有。」

好吧！如果我本來是想給他這種答案的話，我現在已經不知道該怎麼說了。

奧蘭德斯基醫生推了推架在鼻梁上的眼鏡。「我們只是想幫妳。」

「我不需要人幫。」我說，「我很好。」

奧伯黛終於調整好了自己。「飛機在飛的時候妳的確很好，但是一著陸，妳的情況絕對算不上是還好。」

「我現在很好。」我固執地說，不敢看他們的眼睛。

「當時發生了什麼？」她問。「妳爲什麼要尖叫？妳對我們說的『讓他們走』，『他們』指的是什麼？」

我快速地想到另外一個可供挑選的答案，說我自己太緊張了。可這種話現在聽起來簡直就是愚蠢至極！於是，我再一次沉默，不過令我驚訝的是，我的淚珠居然在眼眶裡直打轉。

「蘿絲，」迪米特里輕輕地說，聲音像柔軟的絲綢拂過我的皮膚。「拜託！」

他話裡的某種東西徹底擊碎了我的心防，繼續向他隱瞞實情對我來說太困難了！我轉過頭，看著天花板。

「鬼！」我喃喃地說，「我見到了鬼！」

所有人都沒料到我會說出這種答案，是呀！他們怎麼可能想得到呢？屋子裡一片凝重，終於，奧蘭德斯基醫生用顫抖的聲音打破了沉默。

「妳……妳這是什麼意思？」

我吞了一口唾沫。「幾個禮拜以前他就跟著我，是梅森，在學院裡。我知道這聽起來很瘋狂，不過眞的是他！是他的鬼魂！這就是斯坦事件我爲什麼會沒有反應的原因，因爲梅森站在那裡，我不知道要怎麼做。飛機上……我想他也在，還有其他的人，不過在天上飛的時候我還看不太清，只是隱隱約約地……但是，在馬丁維爾降落的時候，他就現身了！不是一個人，周圍還有別人……別的鬼魂。」一滴淚從我眼中滑落，我慌忙將它抹去，希望沒人看見。

我等著，不知道自己想看到他們有什麼反應，會有人笑出來嗎？會認爲我是個瘋子？會指責我在撒謊，要求知道到底眞相是什麼嗎？

「那些鬼妳認識嗎？」迪米特里最後問道。

我轉過頭直視著他，他的眼神仍然嚴肅認眞，不帶一絲嘲諷。「是的……我看見了幾名維克多的守護者，還有在那場屠殺裡死掉的人，莉莎的家人也在。」

在這之後便沒人說話了，他們彼此交換著眼色，都希望別人能開口說點什麼，消除現在尷尬的局面。

奧蘭德斯基醫生嘆了口氣。「我能和你們兩位單獨談談嗎？」

他們三個人走了出去，關上門，但是還留了一條縫。我溜下床，穿過房間，走到門邊。這小小的門縫已經足夠一名拜爾偷聽外面的談話了，雖然我覺得偷聽很不好，可他們談的人是我，我有一種強烈的預感，我的將來就決定在此一瞬了！

「這件事很明顯，」奧蘭德斯基醫生不悅地說，這是我第一次聽她這麼生氣。她面對病人的時候，總是一張和藹可親的笑臉，很難想像她生起氣來是什麼樣子，但是她現在顯然是氣壞了。「那個可憐的孩子，這明顯是『創傷後壓力症候群』，發生了這麼多事，也難怪她會這樣了。」

「妳確定嗎？」奧伯黛問，「也許是別的什麼……」不過她沒有說下去，我想她肯定也不知道除此以外還能怎麼解釋。

「看看擺在眼前的事實吧！一名年紀輕輕的花樣少女親眼見到了自己好朋友被殺死，然後又殺了兇手。你們認為這不是一種創傷嗎？你們不覺得這可能會給她的心靈造成影響嗎？哪怕只有一點點！」

「這種悲劇是所有的守護者都必須經歷的。」奧伯黛回答說。

「也許對在外面打拚的守護者來說是這樣沒錯，可蘿絲現在還是這裡的學生，這裡有可以幫助她的資源。」

「比如？」迪米特里問。他的聲音充滿焦慮和關心，而不是在質問她。

「接受心理治療，和別人談談已經發生過的事是很有益處的，你應該在她一回來時就和她聊聊的，而且也應該找其他的當事人一起聊。怎麼你們就沒想到過這種事呢？」

「這倒是個好主意，」迪米特里說。他的這種語氣我知道，代表他在考慮。「她可以在休息的時候來做。」

「休息?最好是每天都來。你應該讓她退出實戰演練，爲血族的攻擊不可能治癒好眞正血族造成的傷痛。」

「不行!」我在毫無意識的情況下推開門。他們都看著我，我立刻發覺自己又做了件蠢事——我剛剛曝露了自己偷聽的行爲。

「蘿絲，」奧蘭德斯基醫生又回到了她無微不至的醫生角色，雖然有點勉強。「妳應該躺在床上休息的。」

「我很好。妳不能讓我退出實戰演練，不然我就沒法畢業了。」

「妳沒那麼好，蘿絲，在經歷了這麼多之後，妳不用覺得丟臉。有鑒於妳的這種狀況，認爲自己看見了那些已經死去的人的鬼魂，也沒什麼大不了的。」

我張大眼睛，想糾正她說的最後一句話，但是功效甚微。我想了想，認爲爭辯說我是眞的見鬼了也幫不了我什麼，哪怕我堅信我確實是看見了。我搜腸刮肚地在找令人信服的理由，讓我能夠繼續進行實戰演練。一般來說，我總是能在最壞的情況下，爲自己進行有力的辯護。

「除非你能一天二十四小時，一星期七天不間斷地給我諮詢，不然事情就會變得更糟，我需要有事做。我的課大部分已經停了，還有什麼事可做呢?乾坐著嗎?繼續胡思亂想下去嗎?我會發瘋的!我可不希望永遠活在過去，我需要往前走，繼續我的生活。」

這句話引發了一場他們對我該如何處理的口水大戰，我在旁邊聽著，咬著舌頭，知道這時我什麼都不能說。最後，雖然醫生還有些不滿，不過他們總算達成共識，認爲我可以用一半時間來參加實戰演練。

這是對所有人都最爲理想的結果了，當然，除了我。我只想讓自己順其自然地過安穩的日子，不過，我知道這也是我能爭取到最好的結果了。他們商量的結論是——一個星期內，我可以有三天參加實戰演練，不可以値夜班。在其他的日子裡，我必須要按照他們指定給我的內容進行訓練，或者閱讀那些他們爲我挑好的書籍。

我還要去見心理醫生，這沒什麼了不起的，我對心理諮詢其實並不排斥，莉莎曾經去治療過，這對她的幫助眞的很大。傾訴是最好的治療方式，只不過……呃……有些事是我不想對人說的，不過要是讓我在看醫生和退出實戰演練這兩件事中作選擇，我只能選這個。

奧伯黛認爲一半的時間已經足夠讓他們對我進行評估了，如果我眞的心靈受創的話，她也覺得訓練和治療兩不耽誤，是個很理想的處理方法。

又做了一些其他的檢查，奧蘭德斯基醫生給我出具了一張健康證明，然後表示我可以回去自己的宿舍了。奧伯黛聽完之後就離開了，迪米特里陪著我一起往回走。

「謝謝你剛才幫我說情。」我對他說。

今天，走道上濕漉漉的，那場暴雪之後，天氣已經開始轉暖，雖然還沒有暖和到可以穿泳衣的地步，不過冰雪已經逐漸消融了，雪水從樹上滴滴答答地落下來，我們也要時刻注意避開腳下的水窪。

突然，迪米特里毫無預警地停了下來，轉過身，正好擋在我的面前，阻住了我的去路。我猛地收住腳，但還是差一點撞上了他，他伸手抓住我的胳膊，將我拉得離他更近了些。我從來沒想過他在大庭廣眾之下也敢這麼做，他的手指緊緊地嵌進我的肉裡，但是並沒有把我弄疼。

「蘿絲，」他說，聲音中的痛苦差點令我窒息。「我不應該剛剛才聽說這種事！爲什麼妳不告訴我？妳知道我現在是什麼感覺嗎？妳知道我看見妳痛成那個樣子，卻不知道發生了什麼事的那種感受嗎？妳知道我有多害怕嗎？」

我怔住了，一半是因爲他的怒氣，一半是因爲我們離得如此之近。我嚥了口唾沫，不知道要怎麼開口。他的神情是那麼複雜，透露了太多的情感，我已經記不得上次見他這樣情緒外露是什麼時候了，覺得欣喜又害怕。

然後，我說了最愚蠢的一句話：「你什麼都不怕的。」

「我害怕的事情有很多，」他放開我，我往後退了一點，他的臉上仍然寫著痛苦和擔心。「我並不完美，我並不是刀槍不入的。」

「我只對……只是……」我不知道要怎麼說下去。他說得對，我經常認爲迪米特里是無堅不摧的、是無所不知的、是無所匹敵的，這些都難以讓我相信他會這麼擔心我。

「而且，妳這樣已經很久了，」他又說，「在發生斯坦事件的時候，妳就和安德魯神父談過鬼的事……妳一直在自己撐著！爲什麼妳不告訴別人？爲什麼妳不告訴莉莎……或者……我？」

我深深看進那雙黑黑的眼睛，那雙我愛的眼睛。「你會相信我嗎？」

他皺起眉。「相信什麼？」

「相信我眞的看見了鬼。」

「哦……那些不是鬼，蘿絲，妳這麼想只是因爲……」

「這就是原因，」我打斷他。「這就是爲什麼我不能告訴你或者其他人的原因，沒有人會相信我，人們只會認爲我瘋了。」

「我不覺得妳瘋了，」他說，「不過我想妳可能是思慮過度。」艾德里安曾經說過同樣的事，當時我問他怎麼才能知道我自己是不是瘋了。

「這個不是重點。」我說著，邁步就往前走。

但，我還沒有邁出第二步，他再次伸手抓住了我，將我拉了回去，我們兩個之間的距離比第一次更近了。我侷促不安地看著周圍，很怕會被人撞見，不過整個校園此時空無一人。現在時間還太早，太陽還沒有下山，這種時候，大部分的人還賴在床上，沒有做好上課的準備。至少還要再過一個小時，才能看見有人出現，不過，我還是驚訝於迪米特里居然肯冒這種危險。

「那麼告訴我，」他說。「告訴我什麼是最重要的。」

「你不相信我，」我說，「這回明白了嗎？沒有人會相信我，包括你……和所有的人。」這種想法讓我說不下去。迪米特里是對我瞭解最深的人，我希望……希望他也能相信這件事。

「我會……盡力的，可我還是覺得妳並不眞的明白妳身上發生的那些事。」

「我明白，」我語氣堅決地說，「只不過沒有人願意相信。看，如果你眞的相信我，就必須要想好一件事。如果你認爲我是個孩子，太過天眞，不知道自己脆弱的心靈究竟是怎麼回事，那麼你可以走了。如果你夠信任我，並且還記得你說過我的想法比同齡人要成熟，那麼，你也應該意識到，我對我說的話，還是有一點點負責任的態度的。」

一陣微醺的暖風吹過，夾帶著融雪的味道，從我身邊席捲而去。「我眞的相信妳，蘿絲，但是……我不太相信有鬼。」

有這份眞誠就夠了，他確實想向我伸出援手，想理解……但是就算他確實說話算話，也不代表他眞的準備改變自己的信仰。這很諷刺，那些塔羅牌明明對他是有影響的。

「你打算試一下嗎？」我問，「至少不要將這些寫成資料，交給心理醫生。」

「好的，這一點我可以做到。」

於是我從第一次看見梅森的情景開始講起，然後又講了我很害怕將斯坦事件的眞正原因告訴別人，我還講了飛機上我看見的那個黑影，並詳細地講述了落地時我看見的那些臉。

「你覺得，這些像是那種……嗯……創傷後偶然產生的幻覺嗎？」在我終於講完之後，我反問他。

「我不知道妳是不是眞的認為這些是創傷後偶然產生的幻覺，它們本來就是無法用常理來預言的。」他臉上露出我非常熟悉的那種處於沉思中的表情，這說明他正在心裡努力消化這些事情。我打賭，他仍然不認為我是眞的見到了鬼，不過他正努力想要維持一個開放的心態。

過了一會兒，他終於下定決心。「為什麼妳那麼確定它們不是妳的幻覺？」

「哦，一開始我也以為是自己的幻覺。不過現在嘛……我不知道，就是某種感覺而已。雖然我知道並沒有確鑿的證據能夠證明這點。不過你也聽見安德魯神父是怎麼說的了，他說那些陰魂不散的鬼都是早逝的或者死於非命的人。」

迪米特里咬住他自己的嘴唇，他大概想要跟我說不必非得按照字面上的意思來理解神父的話。不過，他開口以後，說的卻是另一番言辭。「這麼說，梅森是回來報仇的囉？」

「本來我是這麼想的，不過現在也不確定了。他從來沒有想過要傷害我，只是表現得好像有什麼還沒有達成的願望，後來……那些鬼好像也是這樣，想告訴我點什麼，甚至不管我是不是知道。怎麼會這樣？」

迪米特里了然地看著我。「妳已經有想法了。」

「確實，我在想維克多說的那些話。他說過我是影吻者，因爲我已經死過一次了，所以有了與那個死神的世界溝通的能力，我永遠不可能將它甩在身後。」

他的表情變得凝重。「我不會把維克多．達什科夫告訴妳的事當眞。」

「可他確實知道很多事情！你知道的，不管他是多麼該死的一個人。」

「好吧！假設這是眞的，因爲妳影吻者的身分讓妳得以見到鬼魂，爲什麼到現在才發生？爲什麼不是在車禍之後呢？」

「這點我也想過，」我迫切地說，「維克多還說過一句，他說現在我已經開始和死亡打交道了，與那一邊的聯繫也就更緊密。如果說，是因爲我取了別人的性命，使得我增強了與那邊聯繫的力量，所以才能看見現在的這一切呢？我不久前才殺了人，或者說是第一次殺人。」

「怎麼會這麼巧？」迪米特里問。「爲什麼不是在妳殺了血族之後？爲什麼是在飛機上？爲什麼不是在皇宮？」

我的熱忱被澆滅了。「你是誰？律師嗎？」我脫口而出，「你對我說的每句話都有疑問，我以爲你是本著一個開明的態度在聽的。」

「我是，可妳也需要如此。好好想一想，爲什麼是以這種形式讓妳看見呢？」

「我不知道。」我老實承認，覺得有些挫敗感。「你還是認爲我不太正常。」

他伸手握住我的下巴，迫使我抬頭看著他。「不，我永遠不會這麼想。妳說的這些沒有一句話會讓我覺得妳瘋了。不過我始終相信只有最簡單的解釋才有道理，而奧蘭德斯基醫生的解釋就是這樣的。鬼魂的理論還有漏洞，不過，如果妳能找出更多的……也許我們到時可以再研究一下。」

「我們？」我問。

「當然，我不會丟下妳一個人面對這件事的，不管是哪種，妳知道我永遠不會拋棄妳的。」

他的話裡有一股甜甜的、莊嚴的情感，我覺得自己應該回應一下，可我最後說出來的話還是很蠢。「我也不會拋棄你的，你知道。我是說……這種事當然不會發生在你身上，永遠不可能。不過如果你也可以看見鬼什麼的，我也會幫你的。」

他輕輕地、溫柔地朝我一笑。「謝啦！」

我們的手慢慢握在一起，指間纏繞，就這麼站著，足有一個世紀，誰都沒說一句話。微風又起，雖然現在的溫度可能只有華氏四十度，但對我來說就像春天到了。我多希望周圍的花可以吐露芬芳，我將自己的願望與他分享，同時鬆開了手。

我們就這樣緩緩地走回了我的宿舍，迪米特里問我自己一個人是不是可以。我回答他沒問題，他應該去做自己的事。於是，他轉身離開了。

當我剛要走進大廳的大門，突然想起我的背包還放在急診室。我低聲抱怨了幾句可能讓我被關禁閉的粗話，轉身匆匆向我來時的方向跑去。

奧蘭德斯基的接待員在我說明了來意之後，給我指了指檢查室的方向。我從剛剛離開的那個房間拿起自己的背包，轉身來到大廳，準備回去。突然，我看見對面房間的病床上躺著一個人，到處都找不到醫護人員的蹤影，我出於好奇，向裡頭瞄了一眼。

我的好奇心總是能給我帶來好運，床上躺著的是艾比．巴蒂卡，高中生部的學生。我想起她的時候，總能想到可愛、傲慢這類形容詞，但是這次，她和這兩個形容詞都沾不上邊。她臉上滿是瘀傷和劃痕，當她轉過臉看著我的時候，我看見了紅色的鞭痕。

「讓我猜猜，」我說，「妳摔倒了？」

「什……什麼？」

「妳摔倒了，這種標準答案我聽過許多遍了，布蘭頓、布萊特和達尼都是這麼說的。可是我老實跟妳說，你們需要編點別的了，我覺得醫生已經開始起疑心了。」

她張大了眼睛。「妳都知道了？」

這時，我意識到我在布蘭頓身上犯的錯誤。我一直追著他問答案，這讓他更堅定地拒絕告訴我任何事。這些問題在問布萊特和達尼時，得到的也是相同的答案。但是對艾比，我意識到我只要假裝自己已經知道了答案，她就會失掉戒心。

「我當然知道了，他們都已經告訴我了。」

「什麼？」她爲之一震，「他們發誓不告訴任何人的，這是規則的一部分。」

規則？什麼規則？我見過的皇家自衛隊也沒有這種規則啊！這裡面肯定有不爲人知的事。

「哦，他們沒有別的選擇，我一直在找你們，我必須幫他們遮掩。我告訴妳吧！我不知道這種回答在別人不作過多質疑的情況下還能撐多久。」我的口吻像是一個志願者，願意盡我所能地幫助別人。

「我本來應該堅持久一點的，我努力了，可還是不行。」她看起來很疲倦，還顯得很痛苦。「在一切都還沒有真相大白之前，什麼都不要說，可以嗎？拜託了。」

「當然，」我說，好奇死了她說的「努力」是什麼。「我不會告訴別人的。妳怎麼跑到這裡來了？不是應該盡量避免引起別人注意嗎？」我囫圇想了一下，已經開始胡說八道了。

她愁眉苦臉地看著我。「舍監發現了，把我送進來。如果被其他麻娜發現的話，我就慘了！」

「希望在他們發現之前，醫生同意妳出院，她現在有點忙。妳和布萊特他們臉上有同樣的傷，可他們的都沒妳的嚴重。」我抱有一絲希望。「那個……呃……那些燒傷不太容易處理，不過他們都沒有感染什麼的。」

我賭了一把，不光因爲我沒見過布萊特臉上的傷是什麼樣子，我也不知道吉兒口中說的那些到底是不是燒傷。如果不是的話，我可能已經露餡了，不過她沒有反駁我，心神恍惚地撫摸著那道傷痕。

「是呀！他們說這些傷痕不會留得太久。我得想想應該怎麼對奧蘭德斯基醫生解釋。」她的眼中閃過一道希望之光。「他們說已經沒機會了，不過也許……也許他們還會讓我再試一次的。」

這時，我們的好醫生回來了，她很驚訝我還在這裡，告訴我說我必須趕快回宿舍休息。我向她們兩個道別，然後磨磨蹭蹭地走出去，往回走的時候，幾乎沒有注意到天氣的寒冷。

總算……總算被我找出了一條解密的線索了！麻娜……

19

莉莎從小學的時候就是我最好的朋友了，這就是爲什麼最近向她隱瞞了這麼多事會令我覺得難過。她對我總是無話不說，一直願意和我分享她的所思所想，不過，也可能是因爲她別無選擇。我對她曾經也是無話不談，但不知從何時開始，我有了自己的小祕密。

我不能夠告訴她我對迪米特里的感情，也不能告訴她斯坦事件背後眞正的原因。我討厭這樣，這種愧疚囓噬著我的內心，讓我自覺無顏見她。

但是今天，我絕對不能再猶豫，一定要將在機場發生的事如實告訴她，就算我打算隱瞞些什麼，我只能有一半時間參加實戰演練這個事實，也暗示著這背後肯定大有玄機，這一次沒有任何藉口了。

於是，儘管十分難過，我還是向她和克里斯蒂安簡短地說了一下當時的情況。當然，愛迪和艾德里安也在場，艾德里安總是纏著我們。

「妳認爲自己見到鬼了？」克里斯蒂安喊出聲，「妳是說眞的嗎？」他的表情告訴我，他對此已經準備好了一長串評論準備發表。

「看，」我不耐煩地說，「我告訴了你們事情的眞相，但是我不想對這件事多談。這件事已經過去了，我們只要忘了它就行。」

「蘿絲……」莉莎開始不安，一股強烈的感情颶風從她身上向我襲來。恐懼、擔憂、震驚……她的憐憫之情是最令我難過的。

我搖了搖頭。「別說出來，莉茲，拜託。你們幾個可以有自己的想法，也可以有各自的解釋，但是我們別再提這件事了，至少現在不要，讓我一個人靜靜吧！」

我原本以爲莉莎會央求我，因爲她一貫的固執，也認爲艾德里安和克里斯蒂安會依照本性對我冷嘲熱諷。我的言辭雖然簡練，可我突然意識到，自己的語氣和表情已經將我的不耐煩傳達給他們。莉莎內心的驚訝令我意識到這點，只要再看看其他人的表情，就知道我的話肯定說得太重了。

「對不起，」我低聲說，「你們的關心我非常感激，可我現在實在沒心情。」

莉莎看著我。稍後再談吧！她用意念對我說。我輕輕向她點了下頭，心中在盤算怎麼樣才能避開再談這件事。

她和艾德里安見面，是爲了練習魔法。我仍然很喜歡可以和她在一起的感覺，可我唯一能和她一起的原因是克里斯蒂安也在場。老實說，我不明白他爲什麼非要留下來，我猜他還是有點嫉妒，不管事實如何。當然，如果他知道女王還有撮合莉莎和艾德里安這個計畫的話，可能就有一個好理由了。可不管怎麼樣，很明顯，這種研究魔法的課令他覺得無聊透頂。我們今天借用了梅斯小姐的教室，他將兩張課桌併在一起，躺上去，一隻胳膊蓋住眼睛。

「有好玩的事記得叫醒我。」他說。

我和愛迪站在教室中間，可以同時觀察門和窗戶，而且還不會遠離需要守護的莫里。

「妳眞的看見梅森了？」愛迪悄悄對我說，接著突然變得很不好意思。「對不起，妳說過妳不想談的……」

我說：「對，我是那麼說過。」說完我才看見愛迪的表情。

他並不是出於好奇的心理才這麼問的，而是因爲他和梅森是至交好友，因爲他和我一樣，也沒能從自己最好朋友死亡的陰影裡走出來。我猜他可能也想過梅森是因爲在地下不得安寧所以才出現，可惜他卻不能親眼看見梅森的亡靈。

「我認爲那是他。」我也悄聲說，「可也不一定，所有人都認爲那是我的幻覺。」

「他看起來怎麼樣？很生氣嗎？」

「很……悲傷，非常非常的悲傷。」

「如果眞的是他……我是說，我也不知道。」愛迪看著地板，有一刻忘記了自己應該守護房間。「我一直在想，他會不會因爲我們沒能救他而生氣。」

「我們已經盡力了。」我對他說，將眾人對我講的話又重複了一遍。「不過我也這麼想過，因爲安德魯神父說過，鬼魂有時回來是爲了復仇。可是梅森的樣子看起來又不太像，他好像是有話要對我說。」

愛迪突然抬起頭，想起了他還在值班。他聽完我說的之後便沒再出聲，可我知道他還在想。

與此同時，艾德里安和莉莎的研究有了進展，或者說，是艾德里安有了進展。他們兩個不知從哪裡挖出了幾株枝葉凋零的植物，將它們插進幾個小瓶子裡，這幾株植物有可能已經枯萎了，也有可能是在過冬。現在，那些瓶子就放在長長的桌子上，擺成一排。莉莎碰了碰其中的一個，我感覺她內心充滿了魔法帶來的歡愉，過了一會兒，那凋零的枝幹便轉成綠色，長出了葉子。

艾德里安眉頭緊鎖地看著，好像是在參悟全宇宙所有的奧祕，緊接著，他深深地吸了一口氣。

「好，這沒什麼。」

他將手指輕輕放上另外一株植物，真的沒什麼事發生。又過了一會兒，這植物抖了抖，一絲綠色慢慢向上蔓延，但沒多久就停了。

「你做到了！」莉莎高興地說。我能感到她其實是有一點點嫉妒的，艾德里安學會了她的本事，可她還沒有學會他的。

「還沒呢！」他瞪著那株植物說。他現在處於完全的清醒狀態，既沒抽煙也沒喝酒。精神能力不能阻止他生氣。

「你在開玩笑嗎？」莉莎問，「已經很了不起了，你可以用意念讓植物生長，這很偉大耶！」

「但是沒有妳做的那麼好。」他說，聽起來好像還是個十歲的孩子。

我忍不住終於插嘴道：「那就少廢話，再試一次。」

他看了我一眼，唇邊溢出一抹微笑。「嘿，別說話，靈媒拜爾，守護者只能看，不能聽的。」

他說到「靈媒拜爾」這個詞的時候，我差點跳起來，可他並沒有在意，因爲莉莎也開了口。

「她說得對，再試試。」

「妳再做一遍，」他說，「我想感受一下妳是怎麼辦到的。」

她在另一株植物上重新施展了一遍。我可以感受到魔法在她心中聚起，同時帶來一股歡愉，這時，她的人微微有些發顫，一絲恐懼和不安鑽進魔法裡，讓她的情緒再度惡化起來。

不！又出現了！我就知道如果她長時間使用魔法，就會有這種事，拜託不要再來一次了，我默默地祈禱著。

我正這樣想著，她魔法中黑暗的部分消失了，所有的情緒和感情又都恢復了正常，然後，她手中的植物又重新抽枝發芽。我並沒有看見她是怎麼做到的，因爲剛剛被她的小插曲牽去了注意力；艾德里安也錯過了，因爲他正看著我，他的樣子好像非常非常的困惑。

「好了。」莉莎高興地說。她並沒有發現艾德里安沒有注意。「再試一下。」

艾德里安重新將注意力放在他們的研究上，他嘆了口氣，走到另一株植物面前，但是莉莎用手指了指，希望他回去。「別換，回去你剛才實驗的那株前，也許這次你稍微努力就能做到了。」

艾德里安點點頭，集中精神看著剛才的那一株植物。等了幾分鐘，他什麼都沒做，只是盯著它看。房間安靜極了，我從沒見他這麼專注過，額頭居然還微微滲出了汗珠。終於，過了好久，那株植物又開始顫動，變得又綠了些，上面還長出了小芽。我看著他，瞇著眼咬著牙，毫無疑問，他用盡了全身的力氣。那小芽綻開了，吐出嫩綠的葉子和白色的小花。

莉莎用盡全身力氣，幾乎是大喊著說：「你成功了！」她過去擁抱他，眞心的喜悅也傳給了我。

她是發自內心地爲他高興，不過也有些失望自己沒有任何進步，但是這又讓她有了一絲希望，既然艾德里安可以學會她會的，那也就是說，他們眞的可以互相學習。

「我已經等不及想快點學會了。」她仍然有一絲小嫉妒。

艾德里安敲著一本筆記本。「世界上精神能力有很多種，妳至少可以學會其中的一種。」

「那是什麼？」我指著他的筆記本問。

「還記得我曾經搜集過那些有奇怪舉止的人嗎？」莉莎問我，「我們列了一個單子，記錄了那些。」

我確實還記得，在她尋找其他精神能力使用者的時候，找到了一些關於莫里族怪現象的記載，那些事是聞所未聞的，很少有人相信那些記載是眞人眞事。

「除了治癒能力、看見靈光、在夢中行走，我們還發現有人會超強的催眠術。」

「你已經會了啊！」我說。

「不是的，這種更厲害。它不光是要人們聽自己的命令，還可以讓他們看見或者感受到根本不存在的事物。」

「什麼？就是讓他們產生幻覺嗎？」我問。

「差不多，」艾德里安說，「有許多傳說，都是關於人們用催眠術讓其他人過著噩夢般的生活，認爲他們隨時都會被人攻擊什麼的。」

我打了個寒顫。「這確實挺嚇人的。」

「也很酷。」艾德里安說。

莉莎同意我的說法。「我不太瞭解。普通的催眠術是一回事，不過那樣的好像就太過分了！」

克里斯蒂安打了個哈欠。「現在勝利已經取得，我們可以稱今晚是『魔法之夜』嗎？」

我回過頭，看見克里斯蒂安正坐起身，一臉不高興。他看著莉莎和艾德里安，對他們勝利的擁抱很不滿。莉莎和艾德里安分開了，不過並不是因爲看見了克里斯蒂安的反應，他們都沉浸在各自的興奮中，沒有發覺克里斯蒂安嚴厲的目光。

「你能再做一次嗎？」莉莎熱切地問，「讓它長起來。」

艾德里安搖搖頭。「現在不行，我已經精疲力竭了，我想我現在最好來根煙。」他指了指克里斯蒂安，「去安撫他一下吧！他的耐心已經快要到極限了。」

莉莎向克里斯蒂安走去，興高采烈，這樣的她看起來美麗而健康，我打賭，克里斯蒂安看見這樣的她，是不會太發飆的。

果然，他臉上嚴峻的表情柔和了下來，那種溫柔只有在見到莉莎的時候才會出現。「我們回宿舍去吧！」她說著，拉起克里斯蒂安的手。

我們走出教室，愛迪充當近身守護者，跟在莉莎和克里斯蒂安身邊，我在後門作爲遠方守護。這也就是說，我是和艾德里安走在一起的，他自動選擇跟在我身邊，沒話找話。

他嘴裡叼著一根煙，我是唯一一個飽受這種有害煙霧侵襲的人，老實說，我不明白爲什麼沒有人出面管管他。我皺起眉，很不習慣雪茄的味道。

「你知道嗎？你可以去當我們遠方再遠方再遠方的守護者，然後一直待在後面。」我對他說。

「嗯，這根煙已經差不多了。」他丟掉煙頭，將它踩熄，然後踢得遠遠的。這種舉動令我深惡痛絕，但我還是最討厭聞二手煙。

「妳怎麼認爲？小拜爾，」他問，「我剛才的表現確實很炫，對吧？當然了，如果我能……我不知道，如果我能幫那些缺胳膊少腿的人重新長出手和腳來，那就更炫了！或者分開一對連體嬰也行。不過那些得等到我勤加練習之後。」

「如果你想聽點建議，我知道你肯定不想，可我還是要說。你們最好別在上面花太多時間。克里斯蒂安還是認爲你對莉莎心懷不軌。」

「不會吧……」他故作驚訝地嘲弄說，「他難道不知道我的心是屬於妳的嗎？」

「不管我對他說什麼，他還是會很擔心。」

「妳知道嗎？我打賭，如果我們現在就開始做點別的事，他可能會覺得好過一點。」

「如果你敢碰我，」我歡快地說，「你就有機會看看自己能不能治好自己了。那時我們才能知道，你到底是多狠的角色。」

「我會請莉莎治好我的。」他打著如意算盤。「這對她來說是小意思，雖然……」嘲諷的語氣不見了，「她使用能力的時候，有些事很奇怪……」

「我知道，」我說，「你也能感覺到嗎？」

「不能，可是我能看到。」他皺著眉頭。「蘿絲……還記得妳問我說妳是不是瘋了，然後我說沒有嗎？」

「嗯。」

「我想我可能錯了，妳確實是瘋了！」

我差點跌倒。「你到底想說什麼？」

「事情是這樣的，莉莎第二次用魔法的時候，她的靈光稍微變暗了些。」

「那一定和我感受到的是一樣的。」我說，「她好像……我也不知道怎麼說，有一刻變得很脆弱，像她以前一樣，不過後來就好了。」

他點點頭。「對，就是這樣……她靈光裡黑暗的部分轉移到妳身上去了。也就是說，我以前看到的時候，只能看出妳們的靈光有很大的不同，不過這次，我看見是怎麼回事了。就像是她靈光裡的黑暗，跑進妳的靈光裡去了。」

他的話讓我渾身一顫。「這代表什麼？」

「嗯，這就是我爲什麼認爲妳瘋了。莉莎現在使用魔法已經沒有任何的副作用了，對吧？而妳……呃……最近妳的脾氣一直不太好，而且，還看見鬼。」他漫不經心地說著，好像見鬼是時常發生的小事。「我覺得摧殘她意志的那些有害的東西，透過妳們的心電感應，轉到了妳的身上。這樣她可以變得堅強、穩定，而妳……就像我說的，妳開始見到鬼了！」

我就像突然被人摑了一掌。這是一種新的觀點，不是心理創傷、不是眞的有鬼，而是我「接管」了莉莎的瘋狂。我想起她情況最壞的時候是什麼情形，抑鬱到極點便會自殘。我記起我們之前的老師——卡普夫人，她也是個精神能力的使用者，爲了令自己從這種瘋狂中解脫出來，她選擇了成爲血族。

「不，」我勉強擠出聲音，「這種事不會發生在我身上的。」

「那妳們的心電感應呢？妳們之間是有牽連的，她的想法可以進入妳的……爲什麼那些消極的情緒就不能？」艾德里安說得輕鬆自在，他根本不知道，這件事對我來說有多麼可怕。

「因爲這根本就是狗屁不……」

這時，我突然想到了什麼，想到了我們一直以來苦苦追尋的答案。

聖弗拉米爾終其一生都在跟精神能力的副作用鬥爭，他曾經作過噩夢、有過幻覺，還曾經寫信給那些「魔鬼」，可他最後並沒有完全失去神智，也沒有想過自殺。我和莉莎都認爲，這是因爲他有影吻者守護者——安娜，是他們兩個之間的心電感應讓她幫他度過了難關。

我們一開始僅簡單地認爲這是因爲他們兩個十分要好，聖人在最難的日子裡有人支持他、同他聊天，因爲那時抗抑鬱的藥和抗躁鬱的藥都沒有發明呢！

可如果是……如果……

我幾乎窒息了，再也不敢想下去。現在幾點了？離熄燈時間還有一個小時嗎？我必須找出答案！我邁著大步，幾乎是踩著濕滑的地溜過去的。

「克里斯蒂安！」

前面的人停下腳步，回頭看著我和艾德里安。

「怎麼了？」克里斯蒂安問。

「我必須要離開一會兒，去一趟教堂，我們必須一起去。」

他驚訝地挑高眉毛。「妳要去禱告嗎？」

「別問了，拜託，幾分鐘就好。」

莉莎的臉上露出一絲關心。「哦，我們可以一起……」

「不用，我們很快就回來。」我不希望她去，我不希望聽見那個自己心中其實已經有數的答案。「你們往宿舍走，我們會趕上的。求求你，克里斯蒂安。」

他仔細地看著我，又想諷刺我一番，又想幫我，不過，畢竟他還沒有那麼差勁，「好吧！不過如果妳想拉著我一起禱告的話，我立刻就走。」

我和他一起向教堂走去，我的速度很快，他必須小跑才能跟上我。

「我想妳應該不會願意告訴我這麼做的原因吧?」他問。

「不會，不過我很感謝你的配合。」

「隨時願意爲您效勞。」他說。我很確定他說話的同時在翻白眼，但是我的眼睛只盯著前面的路。

我們到了教堂，發現門是鎖著的，不出所料!我敲門，焦急地看著窗戶會不會亮起來，可沒有動靜。

「妳知道嗎?我以前闖進去過，」克里斯蒂安說，「如果妳要進去……」

「不用了，光進去是沒用的，我要見神父。該死的!他不在。」

「可能已經睡覺了。」

「該死!」我又說了一遍，在教堂的門前爆粗口讓我產生了一點罪惡感。如果神父眞的睡覺了，可能就不會在這裡，根本就找不到他。「我必須……」

這時，門開了，安德魯神父看著我們，他有些驚訝，但是並沒有生氣。「蘿絲?克里斯蒂安?有什麼事嗎?」

「我有個問題一定要請教你，」我說，「不會耽誤太多時間的。」

他更加驚訝了，不過仍然側過身讓我們進去。我們站在教堂裡，沒有再往裡面走。

「我剛剛要回去睡覺，」安德魯神父說，「正在拉閘門。」

「你曾經說過聖弗拉米爾活了很久，死的時候年紀已經很大了，這是眞的嗎?」

「是呀!」他沉吟地說，「據我所知是這樣，我讀到的所有書裡，包括最近的那幾本，都是這麼說的。」

「那安娜呢？」我追問道，聲音有些歇斯底里，我可能真的有些抓狂了。

「她怎麼了？」

「她後來怎麼樣？她是怎麼死的？」

一直以來，我和莉莎都只關心弗拉德的結局，從沒有想過安娜。

安德魯神父嘆了口氣。「她的結局不太好，」我很遺憾地說。她保護了聖人一輩子，但是有人隱晦地說，她晚年的時候變得不那麼堅強了，後來……」

「後來怎麼樣？」我問。克里斯蒂安看著我和神父一問一答，完全不明所以。

「後來……呃……在聖弗拉米爾去世後的幾個月，她就自殺了。」

我緊閉著眼睛，有半秒鐘的時間才敢再張開。這就是我最怕的結果！

「很抱歉，」安德魯神父說，「我知道最近你們對她很感興趣，可我也是最近看了這些書才知道的。自裁是一種罪過，當然了……不過，嗯，想到他們之間如此親密，真不敢想像，沒有了聖人，她要怎麼活下去？」

「你剛才還說她後來有一點不正常。」

他點點頭，攤開手。「很難說當時那個可憐人在想什麼，可能有許多原因導致她變成這樣。妳怎麼對她這麼感興趣？」

我搖了搖頭。「說來話長。謝謝你告訴我。」

我和克里斯蒂安往回走，走到一半的時候，他終於忍不住問：「這到底是怎麼回事？我記得妳們兩個查過這些，弗拉米爾和安娜的關係就像妳和莉莎，對吧？」

「對，」我悶悶不樂地說，「我不想挑撥你們兩個的關係，不過拜託，先別跟莉莎說這件事，至少等我掌握了更多的情況再說。你可以告訴她……我也不知道，就告訴她說我突然害怕了，以爲我社區服務的內容又多了。」

「我們兩個都對她撒謊？」

「我也不想這樣，相信我，可現在對她來說，什麼都不知道才是最好的。」

因爲如果莉莎知道了，可能會因爲讓我變得不正常而自責……對，她肯定會很難過，而且肯定不會再繼續使用她的能力了。當然，我一直希望她這麼做，不過，我也知道她在使用自己的能力時是多麼的高興，我怎麼忍心奪去呢？可我又能做到犧牲自己嗎？

作出決定並不容易，可我也不能馬上就下結論，至少在我知道更多事情之前不行，幸好克里斯蒂安同意爲我保密。

這時，我們已經趕上他們，差不多已經到熄燈的時間了，我們在一起的時間只剩半個小時，然後就要各自去休息，包括我。自從同意了減少實戰演練的時間，我就不能值夜班了，反正血族在這種時候出現的機率很小，我的導師更在意我是不是有充足的睡眠。

於是，熄燈時間到了之後，我獨自走回拜爾的宿舍，而就在我快到達的時候，梅森又出現了！

我猛地收住腳步，看著周圍，希望一旁能有人見證這一幕，可以確定我是不是瘋了。他泛著微光站在那裡，手插進大衣的口袋，姿勢愜意得讓眼前這一切變得更詭異了。

「眞高興又能單獨見到你，我眞不喜歡飛機上的那些人。」我說，十分驚訝自己居然如此冷靜。當然，不管什麼時候見到他，我心裡總還是會有一絲歉意。

他看著我，表情茫然、眼神悲傷。看他這樣，我更難受了，內疚讓我的胃翻江倒海。終於，我忍不住了。

「你是誰？」我喊道，「你是眞實存在的嗎？是我瘋了嗎？」

令我驚訝的是，他居然點了點頭。

「哪個？」我尖叫著。「你眞的是眞的？」

他點點頭。

「我眞的瘋了？」

他搖搖頭。

「好吧！」我雖然內心情緒翻騰如狂風大作，也覺得這件事很好笑。「這還讓人好過點，不過老實告訴我，如果你是我的幻覺，又會怎麼樣？」

梅森只是瞪著我，我再次看了看周圍，希望有人經過。

「你爲什麼在這？生我們的氣，來報仇的嗎？」

他搖了搖頭，我懸著的心終於落下。直到此刻，我才知道自己多麼擔心這一點。內疚和痛苦曾經緊緊地糾纏著我，他如果對我有怨念也是合情合理的，如同瑞恩說的那樣。

「你……很難獲得內心的平靜嗎？」

梅森點點頭，似乎更加悲傷。我回想著他最後的一刻，硬生生嚥回了眼淚。我似乎無法求得內心的安寧，也無法回到從前的樣子。

「不過還有比這更重要的事吧？這是你一直跟著我的原因？」

他點點頭。

「是什麼？」我問。最近有太多問題出現，我需要答案。「你想告訴我什麼？我要做什麼？」

但是這種不能用簡單的「是或否」來回答的問題，很明顯超出了我們的溝通範圍。他張著嘴，好像想說什麼，他用盡了全力，就像艾德里安對那些植物一樣，但是，到最後，他一個字也沒能說出來。

「對不起，」我喃喃地說，「對不起，我不明白……還有……對不起，所有那些事。」

梅森憂愁地看了我一眼，又消失了。

20

「談談妳的母親吧！」

我嘆了口氣。「談她什麼？」

這是我進行心理治療的第一天，目前爲止，我還沒有什麼感覺。昨晚看見梅森的事，我倒是應該好好講一講，可我不想再對學校的高層授之以柄，讓他們有更充分的理由認爲我已經喪失了神智，哪怕我眞的是這樣。

老實說，我自己也搞不清楚了。艾德里安對我靈光進行的分析和安娜最後的結局都讓我確信，我自己是走在通往瘋狂小鎭的大道上，雖然我自己不覺得我瘋了，但難道瘋子會知道自己瘋了嗎？艾德里安說不會，瘋子本身就是很奇怪的一群人。

我看過很多心理方面的書，知道瘋子的種類也分很多種，一般來說，精神失常的人表現各不相同，症狀也是因人而異，大體可以分爲焦慮型、抑鬱型和躁鬱型等等，我不知道自己屬於哪種類型，如果我眞是個瘋子的話。

「你對她是什麼感覺？」心理醫生繼續問，「我是說妳的媽媽。」

「她是個偉大的守護者，做媽媽則剛好合格。」

我的心理醫生在她的本子上匆匆寫了幾筆。她叫作迪爾德，有著一頭金髮，是莫里族典型的纖瘦身材，穿著一件鵝絨的毛料連衣裙。她看起來沒有比我大多少，但是桌子上擺的各種證書顯示，幾乎所有心理學的學位她都拿到了。

她的辦公室位於行政大樓，校長的辦公室也在這裡，當然，還有其他學院的辦公機構。我本來希望這裡有個大沙發可以躺一下，就像電視裡經常演的那樣，可我得到的最好的待遇就是一把椅子，幸好這把椅子還算舒服。牆上掛滿了各種自然景色的畫，比如蝴蝶啊、水仙啊什麼的，我猜，這些畫可以幫助人舒緩神經。

「妳能詳細解釋一下什麼叫『剛好合格』嗎？」迪爾德問。

「這是很高的評價了，若是一個月以前，我的答案肯定是『糟透了』。但這些事和看見梅森有什麼關係？」

「妳想談談梅森嗎？」

我發現她有個習慣，總是用問題來回答我的問題。

「不知道，」我老實說，「我覺得這才是我到這裡來的原因。」

「妳對他是什麼感覺？關於他的死。」

「難過，不然還能有什麼？」

「有憤怒嗎？」

我想起了那個血族殺死梅森後，那副無所謂的樣子。

「對，有一點。」

「內疚？」

「當然有。」

「為什麼要說『當然』？」

「因爲他會在那裡是我的錯。我很氣他……氣他用這件事來證明自己。是我告訴他血族在那，我不應該說的，因爲如果他不知道他們在哪兒，就不會去找，那麼可能到現在還好好地活著。」

「妳不認爲他可以爲他自己的行爲負責嗎？這可是他自己的選擇耶！」

「嗯……也對，我想他可以，我並沒有強迫他這麼做。」

「還有別的原因讓妳對他感到內疚嗎？」

我隔著她，看著她身後那張畫著瓢蟲的畫。「他喜歡我，就是想跟我談情說愛的那種，我們也約過幾次會，但是我就是沒法投入。這點傷害了他！」

「為什麼妳沒法投入？」

「不知道，」我說。他的屍體躺在地板上的畫面快速在我腦中閃了一下，我馬上甩頭不再去想。我絕不能在迪爾德面前哭出來。「這就是問題所在，我應該可以的，他人很好，也很有趣，我們在一起眞的很開心……可就是感覺不對，哪怕是在親吻或者做別的什麼的時候……到最後我就是做不到。」

「妳認爲自己有性冷感嗎？」

「妳是說……哦，不！當然不！」

「妳有過性經驗嗎？」

「沒有，妳是建議我應該有嗎？」

「妳認爲應該有嗎?」

該死!我覺得我已經瞭解她了,「梅森並不是我想要的那個人。」

「妳心裡已經有別人了?有妳想要的那個人?」

我猶豫了一下,不太明白這和我見到鬼有什麼關係?我們簽署的文件上說,所有的談話記錄都是保密的。如果我不傷害自己,也沒做什麼違法的事,她是不會告訴別人的,但我實在不知道該怎麼講述這段和老男人糾纏不清的關係。

「對……但是我不能告訴妳他是誰。」

「妳認識他多久了?」

「差不多有半年。」

「你們兩個很親密嗎?」

「是的,不過我們沒有……」要怎麼把這種事情說出口?「我們其實並沒有在一起,他……不太方便。」隨便她怎麼想,比如說我可能愛上了一個有女朋友的人。

「他是妳無法接受梅森的原因嗎?」

「對的。」

「他有阻止妳和別人約會嗎?」

「哦……他不會故意這麼做的。」

「但是只要妳還惦記他,就不會喜歡上別的人?」

「對。可這不重要,我本來就不應該喜歡別人。」

「爲什麼呢？」

「因爲我沒有時間，我正努力成爲一名守護者，我的注意力必須全部放在莉莎身上。」

「這兩件事妳不能同時做嗎？」

我搖了搖頭。「不，我必須終我一生來保護她，不能對別人分心。我們守護者有一個信條——莫里永遠是第一位的！」

「所以妳認爲妳要把莉莎的需要放在第一位，超過自己的？」

「當然。」我皺起眉頭，「不然還能怎麼樣？我要做她的守護者。」

「這對妳意味著什麼？爲了她放棄自己的需求？」

「她是我最好的朋友，也是她家族中最後一名成員。」

「我問的不是這個。」

「對，不過……」我停了一下，「嘿，妳剛才居然沒有問問題！」

「妳認爲我總是在問問題？」

「算了！聽著，我愛莉莎，我很樂意保護她一輩子，就是這樣。再說，難道妳——一個莫里，會告訴我——一個拜爾，說不要將莫里放在第一位嗎？」

她說，「我不是在分析這件事，我是在幫妳變得好起來。」

「妳好像不問別的事就進行不下去了。」

迪爾德揚起了一絲微笑，然後瞥了時鐘一眼。「今天的時間到了，我們只能等下次再談了。」

我抱著胳膊，橫在胸前。「我以爲妳能給我一些有建設性的建議，或者告訴我該怎麼做，可妳只是讓我回答問題。」

她莞爾一笑。「治療不是要妳按照我說的做。」

「那我爲什麼還要接受治療?」

「因爲人們總是不知道自己眞實的想法或者感受,當妳有人指導,會覺得它們容易點,然後發現其實妳早就知道答案了。我的工作是幫妳對自己提問,幫妳發現妳可能沒有發現的事。」

「妳提問倒是挺有一套的。」我有些不恭地對她說。

「雖然我不能給妳『有建設性的建議』,不過確實有幾件事,我希望妳在下次過來之前能好好想想。」她看了一眼自己的本子,邊想,邊敲著鉛筆。「第一,我希望妳可以重新想一下我問的關於莉莎的問題。妳對將自己的一生貢獻給她的這件事,眞實的感受到底是什麼?」

「我已經告訴妳了。」

「我知道,但妳可以再多想想,如果妳的答案還是一樣的,也沒關係。然後,我希望妳思考一下另一件事——也許妳被那個『不方便的人』吸引的原因,就是因爲他的『不方便』。」

「這太扯了!根本就不可能。」

「眞的嗎?妳剛剛才跟我說過,妳不能喜歡上任何人。有沒有可能,妳的潛意識是這麼想的——希望喜歡上一個和妳不可能有發展的人!如果妳不可能和他在一起,那妳就永遠不用在他和莉莎之間左右爲難、就永遠不必作出選擇了。」

「太亂了!」我抱怨地說。

「是有一點,所以才需要我。」

「這和梅森的事有什麼關係？」

「這和妳有關係，蘿絲，妳才是最重要的。」

我從治療室走出來，腦子昏昏沉沉的，好像自己剛剛接受完一場審判。如果迪爾德是在給維克多作治療，他們可能花不到一半的時間就結束了。

我還在想，迪爾德一定是搞錯治療方向了！我當然不會憎恨莉莎，我喜歡迪米特里是因爲不能和他在一起這想法也很荒唐！我喜歡他是因爲……對，因爲他是迪米特里，因爲他迷人、高大、有趣、勇猛而且很帥，還因爲他懂我。

我就這樣一直走到了大廳，腦子裡還在想迪爾德的那些問題。我或許沒想過我們兩個的關係會影響到守護者的職責而放棄，但我一直很肯定他的年齡和教師的身分是我們最大的阻礙。這種想法眞的和我愛上他有關係嗎？有沒有可能，其實我心底深處一直清楚知道我們之間不會眞的有什麼，於是我便可以放心大膽地留在莉莎身邊？

不！我堅定地回答。這太荒唐了！迪爾德可能很擅於問問題，可她很明顯問得不對。

「蘿絲！」有人叫我，我向右邊看去，艾德里安正穿過草坪向我跑過來，完全不管他高級的鞋子被濺上了泥水。

「你剛剛是叫我『蘿絲』嗎？」我問。「怎麼不叫『小拜爾』了？我以爲你絕對不會叫我的名字呢！」

「怎麼可能？」他邊說，邊跑到我身邊。

我們走進大廳，現在還是上課時間，大廳裡空無一人。

「妳的另一半到哪兒去了？」他問。

「你是說克里斯蒂安？」

「不是，是莉莎。妳能找到她，對吧？」

「對，我能，因爲現在剛好是最後一節課的時間，她和其他人一樣在上課。你總會忘了我們還是學生，而這裡是學校。」

他有些失望。「我又找到了幾宗案例，正想和她分享呢！關於那些超級催眠術的案例。」

「哇哦！你是在用功鑽研嗎？眞令人驚訝！」

「隨妳怎麼說。」他說，「妳最近感覺很不好惹，似乎隨時準備揍人。你們拜爾族的人都這麼野蠻嗎？不過，我就是愛妳的野蠻。」

我又想起那個「皇家打架俱樂部」的祕密。最近我要擔心的事情太多了，就好像端了一杯燙手的熱水在手裡。

雖然只是一念之間，不過我還是問出了口：「你知道『麻娜』是什麼意思嗎？」

他靠在牆上，伸手去掏雪茄。

「當然。」

「你是在學校裡面。」我提醒他。

「那又……哦，對。」他輕嘆一口氣，將煙放了回去。「妳還有精力研究羅馬尼亞語嗎？那是『手』的意思。」

「我研究英語。」手？說不通啊！

「那怎麼突然對翻譯感興趣了？」

「不知道，我可能聽錯了吧！我以爲這個詞和那些皇室有些關係。」

他的眼中閃過一絲了然的神色。「哦，天哪！不會連這裡也有吧？」

「有什麼？」

「麻娜，這是一個在學校裡很流行的愚蠢祕密社團，我們學校也有一個。基本上就是一群皇室聚在一起，舉辦祕密集會，討論他們比別人優秀多少。」

「那就是了！」我說，拼圖慢慢拼起來了。「傑西和拉爾夫組了這麼一個小團體，他們還打算拉克里斯蒂安入夥。」

「拉他入夥？」艾德里安大笑起來，「他們一定是吃錯藥了！我不是想抨擊克里斯蒂安，不過他眞的不適合摻和這種事。」

「對，克里斯蒂安也把他們狠狠教訓了一頓。這個祕密社團到底是幹什麼的？」

他聳聳肩。「和其他的一樣，就是一群有優越感的人在一起沾沾自喜，每個人都覺得自己很了不起，能成爲這種精英社團的一員就是最好的證明。」

「但是你沒參加。」

「我不用參加也知道自己很了不起。」

「傑西和拉爾夫好像要把皇室召集在一起，因爲那些爭論，就是說要和守護者並肩作戰什麼的，他們好像準備聯合起來做點什麼。」

「年紀還不到，」艾德里安說，「他們只是嘴上說說。『麻娜』的成員雖然也會幫彼此出頭，不過最常做的還是舉行祕密聚會。」

「就這麼多？」

他陷入沉思。「對，他們當然只會這樣。不過我想，不管是以何種方式出現，本質來講就是他們想祕密地做點事。每個社團想做的事情都不一樣，所以這一個可能也有些計畫和打算也說不定。」

計畫或者打算？我可不喜歡聽見這些，特別是跟傑西和拉爾夫有關的。

「作爲一個圈外人，你知道得也太多了吧！」

「雖然它們很神祕，可我會觀察，而且在學校的時候也聽過不少。」

我也靠在牆上，大廳掛著的時鐘告訴我快要下課了。「你聽過他們打人的事嗎？至少有四個我認識的莫里被他們打了，可是他們都不肯說出實情。」

「什麼人？平民的莫里嗎？」

「不是，是其他的皇室。」

「這就怪了！這種社團的宗旨就是將皇室的精英聚在一起，然後捍衛他們的特權。除非……只是除非，他們只特別針對那些不同意加入莫里，或者是支持平民莫里的皇室。」

「有可能，不過有一個可是傑西的弟弟，傑西可是這個社團的創始人喲！不過也說不定他是在大義滅親。但他們對克里斯蒂安可什麼都沒做！」

艾德里安伸了個大大的懶腰。「就算是我，也不是萬事通，我說過，這個社團可能有自己不想為人所知的祕密。」

見我挫敗地嘆了口氣，他好奇地看著我。「妳對這事怎麼這麼關心？」

「因為他們這麼做是不對的，在我看來，這些人是壞人。如果這裡有這麼一個專門打人的社團，得有人出面阻止他們！」

艾德里安哈哈大笑，撫弄著自己的一撮頭髮。「妳救不了所有人，不過上帝知道妳盡力了。」

「我只是覺得這麼做是對的。」我想起迪米特里對西方人的評價，不禁莞爾一笑。「只要有需要，我就會出來主持正義。」

「最可怕的地方是，小拜爾，妳是說眞的。我能從妳的靈光看出來。」

「什麼？你是說它不再是黑色的了嗎？」

「不……還是黑色的，這沒變，不過有露出一點光，金色的，像陽光一樣。」

「也許你說我接收了莉莎負面情緒的說法是錯的。」我一直試著不去想昨天晚上的事，尤其是我知道了安娜的事情之後，而現在艾德里安提起這件事又讓我開始恐懼起來。

「不見得，」他說，「妳最後一次見她是什麼時候？」

我輕輕捶了他一拳。「其實你也不知道，對吧？你根本就是編出來騙我的。」

他抓住我的手腕，將我拉近了些。「妳正常的時候就是這樣的嗎？」

我笑了笑，任他抓著我的手。離他這麼近。我才眞正地好好欣賞他的那雙綠眸是多麼好看。事實上，除了一直被我用來取笑的部分，我無法否認他其實是個很好看的人。他握著我手腕的手非常溫暖，而他現在這種姿勢可以稱得上是性感。

想到迪爾德的話，我不禁想試試看自己對他到底是什麼感覺。將女王的警告拋在一邊，艾德里安這傢伙是個不錯的練習對象。

我被他迷住了嗎？我的心有小鹿亂撞嗎？答案是：沒有。這和我與迪米特里一起時的感受一點都不同，艾德里安有他自己的魅力，可他並不能如迪米特里一般令我著迷。是因爲艾德里安很容易上手嗎？迪爾德說我只是想要一段可望而不可及的戀情，眞的被她說中了嗎？

「妳知道，」他出聲打斷了我的思緒。「如果是在別的情況下，這副模樣可是很誘人的。不過，妳看著我的表情，好像是在做科學實驗。」

這確實是我下一步打算做的。「爲什麼你沒對我使用催眠術？」我問。「我不是說阻止我打架那種。」

「因爲妳的一半魅力就來自於不好搞定。」

我突然異想天開。「試一次吧！」

「試什麼？」

「對我試試催眠術。」

「什麼？」艾德里安臉上又是罕見的一愣。

「用催眠術讓我吻你，不過你得先答應我，不能眞的吻我。」

「這太奇怪了吧！我說奇怪的時候，妳應該知道我是認眞的。」

「拜託！」

他嘆了口氣，瞇起眼睛直勾勾地看著我。那雙眼好像一片沉沉的、深深的綠色海洋。世界上除了這雙眼，什麼都不存在。

「我想吻妳，蘿絲。」他溫柔地說，「我也希望妳主動吻我。」

他身體的每一部分，他的唇、他的手、他的味道，突然間整個包圍了我。我渾身上下都暖洋洋的，每一個細胞都希望他吻住我，我這輩子只希望能得到這個吻。我抬起頭看著他，他的頭低下來，我幾乎就要碰到他的唇了。

「妳想嗎？」他問，聲音柔得像天鵝絨。「妳想吻我嗎？」

一直都想，我周圍的一切都變得模糊了，眼裡只有他的唇。

「是的，我想。」我說。他的臉更近了，他的唇只要動一動就能碰到我的，我們是這麼的靠近，後來……

「試完了！」他停了下來，退後了一步。

我立刻清醒了過來，那夢幻般的眼睛不見了、我身體裡的渴望也消失了，可我還是有了新發現——在催眠術的作用下，我確實很希望他吻我，可那只是因爲催眠術，並沒有觸電的感覺。我和迪米特里在一起的時候，兩個人都被一股強大的力量促使著向前；可跟艾德里安在一起時，只有機械性的動作。

迪爾德徹底錯了！如果我愛上迪米特里是因爲潛意識裡的行爲，那我的感覺應該和跟艾德里安一起時一樣，只是表面上的。可這兩種感覺截然不同，對於迪米特里，我是愛，而不是我的大腦和我開的一個玩笑！

「嗯。」我說。

「嗯？」艾德里安問，有趣地看著我。

「嗯。」

第三聲「嗯」既不是我說的，也不是他說的，我看見大廳那頭，克里斯蒂安正看著我們。

我跟艾德里安分開的那一剎那，剛好下課鈴響，學生從教室裡蜂擁而出，嗡嗡的聲音響徹走道。

「現在我能見到莉莎了。」艾德里安高興地說。

「蘿絲，妳要和我一起去餵食室嗎？」克里斯蒂安問。他的聲音平靜無波，表情深不可測。

「我今天不當值。」

「是嗎？我想念妳的陪伴了。」

我向艾德里安道別，穿過咖啡廳，來到克里斯蒂安面前。

「怎麼了？」我問。

「應該是我問妳吧！」他說，「妳打算開始和艾德里安發展了嗎？」

「那只是個實驗。」我說，「是我治療的一部分。」

「妳接受的到底是什麼樣的治療啊？」

我們來到餵食室。不知怎麼的，不只有他提前下課，還有幾個人也是，甚至在我們前面排起了隊。

「你幹嘛那麼緊張？」我問，「你應該開心才對，這樣他就不會打莉莎的主意了。」

「他可以兩個一起追。」

「你是誰啊？我的大哥哥嗎？」

「別臭美了！」他說，「我就是我。」

他身後，傑西和拉爾夫走了進來，傑西正忙著和餵食室的管理員吵架。

「我可沒時間等，」他對她說，「我還有別的事要做呢！」

管理員指了指我們和我們前面排隊的人。「這些人比你先來。」

傑西看著她的眼睛笑了。「妳可以幫我們安排一下。」

「是的，他很急。」拉爾夫補充說，他說話的聲音我以前從沒聽到過，比平時溫柔了很多，而且沒那麼刺耳。「只要把他的名字寫在最上面就行了。」

管理員的表情像是在告訴他們別再鬧下去，不過很有意思的是，忽然間她又變得恍惚起來。她看著自己的筆記本，在上面寫了幾筆，幾秒之後，她抬起頭，頭猛地甩了一下，眼神又變得有神。

她皺著眉頭。「我剛才在做什麼？」

「妳同意讓我進去了。」傑西說，他指了指筆記本。「看！」

她低下頭，嚇了一跳。「為什麼你的名字在第一個？你不是剛剛才到嗎？」

「我們早就到了，而且也登記了，妳對我們說可以進去了。」

她又低下頭，很顯然不明所以。她根本不記得這兩人早就到了——因為他們本來就沒有，不過她顯然也記不得為什麼傑西的名字會排在第一個。過了一會兒，她聳聳肩，覺得這種事不值得傷腦筋。「去其他人那兒排隊，下一個我會叫你們。」

傑西和拉爾夫剛剛走到我們身邊，我便攔住了他們。

「你們剛剛對她用了催眠術！」我憤怒地說。

傑西有一刻顯得很害怕，然後又回復了平時那種不可一世的表情。「隨妳怎麼說，我只是說服了她而已，就這樣。怎麼？妳打算去告發我嗎？」

「沒什麼值得告發的，」克里斯蒂安不屑一顧地說，「這是我見過最差的催眠術了！」

「說得好像你見過別人催眠似的。」拉爾夫說。

「見過好多次呢！」克里斯蒂安說，「那人手法比你高明多了。」

拉爾夫氣紅了眼，但是傑西拉住他，轉身要走。

「別理他，他會有被逮到的一天的。」

「他……」

我記起布蘭頓是怎麼嘗試用極其微弱的催眠術對我催眠，說他什麼事都沒有。吉兒也說布萊特．歐澤拉確實說服了老師。而更讓吉兒驚訝的是，老師居然就這麼丟下不管了，布萊特一定也用了催眠術。

這些事讓我心中一亮。他們之間的聯繫終於找到了！問題是，我還來不及把這團亂麻釐清。

「這就是你的打算，對吧？你那個蠢透了的麻娜社團需要靠打人證明自己的存在，而且肯定還打了催眠術的主意……」

我不知道自己是怎麼把這些聯繫在一起的，不過，令我驚訝的是，傑西的表情好像被我說中了，雖然他嘴裡不承認。

我推了他一把，希望他被怒火沖昏頭的時候，能說出一些不應該說的事。「你們是不是用這種方法，背地裡搞了不少事？」

「如果被我發現是誰說的……」傑西沒來得及把威脅的話說完，因爲已經輪到他進去餵食室了。

他和拉爾夫忿忿地走開，克里斯蒂安轉身看著我。

「怎麼回事？什麼是麻娜？」

我簡單快速地把艾德里安說的話重複了一遍。「他們想要你加入的就是這種組織，他們一定在祕密練習使用催眠術。艾德里安說，這些社團總會在危急時刻出現，那些皇室如果計畫改變或者控制局面，他們一定認爲催眠術就是唯一的方法，這也是爲什麼他們告訴你可以幫你達成願望。如果他們知道你的催眠術遜到什麼地步，可能就不會邀請你了！」

他繃著臉，不喜歡我提醒他記起上次糟糕的嘗試。當時在滑雪場他想催眠守衛，結果失敗了！

「那些打人的部分是怎麼回事？」

「祕密。」我說。這時，克里斯蒂安也被叫到名字了，我的想法要在搜集更多的消息之後，才能告訴他。

我看了看派給他的餵食者。「又是愛麗絲？你怎麼總是分配到她？你點名要她了嗎？」

「沒有，我想可能有的人不願意要她吧！」

一如既往，愛麗絲見到我們很高興。「蘿絲，妳還在負責保護我們的安全嗎？」

「如果他們同意的話，我會的。」我對她說。

「別太心急。」她提醒我，「積攢妳的力量，如果妳太急於跟血族交手，最後可能會變成血族，那你就永遠見不到我們了，我們會很傷心的。」

「對，」克里斯蒂安說，「每天晚上我都會抱著枕頭痛哭。」

我忍住踢他的慾望。「如果我是血族也進不來，不過我希望我能以一種平常的方法死去，這樣我的靈魂就能進來看你們了。」

眞慘！我想著。我最近總是用自己最害怕的事情來開玩笑。

不知道爲什麼，愛麗絲倒是沒有笑，她搖了搖頭道：「不，妳進不來的，結界會把妳攔在外面。」

「結界只能攔住血族。」我好心地提醒。

她突然換上一副堅定的表情。「結界能把任何死了的東西攔在外面，不管是血族還是鬼魂。」

「結界攔不住鬼的。」我說，「我見過。」

考慮到愛麗絲自己也不正常，我不介意和她討論我的問題。事實上，跟不會對我評頭論足的人討論這種事，感覺還挺新鮮的，而且，她確實將此當作一次非常正式的談話。

「如果妳見過，我們就不再安全了。」

「我上次告訴過妳了，守衛工作做得很好。」

「也許有人出錯了。」她爭辯，聽起來也很合乎情理。「也許有人錯過了什麼。結界是魔法做的，而魔法是有生命的。鬼魂不能進來的道理和血族一樣，他們都是死人，如果妳看見鬼，結界肯定已經被破壞了！」她停頓了一下。「不然就是妳瘋了！」

克里斯蒂安大笑起來。「妳明白了吧？蘿絲，一針見血。」我瞪了他一眼。

他又笑著對愛麗絲說：「我不是爲蘿絲說話，不過她對結界的說法是對的。學院每天都按時檢查，唯一比這裡還要安全的地方就是皇宮了，這兩個地方都有大量的守護者。別老是疑神疑鬼的。」

他開始進食，我別開了眼。

我就知道不應該聽愛麗絲胡說，她說的話都不怎麼可信，雖然她在這裡待了很長一段時間了。不過……她奇怪的想法聽起來倒是有點道理，如果結界可以攔住血族，爲什麼鬼魂不行？說眞的，血族也是死了之後又復生的，不過她的重點是——他們都是死過的。

可我和克里斯蒂安說的也沒錯，學校周圍的結界很牢固，組成一個結界可是要耗費大量的力量，因此，不是每個莫里住的地方都有，只有像學校和皇宮這種人多的地方才行。

皇宮……

我們到了那裡之後就沒有見過鬼了，不過那時的精神壓力也沒有這麼大。如果眞是因爲緊張導致我出現幻覺，那我在法庭面對維克多，以及去覲見女王的時候，不是更有機會看見他嗎？然而，在馬丁維爾降落之前，我都沒有見過鬼。

慢著……那些地方都沒有結界！

這發現讓我差點喘不過氣來。皇宮的結界很強，我看不見鬼；機場是人類的地盤，沒有結界，我見到了那麼多鬼；在飛機上，我還見到了那些陰影，而我們飛在空中的時候當然也沒有結界。

我看著愛麗絲和克里斯蒂安，他們剛剛結束餵食。

被她說中了嗎？結界眞的能夠攔住鬼魂？如果是這樣，那學院是怎麼回事？如果結界眞的有作用，我應該什麼都見不到的，就像在皇宮時一樣；但如果結界被破壞了，我應該能看見很多，就像在機場時一樣。還是說，學院的情況處於兩者之間，所以我是偶然才看見鬼……這也說不通啊！

我唯一能夠確信的，就是如果學院的結界有問題，我不是唯一一個處於危險之中的人。

21

我迫不及待地希望這一天趕緊過去，我答應過莉莎，放學後會和她還有其他人一起去玩，本來這是很美好的一段時光，可最後卻分秒難捱，令人如坐針氈。

當宵禁的鐘聲響起，我以最快的速度向他們道別，衝回我的宿舍。

我問櫃台的女管理員，可不可以請她撥一通電話到迪米特里的房間，這對學員來說本是「禁忌」，可我要找他確實是「事出緊急」，她只得拿起電話，這時，塞萊斯剛好走過。

「他不在房間裡，」她對我說。她的臉上有一大塊瘀痕，可能是被實習生打傷的，當然，這個人不是我。「我想他可能在教堂，還是等明天再見吧！熄燈之後不能隨便走動的。」

我乖巧地點點頭，裝作要回到學生宿舍那邊，但，她的背影剛消失，我就轉身出去，向教堂狂奔。

她說得對，我不能徹夜不歸，不過迪米特里可以幫我不著痕跡地溜回來。

我跑到教堂，發現門沒有上鎖，我走進去，看見裡面燭光點點，所有金色的飾品都被照得閃閃發光。神父可能仍在工作，但是等我走進內殿，才發現神父並不在，只有迪米特里。

他坐在最後一排，沒有在禱告什麼的，只是靜靜地坐在那裡，整個人非常放鬆。雖然他不是虔誠的教徒，不過他對我說過，在這裡，他可以獲得寧靜，這讓他有機會思考自己的人生，和他內心眞正的渴望。

我一直知道他很帥，可那時，他身上某種莫名的東西還是令我像雕像一樣愣在那裡。或許是因爲整個環境，所有的木頭都泛著光澤，聖徒身上還有各種五彩斑斕的形狀；又或許是燭光灑在他黑髮上的光暈；又或許只是因爲他卸下了防備後的脆弱，看起來令人憐惜。

他平時是那麼機警堅強，隨時都處於戒備狀態，可就是這樣的他也需要片刻的放鬆。在我眼中的他，似乎散發著光芒，就像平日的莉莎那般聖潔。

他聽見我的腳步聲，又恢復平時的警戒狀態。

「蘿絲，有什麼事嗎？」他想要站起來，我示意他不用動，側身坐到他旁邊，又聞到那令人暈眩的鬍後水氣味。

「嗯……是的，有一點，不過不是很嚴重，你不用太擔心。我只是有個問題，或者說……一個想法。」

我告訴他我和愛麗絲的談話，以及我對此的推論。他靜靜地聽著，一邊聽，一邊想。

「我知道愛麗絲，她的話我認爲並不可靠。」我說完之後，他對我這麼說，這番話和他對維克多的評價很相似。

「我知道，我也想過這點，不過有很多地方還是很有道理的。」

「不見得，就像妳說的，爲什麼妳在學院裡有時能見到、有時不能？這點和結界並沒有關聯，否則妳應該像在飛機上那樣，什麼都看得見。」

「如果結界的力量減弱了呢？」我問。

他搖了搖頭。「不太可能，結界的作用可以維持好幾個月，而且每兩個星期，我們就會佈下新的結界。」

「這麼頻繁？」我的失望之情溢於言表。

我知道結界的更替是很頻繁的，但是沒想到居然這麼頻繁。

愛麗絲的說法還是有一定的道理的，但是並不能解釋我的不正常。

「也許是被銀樁破壞了。」我不甘心地說，「有可能有人類或是別的什麼拿著銀樁，就像我們以前見到的。」

「守護者每天都要沿著結界巡視好幾遍，如果學校周邊有銀樁的話，我們會發現的。」

我嘆了口氣。

迪米特里伸手覆住我的，我顫抖了一下，不過他並沒有拿開，繼續像最近一直做的那樣，揣摩著我的心思。「妳在想，如果被她說中了，就能解釋最近的所有事了？」

我點點頭。「我不想被人當作瘋子。」

「妳不是。」

「可你並不相信我眞的看見了鬼。」

他避開我的目光，轉頭看著聖壇上閃閃發光的蠟燭。「但我仍然願意抱著一種開放的態度，壓力過大並不等於瘋了。」

「我知道，」我老實說道，仍然在回味他手的溫暖，我不應該在教堂裡想這種事情的。「可是……嗯……還有別的事……」

我又對他說了安娜可能「接受」了弗拉米爾的瘋癲，我也告訴他艾德里安說的靈光的事。

他轉回目光看著我，試探地問：「這些妳也對別人說過了嗎？比如莉莎，還有妳的心理醫生？」

「沒有，」我很小聲地說，不敢看他的眼睛。「我害怕她們會往別處想。」

他握緊了我的手。「妳連將自己放入險境都不怕，卻害怕對別人打開心扉？」

「我……我不知道，」我抬起頭看著他，「可能是吧！」

「那爲什麼告訴我？」

我笑了。「因爲你說過，我應該信任別人的。我信任你。」

「不信任莉莎嗎？」

我的笑容沒了。「我信任她，絕對的，可我不想告訴她可能讓她擔心的事，我覺得這麼做是在保護她，就像保護她不被血族侵襲一樣。」

「她比妳想的要堅強。」他說，「而且，她會想辦法幫妳的。」

「怎麼？你希望我告訴她，但是瞞著你？」

「不，我希望妳可以同時告訴我們兩個人，這對妳有好處。安娜身上發生的那些事讓妳很困擾嗎？」

「不是困擾，」我再次低下了頭，「而是令我很害怕。」

這個回答可能把我們兩個都嚇到了，我其實不打算要說出來的。我們都愣了片刻，迪米特里摟住我，將我按在他的胸膛。一股暖流從我心中升起，我將臉頰緊緊貼住他的皮衣，聽著他堅定有力的心跳聲。

「我不想像安娜那樣，」我輕聲說，「我想做個普通人，希望自己的神智是……正常的。我是說，能達到我自己認爲的正常就行了。我不想喪失心智，也不想像安娜那樣，落到自殺的下場。雖然兩者相比，我更喜歡後者，如果是爲了救我的朋友，也算死得其所，但能活著更好。我希望大家都活著，高高興興地活著，就像莉莎說的，我們大家組成一個幸福快樂的大家庭。可我眞的很怕……怕自己會像安娜一樣，怕自己到時候控制不住……」

他又將我摟緊了些。「這些事都不會發生的，」他呢喃地說，「妳雖然既野性又衝動，但說到底，妳是我認識的人裡最堅強的一個，就算妳和安娜一樣失去了自我……當然我不會那麼悲觀，但結局也絕不會一模一樣的。」

眞是太好笑了！這和我對莉莎說的她與弗拉米爾的話一模一樣。她對此總是半信半疑，現在我明白了，安慰時說的話，是很難令人信服的。

「而且妳還漏算了很多東西，」他的手撩過我的頭髮，繼續說，「如果妳眞的因爲莉莎的魔法而有了危機，至少妳心裡清楚這危機的根由。她可以不再使用魔法，這樣就都沒事了。」

我輕輕地揚起頭看著他，同時快速地揉了揉眼睛，不讓淚水有機會流出來。

「可我能讓她做這種事嗎？」我說，「我能感覺到她在使用魔法時有多麼快樂，我不知道自己會不會忍心奪去她的這種快樂。」

他驚訝地看著我。「哪怕是用自己的生命做代價？」

「弗拉米爾做過很多偉大的事，莉莎也會，而且，莫里永遠是第一位的，不是嗎？」

「有時候不是。」

我張大眼睛，自從孩提時代，我就一直信奉著「一切以莫里爲先」這準則。這是每個守護者的信仰，只有那些逃避自己職責的拜爾才不這麼認為，他剛剛的話眞是有點大逆不道了。

「蘿絲，有時候妳必須要先考慮自己。」

我搖了搖頭。「但是和莉莎在一起時不行。」

「她是妳的朋友，她會明白的。」爲了強調自己的話，他伸手拉了拉我藏在袖子裡的念珠，指尖輕輕拂過我的手腕。

「不僅僅是這樣，」我指著念珠上的十字架說，「不管怎麼樣，這便是證明。我屬於她，爲了保護德拉格米爾家族，不惜一切代價。」

「我知道，可是……」他沒有再往下說。老實講，他還能說什麼呢？這已經是老掉牙的話題了，根本不可能爭出結果。

「我要回去了。」我突兀地說，「已經過了熄燈時間。」

迪米特里露出一抹苦笑。「我必須陪妳一起回去，不然妳會有麻煩的。」

「我本來希望……」

我話沒說完，聖殿旁邊的門後傳來一陣窸窸窣窣的聲音，安德魯神父走了進來，正準備鎖上教堂的門，我們必須要走了。

迪米特里謝過他，我們兩個向拜爾的宿舍走去，一路上，誰都沒有說話，但是這種沉默卻令人舒適。這很奇怪，自從他上次在急診室外面發了一次脾氣，我覺得我們兩個之間的聯繫又更緊密了些，這眞是太匪夷所思了！

迪米特里帶著我經過前台的管理員，我正想往自己的房間走去，一名叫尤里的守護者剛好經過，迪米特里叫住了他。

「你一直負責安全工作，是吧？上次佈下新的結界是什麼時候？」

尤里想了一下，「兩天以前吧！怎麼了？」

迪米特里意味深長地看了我一眼。「正好想起來，隨便問問。」

我向他點了點頭，示意我明白了，然後便回屋睡覺。

在那之後的一個多星期，每天都過得差不多。基本上我一週有三天跟著克里斯蒂安，其他時間則去作心理治療，或和迪米特里一起訓練。

這段期間，我總能發現他關切地望著我，一直不停地問我覺得怎麼樣，但從來不強迫我談論我不喜歡的話題。大多數時候，我們做的都是肢體訓練，我很喜歡這個，因爲不用動太多腦子。

最棒的是，這期間我一直都沒有再看見過梅森，但是也沒有再見到有人打架，不管是麻娜社團的那種，還是守護者測試的那種。

我們正處於整個實戰演練最難熬的時期，我班上的其他實習生都按步就班地接受考驗。測試變得越來越複雜，難度也越來越大，每個人都像是站在鋼絲上。愛迪幾乎每隔一天便要應付那些扮成血族的守護者一次，保護莉莎，但是有我在的時候，卻從來沒有人發起襲擊。

事實是，不管我在哪裡，周圍的人都不會受到攻擊。過了一陣子，我才意識到，這是他們對我溫柔的體貼，怕我失控。

「他們可能已經把我排除在實戰演練之外了，」一天晚上，我對克里斯蒂安抱怨說，「我基本上已經不用再做什麼了。」

「說得對，可是，既然這並不耽誤妳通過測試，還有什麼好擔心的呢？我是說，妳真的希望每天都打來打去的嗎？」他說完，翻了個白眼，「是啊！妳當然這麼希望了。」

「你根本就不明白！」我對他說，「這不是能不能輕鬆過關的問題，而是我想透過它來證明我的本領，證明給別人，也證明給自己看。再多的練習都是不夠的，我是說，莉莎的性命一直都是在風口浪尖上。」可能我的將來也是如此。我之前曾經擔心過他們會換掉我，那還是在他們把我當成瘋子之前的事。

差不多到了熄燈的時間，我打算向他道晚安，他搖了搖頭。「蘿絲，我不知道妳是不是眞的瘋了，不過我眞的開始認爲妳可能是這裡最出色的守護者，或者說是最出色的『預備』守護者。」

「你剛剛發自肺腑地表揚了我一下嗎？」我問。

他轉過身，背對著我，走回他自己的房間。「再見。」

我的生活仍然是一團糟，可我走回去的路上，仍然禁不住帶了一絲笑意。

我現在走夜路總會精神緊張，害怕不知什麼時候會見到梅森，幸好周圍還有幾個人匆匆忙忙的，要趁熄燈號沒響之前趕回宿舍。因爲梅森總喜歡在我獨自一人的時候出現，要嘛就是他很喜歡這種私人會晤，要嘛就是他眞的是我想像出來的。

剛才我們談到了莉莎，我這才想起今天一整天都沒有見到她。我輕輕鬆鬆地溜進莉莎的意識，但是並沒有停下腳步。

她還在圖書館，忙著趕一些筆記。愛迪站在她旁邊，四下查看。

「最好快一點！」他揶揄地說，「管理員要來催第二遍了。」

「就快好了。」莉莎說著，又匆匆寫了幾筆。

管理員巡視到這邊，催他們趕緊離開的時候，莉莎剛好合上筆記本。她哀嘆著鬆了一口氣，將本子放進書包，跟在愛迪後面走出了圖書館。愛迪接過她的書包，背在自己的肩上。

「你不用這麼做。」莉莎說，「你又不是我的僕人。」

「妳把衣服整理好以後，就能拿回去了。」他指了指她的大衣。

莉莎剛才爲了趕時間，只把大衣披在身上。她看著自己這副邋遢樣，笑了笑，然後穿好了大衣。

「謝謝。」愛迪將書包交還給她時，莉莎說。

「不謝。」

莉莎喜歡愛迪，不過不是戀人之間的那種喜歡，她只是覺得愛迪人很好，剛剛那種事一再發生。愛迪願意幫她，同時也不耽誤自己出色地完成工作。愛迪這麼做並非想要追求她，他只是屬於那種既溫柔又厲害的稀有男生。

莉莎好像幫他擬好了什麼計畫。

「你有沒有想過約蘿絲出去？」

「什麼？」他問。

什麼?我問。

「你們兩個人身上的共同點很多,」她說,盡可能讓自己的話聽起來隨意一些,但其實,她心裡很興奮,覺得這是世界上最好的主意。

如果可能,我眞希望親自站在她旁邊,讓她打消這個念頭。

「她只是我的朋友。」愛迪笑起來,臉上帶著一絲可愛的羞赧。「我也不覺得我們兩個很適合。而且……」他的表情陰暗了下去,「我永遠不會和梅森的女朋友約會。」

莉莎本來想照搬我的言論,說我其實並不是梅森的女朋友,不過她很聰明地選取了愛迪聽了會相信的部分。「有時候,人們不得不學會往前看。」

「不過還沒久到能忘記的地步,才過了一個月,這種事沒有那麼快就忘掉的。」他的眼中含著悲傷,那種空洞深深地刺痛了莉莎,還有我。

「對不起,」她說,「我並不是說這是件小事,你經歷的……我知道很可怕。」

「妳知道最奇怪的地方是哪裡嗎?我其實並沒有很深的印象,這才是最可怕的!我當時神智不清,根本不知道發生了什麼。妳不知道我有多痛恨自己,那種軟弱無助的樣子……是世界上最糟的事了吧!」

我也有同感,這應該是守護者共同的想法。我和愛迪從來沒有談過這件事,我們也不怎麼提在斯波坎的事。

「那不是你的錯。」莉莎說,「血族的安多芬是很厲害的,你不可能贏過這個。」

「我應該再努力試試的,」他繼續說下去,同時為她打開了宿舍樓的大門。「如果我能夠稍稍恢復些意識，說不定梅森就不會死了……」

我意識到，我和愛迪應該在寒假結束回來後馬上就接受心理治療的。我終於明白，爲什麼所有人都說因爲梅森的死自責是不對的，我和愛迪都認爲自己對不在我們控制範圍內的事負有責任，我們都爲了自己本不應承受的內疚而折磨著自己。

「嘿，莉莎，過來一下。」

這個嚴肅的話題就此被人打斷，傑西和拉爾夫在宿舍大廳的另一邊向莉莎揮著胳膊。

「這是怎麼回事？」愛迪神情謹慎地問。

「不知道，」她悄聲說著，走了過去。「希望沒什麼事。」

傑西向她露出了燦爛的笑容，我曾經認爲他的這種笑容很迷人，現在卻覺得假得令人噁心。

「最近怎麼樣？」他問。

「很累，」莉莎回答說，「我需要回去休息了，有事嗎？」

傑西看著愛迪。「能讓我們私下談談嗎？」

愛迪看著莉莎。她點了點頭，他退後幾步，給他們留出足夠的談話空間，當然，仍將莉莎放在自己視線之內。

愛迪離開之後，傑西開了口：「我們有一份邀請要給妳。」

「什麼邀請？派對的嗎？」

「差不多吧！其實是一個社團……」

拉爾夫不知道怎麼說下去，傑西替他把話說完。

「不是普通的社團，只有精英才能參加。」他指了指周圍，「妳、我和拉爾夫……我們和其他的莫里不一樣，和其他的皇室就更不一樣了，我們都有自己的主張和需要肩負的責任。」

我覺得他把拉爾夫也算在內很是滑稽，拉爾夫的皇室血統來自於他的媽媽，他其實並沒有眞正的皇室姓氏，哪怕從技術上來說，他確實有皇室的血統。

「聽起來好像有……附庸風雅之嫌。」她說，「我無意冒犯，不過還是謝謝你們的好意。」這就是莉莎，總是彬彬有禮，就算對混蛋也是如此。

「妳可能還沒理解，我們不是乾坐著什麼也不幹，我們的社團是有自己的事業的。我們……」他猶豫了一下，然後溫柔地說：「致力於尋找表達自己見解的方式，讓別人聽從於我們，而且是毫不猶豫的。」

莉莎啞然失笑。「那不是和催眠差不多？」

「所以？」

我看不見她的表情，但是能感覺到她在努力讓自己顯得嚴肅。「你們瘋了嗎？催眠術是被禁止的！這麼做是不對的！」

「那只是對別人來說，很顯然不包括妳，因爲妳的催眠術用得這麼好。」

她表情有些僵硬。「是什麼讓你有這種想法？」

「因爲有人見過了，而且是好幾個人。」

我試著回想那天在餵食室，我和克里斯蒂安都說了些什麼。我們從來沒有提過她的名字，只不過我們兩個都說曾經見過有人這麼做。

「很明顯，人們都喜歡妳，妳還躲過了很多大麻煩，我終於明白爲什麼了——妳一直在對人們用催眠術！那天在課堂上，我看見妳說服希爾先生同意妳和克里斯蒂安在一個小組，他從來沒有同意過這類請求！」

那天我也在，莉莎確實用了催眠術來獲取老師的許可。她的心情太迫切了，幾乎沒有意識到自己是在對希爾先生進行催眠。跟我見過的其他幾次比起來，這次她的催眠術確實做得不怎麼漂亮，不過沒有人發現……好吧！是「幾乎」沒人發現。

「聽著，」莉莎不安地說，「我眞的不知道你們在說什麼，我要回去休息了。」

傑西一臉興奮。「我們眞的認爲這麼做很酷，我們想幫妳，事實上，我們是想幫自己。眞不敢相信我以前從來沒有注意到，妳的催眠術眞的是太高明了，我們需要妳教教我們，而且，別的麻娜社團裡都不會有德拉格米爾家族的人，我們是唯一一個所有皇室家族都有成員參加的麻娜社團。」

莉莎嘆了一口氣。「如果我會催眠術，早就讓你們走了。我說了，我不感興趣。」

「可我們需要妳！」拉爾夫大聲說。

傑西狠狠地盯了他一眼，然後又笑著看回莉莎。我有種奇怪的感覺，好像他正在對莉莎催眠，不過他這點雕蟲小技肯定影響不了她……和我，因爲我是透過莉莎的眼睛在看他。

「每個學院都有自己的麻娜社團。」傑西說。他離得很近，突然間，他的目光變得不再友善。「而且，麻娜的成員遍佈世界，成爲它的一員，妳就有機會一輩子爲所欲爲。如果我們都學會怎麼催眠，就能阻止莫里政府做出一些蠢事，我們可以說服女王和其他人作出正確的決定，這樣每件事都會對妳有利。」

「我現在已經覺得很好了，謝謝。」莉莎說完向後退。「而且我眞的不認爲你知道什麼對莫里最好。」

「好？和妳的血族男朋友，還有那個想成爲守護者的婊子一起，也能稱之爲好？」拉爾夫大喊。他的聲音已經引起了愛迪的注意，他的臉色不太好看。

「安靜！」傑西生氣地對他說，他轉向莉莎。「他不該說這些的……不過有的地方他說得對。妳肩上背負著你們家族的聲譽，再這麼下去，沒有人會尊重妳。女王已經打算令妳和歐澤拉劃清界限了，不然妳會自甘墮落、引火上身的！」

莉莎越聽越火大。「你根本不知道自己在說什麼，而且……」她皺起眉頭。「你說女王打算把我和克里斯蒂安分開，這話是什麼意思？」

「她希望你能嫁給……」拉爾夫又開始嚷嚷，不過傑西立刻打斷了他。

「就是我說的意思。」傑西說。「我們知道很多能對妳產生影響的事，還有能幫助妳……和克里斯蒂安的事。」

我有預感，拉爾夫想說的是女王打算將莉莎嫁給艾德里安的事。我很奇怪他怎麼會知道，後來突然想起拉爾夫和沃達家有親戚關係。普里西拉．沃達是女王的顧問兼閨中密友，她知道女王所有的打算，而且可能告訴了拉爾夫。這麼看來，他和普里西拉的關係肯定比我想的要密切得多。

「告訴我，」莉莎問。她確實想過要不要用催眠術讓他說出實話，不過後來又自己否決掉了。她不想降低自己的身分。「你們都知道克里斯蒂安的什麼事？」

「這情報可不是免費的，」傑西說，「來參加一個會議，我們就告訴妳。」

「隨你們便，但我對你們的那個什麼精英遊戲不感興趣，也不知道什麼催眠術。」雖然她嘴上這麼說，可她心裡對他們究竟知道些什麼好奇死了！

莉莎準備轉身，傑西抓住了她的胳膊。「該死！妳必須……」

「莉莎現在要去休息了。」愛迪說。他在傑西抓她的一瞬間衝了過來。「放開你的手，或者，你要我來幫你？」

傑西瞪著愛迪，像所有莫里和拜爾的差別一樣，傑西擁有身高，愛迪擁有肌肉。當然，傑西和拉爾夫的塊頭也佔優勢，不過這無關緊要。所有人都知道，如果愛迪眞和他們打起來，贏家會是誰，最妙的是，如果愛迪以保護莉莎令她不受刁難爲由替自己辯解，他很可能不會受到處罰。

傑西和拉爾夫緩緩向後退。

「我們需要妳，」傑西說，「妳是獨一無二的，再考慮考慮吧！」

他們走了之後，愛迪問道：「妳還好吧？」

「還好……謝謝。天哪！這也太奇怪了吧！」他們向樓梯走去。

「怎麼回事？」

「他們說有個皇家社團什麼的，希望我能加入，這樣他們就能聚集所有的皇室家族了。他們還有很瘋狂的打算。」愛迪知道精神能力的事，不過莉莎不太希望讓他想起她是個善用催眠術的高手。

他爲莉莎打開了門，「他們可不能強迫妳做什麼！」

「對，我也這麼想。」她的內心深處仍然想知道關於克里斯蒂安的事，就算面對的是刀山火海。「但願他們別煩我煩得太過分。」

「不用擔心，」愛迪狠狠地說，「我可以保證他們不會。」

我退回自己的身體，打開了自己寢室的房門。剛剛上樓到一半的時候，我發現自己在笑。

我當然不希望傑西和拉爾夫去打擾莉莎，不過要是能看見愛迪好好揍他們一頓呢？求之不得，我肯定不介意他們爲自己揍別人而得到點小教訓。

22

心理醫生迪爾德肯定沒時間好好享受生活，因爲她把我們的下一次會面約在星期天。我對此雖然沒有很不滿，但今天休息的可不只我一個人，我的朋友們今天也休息，不過，約了就是約了，所以，雖然很勉強，我還是如約前往。

「妳錯了。」我一坐穩便對她開門見山地說。

「什麼錯了？」她問。她今天穿了一件無袖的大花洋裝，讓人看了都覺得冷，而且和她掛在辦公室牆上的自然風景畫有些重疊。

「關於那個人的。我喜歡他不是因爲我無法得到他，我喜歡他是因爲……嗯，因爲他就是他，我已經證明過了。」

「怎麼證明的？」

「說來可就話長了，」我的言辭閃爍，因爲我眞的不想過於詳細地告訴她我用艾德里安做試驗的事。「妳只要相信我就是了。」

「那其他的幾個問題呢？」她問，「妳對莉莎的感覺呢？」

「妳的假設也是錯的。」

「妳也證明過了？」

「沒有，這種事不是我的那個方法可以證明出來的。」

「妳怎麼能這麼肯定？」她問。

「因為我就是很肯定。」這是她能得到的最好的回答了。

「最近和她在一起怎麼樣？」

「『最近』是什麼意思？」

「妳們不是經常在一起？」

「我看見她的時候不太多，她和平時一樣，和克里斯蒂安約會、對每次考試都全力以赴。哦，她還差不多把里海大學網站上的內容都背下來了。」

「里海大學？」

我將女王的邀請講給迪爾德聽。「雖然要一直等到秋天才正式入學，不過莉莎已經看過所有的課程內容，想找找看她要選修什麼。」

「那妳呢？」

「我什麼？」

「她入學之後妳怎麼辦？」

「跟她一起。如果莫里的守護者和自己年紀差不多，這種事是常有的，他們可能也會讓我一起去。」

「妳會和她修一樣的科目嗎？」

「對。」

「這些科目裡有沒有妳不喜歡的？」

「我怎麼會知道？她連自己要上什麼都還沒有決定，所以我也不知道有沒有自己不喜歡的。不過這都無所謂，我必須跟她在一起。」

「妳覺得這樣做沒關係嗎？」

我的脾氣開始變得暴躁，這個話題是我最不願意談的。

「對。」我怒氣沖沖地說。

我知道迪爾德希望我能繼續說明一下原因，可我偏不要。我們就這麼彼此對視著，僵持了幾分鐘，好像我們正在打賭，看誰先將目光移開，不過也許是我多心了。

她低下頭，看著那本神祕的筆記本，她一直拿在手裡，已經寫滿好幾大篇了。我注意到她的指甲修得非常漂亮，塗了紅色的指甲油，而我的指甲油已經開始剝落了。

「今天妳是不是不想談有關莉莎的話題？」她最後問我說。

「只要妳認爲有用，什麼都可以談。」

「妳認爲什麼是有用的？」

該死！她又開始沒完沒了地提問了。眞不知道她牆上那些證書，有哪張賦予了她這種權利？

「我覺得如果妳不再用像對待一名莫里的態度和我談話，這就算有用了。妳說的好像我有選擇權，好像我有權利對這些安排表示不滿，或者有權利挑選自己喜歡的課。我是說，就算我可以自己做主，又有什麼用呢？我上這些課要做什麼？去當律師或者海洋生物學家嗎？讓我安排自己的行程根本沒有意義，我該做的每件事，早就已經被安排好了。」

「而妳對此也沒覺得不妥。」這本來應該是個問句，不過她卻以陳述句的口吻說出來。

我聳聳肩。「只要能保證她的安全，我都沒問題，這就是妳一直犯錯的地方。所有的工作都有自己的弊端，我想坐在微積分課堂上和她一起聽課嗎？不想，可我必須如此，因爲這項工作的其他部分更爲重要。妳想聽那些憤怒的年輕人不停反對妳的意見嗎？不想，可妳必須聽，因爲妳工作中的其他部分更加重要。」

「事實上，」她出人意料地說，「這是我最喜歡的一部分。」

我不確定她是不是在開玩笑，不過我決定不去深究這個問題，特別是因爲她並沒有以問句來回答。

「我就是不喜歡所有人都認爲我是被迫成爲一名守護者的。」我嘆了口氣。

「『所有人』是指誰？」

「呃……妳，還有我在皇宮遇見的一個……叫安布羅斯的拜爾。他……呃……他是個『吸血牛郎』。」有鑒於這種事非常罕見，我等著她對這個詞做出反應，不過她沒有。「他的說法好像我是被人設計才會過這種日子，而且還是一輩子，可其實不是，這就是我想要的，我非常適合這項工作，我知道怎麼進攻、怎麼防守。妳見過血族嗎？」

她搖了搖頭。

「哦，我見過。當我說我想終此一生來保護莫里、殺死血族的時候，我是認眞的。血族是魔鬼，需要被消滅掉，我很高興能爲此出一份力，而如果在此同時還能保護我最好的朋友，那就更好了。」

「這點我明白，但是如果妳想做別的事，而這事不允許妳用現在這種方式生活的時候，妳要怎麼辦呢？」

我雙臂環胸。「還是那個答案，每件事都有好的一面和壞的一面，我們只能盡己所能地來平衡它們。我是說，如果妳試圖告訴我，生活並不是這麼簡單，如果我不能保證每件事都做到完美，那麼我的精神就會出現問題？」

「不，當然不是。」她說著，將頭靠在椅背上。「我希望妳能有精采的一生，但不代表是完美的一生，沒人能做到完美。我認為最有趣的部分是，妳在面對生活中各種不如意，就是那種二選一的難題時，妳會作何反應？又是如何處理的？」

「每個人都要經此一關。」我覺得自己像個答錄機。

「是的，但不是每個人都能看見鬼。」

我努力動腦筋，過了好一會兒才明白她想說什麼。「嘿，等一下，妳是說我看見梅森是因為我內心深處藏著對莉莎的怨恨，因為我不能有自己的生活？那我經歷過的那種精神創傷算什麼？不是說這才是我看見梅森的眞正原因嗎？」

「我認爲妳會看見梅森有各種各樣的原因，」她說，「這些就是我們要努力發現的。」

「可到目前爲止，」我說，「我們還沒有眞正地談過梅森的事呢！」

迪爾德眞誠地笑了笑。「眞的沒有嗎？」

我們的治療到此告一段落。

「她也總是用問題回答妳的問題的嗎？」我問莉莎。

我們兩個正穿過廣場，準備去餐廳吃飯，然後再和其他人會合去看電影。我們兩個已經待了好一會兒，現在我才意識到，自己是多麼懷念這個時刻。

「我們看的又不是同一個醫生。」她笑著說，「這才是問題的關鍵。」

「好吧！那妳的醫生也這麼做嗎？」

「我其實並沒注意，我想妳的醫生是這樣的吧？」

「對……妳見到就知道有多嚇人了。」

「說不定我們的治療記錄還會被放在一起進行比對呢！」

她說完，我們都哈哈大笑。過了一會兒，她好像有話想說，應該是想告訴我傑西和拉爾夫的事，她還不知道我其實已經看見了。不過，在她開口之前，有人找到了我們，是迪恩·巴恩斯。

「嘿，蘿絲，我們好多人都想知道，妳怎麼只有一半時間能參加演練？」

好極了，我就知道這件事總會有人想問的。老實說，我很納悶爲什麼一直沒人找我問這件事。所有人都忙著自己的實戰演練，直到現在才稍微空閒一點嗎？

「我病了，奧蘭德斯基醫生說我不能參加全部的演練。」我早就想好答案了。

「眞的？」他問道，似乎有些站不穩。「不過我記得他們也經常說——在眞正値勤的時候，是沒有病假可歇的！」

「對，但是現在還是在學院，奧蘭德斯基醫生有最終決定權。」

「我聽說是因爲妳對克里斯蒂安是個威脅。」

「哦，相信我，不是那樣的。」他身上的酒味讓我能夠很輕易就轉移話題。「你喝酒了？」

「對，肖恩弄了點，找我們幾個人到他的房間慶祝。嘿！」

「嘿什麼嘿？」我問。

「別這麼看著我。」

「哪樣？」

「好像妳不贊同似的。」

「我沒有。」我反駁說。

莉莎咯咯笑了起來。「事實上，妳有。」

迪恩換上一副要好好理論的表情。「嘿，今天我休息，就算今天是星期日，也不代表我不能……」

此時，有人朝我們衝了過來，我連猶豫的時間都沒有，那人的速度太快了，而且這種偷偷摸摸的方式代表來者不善。

他穿了一身黑，我立刻擋在莉莎前面，朝來人揮手就是一拳。在混戰中，我依稀認出這人是負責教初級實習生的守護者，好像叫珍還是瓊什麼的……對了！簡，就是簡！她比我略高，但我的拳頭還是結結實實地打在她的臉上，她向後趔趄了一下。

這時，又有一個身影出現在她身邊，是尤里。我縱身一躍，這樣簡就擋在我和尤里之間。我飛起一腳踢向她的肚子，將她踢倒，跌在尤里身上，兩個人同時向後退去。就是此刻，我拿出練習用的銀樁，瞄準她心臟上的標記，刺了下去，她離開退到一邊，因爲現在從理論上來說，她已經「死了」。

我和尤里面對面了，在我身後，我聽見幾聲悶哼，可能是迪恩在跟襲擊他的人或者人們進行戰鬥，但我沒時間去確認。我要先打倒尤里，他的身形比簡要大上很多。我們兩個繞著圈，同時跳起假裝攻擊，又同時落地。終於，他開始主動出擊，但我的速度更快，擺脫了他的箝制，同時用力向前一竄，剛好用銀樁「結束」了他的性命。

就在他退去之後，我轉身向迪恩跑去。莉莎站在一邊，看著迪恩被他的襲擊者揍得團團轉，那慘狀只能用慘不忍睹來形容。我曾經嘲笑過瑞恩，不過他的表現跟迪恩比起來還算可以。迪恩練習用的銀樁已經掉在地上，他的動作笨拙、步履踉蹌。我認爲如果他繼續戰鬥下去，只會拖累別人。

我縱身向前，一把將他向莉莎的方向推開。我的力道可能會直接把他推倒，但是，管不了那麼多了，我必須讓他馬上離場。

我的對手就站在面前，居然是迪米特里。

真是沒想到！一個小聲音在我心底說：我打不過他的！而另外一個聲音卻告訴我：我六個月以來一直在做這件事，而且，他現在已經不是迪米特里了，他是我的敵人！

我手舉銀樁撲向他，希望能出其不意地抓住他。但是要令迪米特里感到出其不意簡直太難了！他速度很快，好像他早就知道我會有此一招。他用手肘從側面給了我的頭部一下，我知道待會兒會很痛，但是我的腎上腺素飆升，只能顧好當下了。

不遠處，有幾個人跑過來圍觀。我和迪米特里在學院都還算是知名人士，雖然出名的方法不同，不過我們之間的師生關係更增強了此刻的戲劇性。這是一場絕佳的娛樂盛宴！

我的眼裡只有迪米特里，我們試探彼此，攻擊、防守，我努力回想著他教給我的一切，同時也回想自己對他的瞭解。我和他一起訓練已經月餘，我瞭解他，如同他也瞭解我一樣，我可以預期他的行動，當我用上自己所學，我們兩個打得愈加難分難解了！

我們兩個太像了，動作又都很快。我的心臟在胸膛裡響聲如雷，汗滴附著在皮膚上。

這邊，迪米特里終於衝了過來，他揮出一擊，用盡了全力。我擋住了大部分，但是他的力道太強，我居然被震開，向後退了幾步。他不失時機地將我撂倒在地，想要鎖住我，如果我眞的被血族這樣鎖住，最後的下場不是被咬就是被擰斷脖子，我絕不能讓這種事發生。

所以，雖然我的大半個身子都被他壓在地上，我還是設法用手肘頂過去，擊中了他的臉。他向後躲了一下，我等的就是此刻。我翻身將他撲倒，他掙扎著想將我從身上推開，我又將他壓回地上，同時想將手裡的銀椿刺向他，可他的力氣太大了，我肯定不能將他完全制服。就在他掙脫我的一剎那，我將手裡的銀椿扔了出去，正好擊中他的心臟，戰鬥結束。

在我身後，圍觀的人掌聲雷動，但我只看著迪米特里。我們的目光緊緊膠著在一起，我的手還緊緊地按住他的胸膛。我們兩個全都大汗淋漓，喘著粗氣。他看著我的眼神充滿自豪，或者……還有比自豪更深的含義。

他離我是這麼的近，我的整個身子都湧起了對他的渴望，再一次認爲他是我的一部分，我需要和他併在一起，才能完整。

我們兩個中間的空氣溫暖而微醺，此時此刻，我願放棄一切，只爲躺在他身邊，讓他緊緊地摟住我。他的表情告訴我，他也有著同樣的渴望，戰鬥結束了，但是我們的腎上腺素和動物本能仍然沒有退去。

這時，一隻手伸過來，簡把我拉了起來，她和尤里全都笑意盈盈，其他圍觀的人也不例外，就連莉莎也是嘆爲觀止，而迪恩則理所當然的一臉狼狽。我希望描述我偉大勝利的訊息能夠快速在校園裡流傳，就像他們傳我的壞事一樣，不過希望不大。

「幹得漂亮！」尤里說，「妳把我們三個都幹掉了！這絕對能寫入教科書。」

迪米特里現在也站起來了，我目不轉睛地看著另外兩名守護者，因爲我很肯定，如果再看他一眼，我的表情會把一切都暴露出來的！

「我希望……希望沒有傷到你們。」我說，呼吸仍然沉重。

這令他們哈哈大笑。「這就是我們的工作。」簡說，「不用擔心我們，我們很強壯的。」她看了迪米特里一眼，「她的那一肘非常漂亮！」

迪米特里揉著眼睛周圍的部分，我希望不會傷得太嚴重。「她的銀椿也是。」他開玩笑說，「青出於藍了！」

尤里嚴厲地看著迪恩。「學院裡不准喝酒。」

「今天是星期天！」他大喊。「我們不應該當値的。」

「在現實世界裡是沒有假日的，」簡用標準的老師口吻說，「這算一次抽測，妳通過了，蘿絲，幹得非常漂亮！」

「謝謝，希望我也能對我的衣服這麼說。」我渾身濕透了，全是泥。「我要先去換個衣服，莉茲，我們晚餐以後見。」

「好的。」她仍然面帶紅光，替我感到驕傲的心情藏都藏不住。

我依然知道她內心還藏著一個小祕密，我猜她可能是想在稍後爲我辦一個慶功宴，給我一個驚喜。我沒有太過深究，生怕自己毀了它。

「至於你，」尤里拉了拉迪恩的袖子。「要和我們走一趟了。」

我看著迪米特里的眼睛，希望他能走過來表揚我。我的腎上腺素仍然飆高，想要大肆慶祝。我做到了！終於做到了！經過了那麼多笨手笨腳、令人尷尬的時刻，我終於證明了我可以。我快樂得想要拉個人與我一同翩翩起舞，可迪米特里要跟其他人走，只能輕輕地對我點頭，告訴我他也想幫我慶祝。我嘆了口氣，看著他們離開，然後自己走回宿舍。

我回到寢室，發現情況比預想的還要糟。我一脫下自己都是泥巴的衣服，立刻意識到自己還需要洗個澡，才能恢復清爽模樣。

等我整理好自己，已經過去一個小時了，我錯過了晚餐。

我跑回大廳，很意外莉莎沒有傳送給我任何抱怨的心電感應，我遲到的時候，她總喜歡這麼做。她可能認爲我在吹響勝利的號角之後，需要好好休息一番吧！一想到此，我禁不住咧開大嘴，樂開了花，但是經過通往咖啡廳的走道時，有事情絆住了我的腳步。

那裡有一大群人聚在一起，好像正在圍觀什麼，我知道這是有人打架的典型狀況。考慮到傑西那夥人喜歡祕密行動，我想不出誰會在這裡打架。我擠進人群，努力在人海中伸長脖子，好奇地想知道是誰能吸引這麼多人駐足。

是艾德里安、克里斯蒂安還有愛迪，不過愛迪扮演的明顯是和事佬的角色，他站在兩個人中間，想把他們往兩邊拉。

我顧不得儀態，推開擋著我的最後一群人，跑到愛迪身邊。

「這該死的到底是怎麼回事？」我質問道。

「不知道。」他看見是我，鬆了一口氣。他在戰鬥中或許是我們學習的對象，但這種情況很顯然不在他的能力範圍中。

我看著那兩個戰士，幸運的是，似乎還沒人動手……到目前為止。不過很明顯，這事是克里斯蒂安先挑起來的。

「你認為你還能瞞多久？」他喊道，眼睛簡直能噴出藍色的火苗。「你真的認為所有人都能被你的演技矇騙過去嗎？」

艾德里安和平常一樣漫不經心，但是我能看到那抹慵懶的笑容下隱藏的憤怒。他一點都不想被拖進這種狀況裡，而且，他也和愛迪一樣，根本不知道這是為了什麼。

「老實說，」艾德里安厭倦地說，「我不知道你在說什麼，我們找個地方坐下來，然後用理性的方式談談好嗎？」

「你當然想這麼做了，你害怕我會這麼對你。」克里斯蒂安揮著自己的手，掌心中有團小小的火球在跳舞，雖然是在螢光燈下，也能看出火苗藍色的焰心和橘色的外焰。

人群中一片譁然，我已經適應了莫里可以用魔法戰鬥的這個想法，特別是對克里斯蒂安，但是對大部分的人來說，這還是個禁忌。

克里斯蒂安嘲諷道：「你打算用什麼回擊？植物嗎？」

「如果你打算毫無理由地發起挑戰，那至少也要遵循古老的傳統，下個戰書吧！」艾德里安說。他的聲音雖然輕快，但仍然有些不安。我猜他認爲自己赤手空拳單挑的勝算，要比精神能力對上火焰的勝算大。

「不行！」愛迪打斷他們，「你們既不能用火傷人，也不能拳腳相向。這裡面肯定是有什麼誤會！」

「什麼誤會？」我問道，「發生什麼事了？」

「妳的那個朋友認爲我打算娶莉莎，還要把她帶到亞利桑那去。」艾德里安說。他雖然是在對我說話，眼睛卻沒有離開克里斯蒂安。

「別裝得好像你是無辜的，」克里斯蒂安咆哮道，「我都知道了，那是你計畫的一部分，你和你的女王姑姑。她一直在後面給你出主意，讓你留在這裡……然後假裝研究什麼的……這整個就是個陰謀，就爲了把莉莎從我身邊帶走，然後嫁到你們家去！」

「你知道你的話聽起來有多荒唐嗎？」艾德里安問，「我偉大的姑姑可是掌管整個莫里政府的，你認爲她眞的會在意一所高中裡誰和誰在約會嗎？而且還是最近才好上的一對！聽著，我很抱歉一直佔用她的時間，我們要不要去找她問個明白？我眞的沒有打算干擾你們倆，根本就沒有什麼陰謀。」

「不對，有的。」克里斯蒂安說著看了我一眼，陰沉著臉，「到底有沒有，蘿絲知道。蘿絲早就知道了，她甚至還跟女王談過這件事。」

「這太荒謬了！」艾德里安說，因爲太過驚訝，他飛快地瞥了我一眼，「是眞的嗎？」

「呃……」我知道事態已經急轉直下了。「是，也不是。」

「聽見了嗎？」克里斯蒂安盛氣凌人地問。

火球從他掌心飛出，我和愛迪同時行動。人群中發出尖叫，愛迪抓住克里斯蒂安，迫使火球改變了飛行方向，與此同時，我抓住艾德里安，將他壓倒在地。

眞是有驚無險！如果不是我和愛迪都是訓練有素的人，眞不敢想像現在會是什麼情況。

「眞高興妳還關心我。」艾德里安悄聲說著，一邊從地上抬起頭。

「催眠他！」我拉他起來的時候悄聲說，「但是要做得不露痕跡。」

愛迪還在拉著克里斯蒂安，不讓他向前衝，我也上前幫忙，抓住他的另一隻胳膊。艾德里安好像並不願意靠得太近，可他不得不聽我的話。克里斯蒂安想用力掙脫，卻拗不過我和愛迪。艾德里安忐忑不安地接近克里斯蒂安，讓他看著自己的眼睛，可能是害怕自己的頭髮被火燒著。

「克里斯蒂安，別這樣，我們談談。」

克里斯蒂安一開始還在掙扎，但是慢慢地，他一臉茫然，眼神也變得渙散。

「我們談談這事。」艾德里安又重複了一遍。

「好吧！」克里斯蒂安同意說。

人群中發出一陣失望的哀嘆。艾德里安的催眠術使得隱密極了，並沒有惹人懷疑，就好像是克里斯蒂安突然恢復了理智。

人群散開，我和愛迪放開克里斯蒂安，帶著他走到遠處的一個角落，這樣我們可以不被人打擾。艾德里安一結束催眠，克里斯蒂安的臉上又是烏雲密佈，他想再次向艾德里安衝過去，但我和愛迪已經有所準備，他最終沒能如願。

「你剛才做了什麼？」克里斯蒂安喊道，有幾個正往外走的人又回頭看了我們一眼，毫無疑問希望戰火可以重燃。

我在他耳邊用力「噓」了一聲，他渾身一顫。

「安靜點！這裡肯定有誤會，我們要在你做出蠢事之前弄明白。」

「哪兒有誤會？」克里斯蒂安瞪著艾德里安說，「他們就是想拆散我和莉莎，而且妳是知道的，蘿絲。」

艾德里安看著我。「妳眞的知道？」

「對，這事很複雜。」我轉身看向克里斯蒂安，「聽著，艾德里安根本就不知道這件事，他也不是有目的的，整件事都是塔蒂安娜女王的注意，可她也還沒有眞正採取行動，這只是她未來的打算，只有她自己，不包括艾德里安。」

「那妳是怎麼知道的？」克里斯蒂安問。

「因爲她警告我，她怕我把艾德里安勾走。」

「眞的？妳爲我們的愛情進行辯護了嗎？」艾德里安問。

「你閉嘴！」我說，「我想知道的是，克里斯蒂安，是誰告訴你的？」

「拉爾夫。」他說，第一次露出了不安的表情。

「拉爾夫？你應該知道他的話並不可信。」愛迪說，在聽到這個名字之後，臉色沉了下來。

「除了這次。拉爾夫說的也是事實，只不過把艾德里安拖下水了。拉爾夫的親戚是女王的閨中密友。」我對愛迪解釋道。

「好極了！」克里斯蒂安似乎恢復了理智，我和愛迪這時才敢鬆開他。「我們都被人耍了！」

我看著四周，突然被一個想法嚇了一跳。「莉莎呢？爲什麼她不出面阻止你們？」

艾德里安揚起一邊的眉毛看著我。「妳應該知道呀！她在哪兒？她沒來吃晚飯。」

「我找不到……」我皺起眉頭。當我需要長時間獨處，又不想接收到她的訊息時，可以很好地把自己保護起來，但這一次卻是因爲她把自己隱蔽了起來。「我感應不到她！」

三雙眼睛同時盯著我。

「她在睡覺嗎？」愛迪問。

「如果她在睡覺，我會知道的……這次不太一樣……」

漸漸地，我抓住了一絲來自她的訊息。她本來是想阻住我，不讓我找到，但一如既往，我最終還是能找到。

「找到了！她在……哦，上帝啊！」

我的尖叫迴響在大廳裡，回應著莉莎的尖叫。

在一個很遠的地方，疼痛正折磨著她……

23

大廳裡的其他人都停住腳步看著我，我覺得自己的臉好像被人揍了一樣，只是，挨揍的並不是我，而是莉莎。我剛剛潛進她的意識，便立刻知道了她的處境，以及發生在她身上的事。

地上的石頭飛起來，打在她的臉上。那些石塊是一個我不太熟悉的新生丟的，好像是姓德羅斯多夫，我們兩個都被石塊打得很痛，但這次我忍住了自己的叫聲，咬緊牙。

「在學院的西北邊，那個奇形怪狀的池塘和籬笆之間。」我對我的朋友們說。

說完之後，我便拋開他們，頭也不回地向門口跑去。透過她的眼睛，我看不到聚在那裡的每一個人，但是我看到的人之中，有幾個是我認識的，比如傑西、拉爾夫、布蘭頓和布萊特，還有那個姓德羅斯多夫的傢伙。莉莎的胳膊分別被兩個人一左一右地捉住，那些石塊還在往她的臉上飛，她沒有再叫，也沒有哭，只是一遍一遍地要他們住手。

傑西一直在勸她用催眠術命令他們住手，透過她的意識，我聽不太清楚，不過原因並不難懂，我早就知道了。他們無非是要折磨她，直到她同意加入他們的社團，他們之前肯定也是用同樣的方法這麼強迫布蘭頓和其他人入社的。

突然，我感到一陣窒息，我掙扎著，覺得無法呼吸，好像整個頭都被浸到水裡一樣。我用力掙扎，終於從莉莎的意識裡脫離出來。

這是發生在她身上的事，不是我。有人正用水在折磨她，令她無法呼吸。不知道這次是誰？這人不停地將她的頭按進水裡，然後拉出來，然後又按下去。她大口喘著氣，大聲地喊，仍然在自己能說話的時候要他們住手。

傑西只是冷眼旁觀，打著自己的小盤算。「不要求他們，命令他們。」

我想再跑快一點，但是只能跑這麼快了。他們在學院周圍最遠的一處，離這裡很遠。我每踏出一步，都能強烈地感受到莉莎的痛楚，心中的怒火越燒越旺。

如果我連在校園裡都保證不了她的安全，怎麼能成爲一名守護者呢？

下一個輪到氣的使用者了，突然間，她好像又再次經歷了維克多的手下帶給她的折磨。空氣突然變得稀薄，她只能喘氣，然後突然又衝回來，鼓起了她的臉。這很痛，而且帶來了她被綁架時那不堪回首的記憶，帶回了她曾經嘗試遺忘的恐懼和戰慄。氣的使用者住了手，但是已經太晚了，突然間，有什麼闖進了她的內心。

拉爾夫走過來，準備用火的時候，我已經離得很近，幾乎能夠看見他手中的火焰，但是，他卻沒看見我。

沒有一個人注意到自己的周圍，他們自己的吵雜聲令他們根本聽不見我的接近。我在火焰離開他的手掌之前，衝上去給了他一拳，將他撲倒在地，對著他的臉猛揍。其他的幾個人，包括傑西，都跑過來幫他，想對我催眠。至少，他們在看清楚來人之前，是打算這麼做的。

那些看清楚我是誰的人立刻畏縮了，而那些沒有立刻認出來的人，在被我追著打的時候也反應過來了。

我今天稍早的時候曾經打倒三名訓練有素的守護者，對付這群莫里的皇室，幾乎不費吹灰之力。看見這些令人噁心的莫里壞事做盡，卻只知道以手相阻，眞是莫大的諷刺！這群人在用魔法折磨莉莎的時候都那麼興致盎然，卻沒有一個人想到用他們的魔法來對付我嗎？

大部分人在我的手碰到他們之前就已經嚇跑了，我也不想費心去追，只想將他們從莉莎身邊趕走，不過我必須如實承認，我在把拉爾夫打趴下之後又補了幾拳，我認爲他是這一切混亂的始作俑者。

終於，我放開他，留他自己躺在地上呻吟，我則站起來去找傑西——這齣鬧劇的另一個罪人。很快地，我就找到了他，他是唯一一個還留下來的人。

我朝他跑過去，快跑到的時候突然緊急刹車，很是不解。他一個人定定地站在那裡，看著空地，嘴巴大張著。我看看他，又看了看他望向的地方，然後再看看他。

「蜘蛛。」莉莎說，她的聲音讓我嚇了一跳。

她站在一邊，頭髮濕漉漉地披在肩上，臉上都是瘀痕和擦傷，但是其他地方都還完好。月光下，她蒼白的臉讓她看起來像是和梅森一樣的鬼魂。傑西在說話的時候，她的眼睛從沒有離開過他。

「他認爲自己看見了一大群蜘蛛，這些蜘蛛正向他爬過去。妳覺得如何？我是不是應該再加幾條蛇？」

我回頭看著傑西，他臉上的表情令我背脊冒起一絲涼氣，好像他被困在自己的噩夢裡，無法掙脫出來。但最令我害怕的，是透過心電感應傳來的感覺。通常莉莎在使用魔法時會有金光，那感覺是溫暖而美妙的。可這一次傳來的感覺卻截然不同，是陰暗的、泥濘的、厚重的。

「我覺得妳應該收手了，」我說。在遠處，我聽見有人向我們這邊跑來。「都結束了！」

「這算是我的入會儀式。」莉莎說道，「嗯，某種意義上的吧！他們幾天以前邀請過我，被我拒絕了。可是今天他們又找到我，一直說他們知道關於克里斯蒂安和艾德里安的重要事情，這引起了我的好奇心，所以……我本來打算告訴他們我只是來看看，而且根本不會催眠術。我只是演一齣戲，想知道他們都知道些什麼。」

她好不容易轉過頭，但是傑西的噩夢顯然又有了變化，他的眼睛張得更大，仍然繼續他無聲的尖叫。

「他們不顧我其實並不是真的同意，還是要求我參加他們的入會儀式。他們想知道我的能力有多大，入會儀式就是用來測試人們催眠術能力大小的最好方法。他們折磨入會者，直到他們再也無法忍受，然後他們的潛能就被激發了出來，打算用催眠術命令攻擊者住手。如果被折磨的人可以成功進行催眠，那麼他就算入會了。」

她仔細地看著傑西，他仍然沒有從噩夢中醒來，而且，這噩夢似乎真的很可怕。

「我想，憑這個，我應該可以當他們的會長了吧！」

「停下來！」我說。

感應這種扭曲的魔法令我的胃翻江倒海，她跟艾德里安曾經提起過類似的事，說可以令人看見根本不存在的東西，而且他們還戲稱這爲「超級催眠術」，這太可怕了！

「精神能力不是這麼用的！這不是妳會做的事，大錯特錯！」

她的呼吸還是紊亂，汗珠沿著眉骨往下滑落。

「可我停不下來！」她說。

「妳可以的，」我抓住她的胳膊，「交給我。」

她飛快地轉過頭來看了我一眼，震驚極了，隨後又轉頭看向傑西。

「可妳不會魔法呀！」

我努力集中精神在心電感應上，在她的意識裡。我的確不能碰到魔法，但是我可以將她身上陰暗的那部分拿走，我最近一直都是這麼做的。我突然想到，每次我擔心她，希望她能冷靜下來，不去理會那些負面情緒時，她都做到了，那是因為我將這些從她身上吸走了。

我吸走了她的負面情緒，如同安娜對聖弗拉米爾做的一樣！

這就是艾德里安看見的，黑影從她的靈光裡跳出來，轉移到我的靈光裡。而這種對精神能力的濫用，哪怕是用它傷害他人以自保，都會產生巨大的副作用。這種道德敗壞的想法，我不允許她有，而所有關於我自己精神問題的想法，在此刻已經完全不重要了。

「對，」我附和她說，「我是不會，不過妳可以將它轉移到我身上。看著我，將它們全都釋放出來。精神能力不能這麼用，妳也不想這麼做的。」

她再次看著我，眼睛張大，充滿絕望。雖然沒有直接的目光接觸，她仍然可以繼續折磨傑西。

我看著她，感受著她的舉棋不定。

他的行為太過分了，需要得到報應，比如如此，可與此同時，她也知道我說得對，但這太難了，要讓她放手太難了……

突然間，那股黑魔法的灼痛從心電感應中消失了，同時伴有令我作嘔的感覺。有東西像一陣狂風一樣打在我的臉上，我站立不穩，退後了幾步，渾身顫慄，胃非常的難受，好像是閃電，又好像是一小股電流在我體內燃燒。隨後，這股痛也消失了，傑西雙腿一軟，跪在地上，終於從噩夢中解脫了！

莉莎也明顯地鬆了一口氣。對剛才的事情，她仍然很怕，心靈受到了巨創，不過，她也不再飽受副作用的困擾，不會無法自拔地去懲罰傑西的罪，那種復仇的渴望消褪了。

只是有一個問題——它現在在我的體內！

我看著傑西，好像全宇宙除了他之外，什麼都不存在。他曾經想毀掉我，現在又折磨莉莎和其他人，絕對不可饒恕！我跑過去，他只來得及張大充滿恐懼的眼睛，隨後我的拳便結結實實地打在他臉上。他的頭猛地向後，血從鼻子裡噴了出來。

我聽見莉莎尖叫著要我住手，可我就是停不下來。他必須爲他對莉莎做的事付出代價！我抓住他的肩膀，將他重重地扔在地上。他大聲喊著，求我放了他，我又一拳過去，幫他閉上嘴。

我能感受到莉莎抱住我的雙手，想將我拉開，可惜她的力氣太小。我還在不停地揍他，完全沒有章法，只是不停地打、不停地打，就像先前招呼他的朋友那樣，甚至是對抗迪米特里時那樣用力。這種打法已經沒有目的和動機，只是因爲我被莉莎身上傳過來的瘋狂掌控所致。

這時，另一雙手拉住了我，那是一雙強壯有力的手，一雙拜爾族的手，一雙由經年累月的訓練換來的全是肌肉的手。

是愛迪！我掙扎著想脫離他的箝制，我們身高差不多，可是他比我要強壯。

「放開我！」我喊道。

令我完全喪失理智，變得更加瘋狂的，是看見莉莎已經跪在傑西的身旁，充滿關懷地仔細看著他。沒道理！她怎麼能這麼做，在傑西幹了那些壞事之後！我看見她露出的憐憫，過了一會兒，伴隨著心電感應透過來治癒魔法的愉悅，傑西身上最重的傷差不多已經痊癒了。

「不！」我大喊著，仍然在掙脫愛迪的雙手。「妳不能！」

這時，其他的守護者也到了，迪米特里和塞萊斯跑在最前面，克里斯蒂安和艾德里安還不知所蹤，他們可能趕不上其他人的腳步。

隨後一片混亂。那些沒有逃掉的社團成員被聚在一起，接受訊問。莉莎被帶去療傷了，我心底被嗜血的慾望掩蓋住的良知想要隨她而去，但是，另一件事引起了我的注意——他們也打算把傑西帶走，爲他治療。

愛迪仍然抓著我，雖然我百般掙扎，仍然無法掙脫。其他的成年人都忙著處理別的事，沒人理我，但，當我再次大喊的時候，他們注意到了。

「你們不能帶走他！你們不能帶走他！」

「蘿絲，冷靜點！」奧伯黛的語氣非常平靜。她怎麼不明白呢？「事情都結束了。」

「還沒有！我沒有掐死他之前就不算完！」

奧伯黛和其他人似乎意識到確實發生了很嚴重的事，可很顯然不是針對傑西。他們又用那種「蘿絲是瘋子」的表情看著我，最近這些日子，我已經看夠了這種表情！

「把她帶走！」奧伯黛說，「幫她清理一下傷口，讓她冷靜冷靜。」她沒有再多作指示，可不知道爲什麼，似乎每個人都認爲應該由迪米特里來執行這個命令。

他走過來，從愛迪手中接過我。在他們交接的刹那，我想要跑掉，但是迪米特里的反應太快了，而且力道還很大，他抓住我的胳膊，將我拖出人們的視線中。

「這件事可大可小。」我們向森林走去的時候，迪米特里對我說。「我不可能放開妳，讓妳去揍傑西。另外，他已經在醫院了，所以妳已經接近不了他。如果妳同意了，我就放開妳；如果妳逃跑，妳知道我還會抓住妳的。」

我在心裡衡量著，想揍扁傑西的念頭仍然令我血脈僨張，不過迪米特里說的也有道理，但，只是此刻。

「好。」我說。

他猶豫了片刻，可能在想我說的是不是實話，終於，他鬆開了我的胳膊，看見我沒有逃跑的跡象，我感到他稍稍地鬆了口氣。

「奧伯黛說你要幫我清理傷口。」我平靜地說，「所以我們要去醫院囉？」

迪米特里哼了一聲。「想得美！我不會讓妳接近他的，我們可以去別的地方處理。」

他帶著我向出事地點的對角走去，那裡也是學院的邊緣地帶。我很快就猜出來他要去哪兒——那座小木屋。

在學院還沒有很多守護者的那段日子裡，需要有人留在這裡放哨，爲學校的周邊提供日常的保護。後來這些哨所被人遺棄，直到上次克里斯蒂安的姑姑到訪，這裡才被清理出來。比起學校的賓館，她更喜歡住在這裡，遠離那些認爲她有可能變成血族的莫里們。

他打開門，裡面的光線很暗，但是也足夠讓我看見他找出火柴、點燃煤油燈這一系列的動作。雖然這油燈的光線並不充足，不過對我們來說已經可以看清東西了。我環顧四周，認爲塔莎確實把這個地方收拾得不錯。這裡很乾淨，幾乎稱得上是舒適，床上放著柔軟的被子，壁爐旁還擺了幾把椅子。屋子盡頭的廚房裡還有點食物，大部分都是罐頭或者密封的。

「坐。」迪米特里指著床說。

我乖乖坐下，大概過了一分鐘之久，他生起了壁爐裡的火，給屋子裡增添了一些溫度。當爐火燃旺之後，他從角落裡拿了一卷繃帶和一瓶水走到床邊，拉過一把椅子，坐在我的對面。

「你必須讓我走。」我乞求道，「難道你看不出來嗎？看不出來傑西必須付出代價嗎？他折磨莉莎、他對她做了那麼可怕的事！」

迪米特里沾濕了紗布，輕輕拍著我的額頭，很疼，可見那裡有個傷口。「他會得到處罰的，相信我，還有其他人。」

「什麼處罰？」我痛苦地問，「被關禁閉嗎？這件事和維克多．達什科夫那件事一樣，這裡沒人能夠懲罰他！犯了罪的人卻能夠逃脫應有的制裁！他需要知道被傷害的滋味，他們那些人全都需要！」

迪米特里停下了手中的清理工作，關心地看著我。「蘿絲，我知道妳很生氣，可妳知道我們不能用那種方式來處罰別人，那太……野蠻了。」

「是嗎？那又怎樣？我打賭他經此一次，以後就永遠不會再犯了。」我眞的坐不住了，身體的每個部分都被怒氣充滿。「對這種人必須以牙還牙，我自願充當復仇者的角色，我想把他們所有人都暴打一頓，最好全都殺了。」我說著說著，突然間整個人就爆發了。

他飛快地按住我的肩膀，將我重新按回到床上，急救什麼的早就丟到了腦後。他的表情混雜著擔心和憤怒，手卻一直沒有鬆開，我試著反抗了幾下，他的手指更用力了。

「蘿絲，別再說下去了！」他現在也開始喊了，「妳說的話根本就口不對心，妳的精神太緊張了，還頂著巨大的壓力，這樣下去事情會變得更糟的！」

「閉嘴！」我吼回去，「你又來了，從沒變過。你總是希望表現得特別理性，不管事情糟到什麼地步。在監獄裡你想殺死維克多要怎麼解釋，嗯？爲什麼你可以，我就不行？」

「因爲那只是演戲，妳知道的。可今天……今天這件事性質完全不同，妳現在的狀態不對。」

「胡說，我很好。」我打量著他，希望自己的話能分散他的注意力。如果我的速度夠快，也許，只是也許，我能繞過他跑出去。「我只是對所發生的事盡自己的一臂之力，如果有做得過火的地方，很抱歉。你一直希望我成爲那種根本不可能存在的老好人，可我做不到，我又不是你這樣的聖人。」

「我們都不是聖人，」他苦笑著說，「相信我，我並不……」

我開始行動，一躬身擺脫了他的箝制。雖然逃脫了他的手心，可我並沒能跑出太遠，大概也就只跑出去兩英呎，他就又將我抓回去，整個人將我壓在床上，這次是用了全身的力量確保我動彈不得。

「放開我！」這句話我今晚喊了不下一百次，想將自己的手掙脫出來。

「不行，」他的聲音既嚴厲，又有些絕望。「在妳恢復正常之前不行，現在的妳不是妳自己！」

兩行熱淚奪眶而出。「就是我！放開我！」

「不是，這不是妳！不是妳！」他的聲音滿是痛苦。

「你錯了！就是……」

我的話突然說不下去了，這不是妳，這句話和我對莉莎說的一模一樣！當時，我看著她用魔法折磨傑西，非常害怕。我站在那裡，不敢相信她所做的一切。她自己也沒有意識到她失去了神智，隨時有可能變成可怕的魔鬼。

現在，我看著迪米特里的眼睛，看到他的恐懼和愛意，我知道我現在也是這樣，我和當時的莉莎一樣，被奪去了神智、被矇蔽了雙眼，那種毫無理性的情感讓我不知道自己在做什麼，就像被別的什麼控制住了一樣。

我想跟它抗爭，想擺脫燃燒在我心中的情感，可它們太強大了，我做不到。我沒法將它們趕出去，它們將我整個人都控制住了，正如它們對安娜和卡普夫人所做的一樣。

「蘿絲。」迪米特里說。雖然他只叫了我的名字，但威力十足，蘊含了強大的力量。

迪米特里對我百分之百的信任，信任我的力量和善良。他身上也有種力量，這力量讓我看到，只要我需要，他能豁出自己的性命而無怨言。

迪爾德也許說中了我對莉莎的一些感覺，但她完全看錯了迪米特里的事，我們之間的是眞愛！我們像是一個整體的兩半，隨時準備支持對方！我們並不完美，可這不重要，和他在一起，我可以抵抗自己身體中的暴怒，他比我還要相信我有這種力量，我確實感覺到了。

慢慢地、慢慢地，我感覺到那黑暗的部分消失了，我停下來，不再反抗迪米特里，身體微微顫抖著，但已經沒有憤怒了，只剩下恐懼。

迪米特里馬上發現了我的變化，鬆開了手。

「哦，上帝啊！」我說，聲音打著顫。

他的手覆上我的臉，手指輕輕摩挲著我的臉頰。「蘿絲，」他吸了口氣，「妳沒事了嗎？」

我努力噙回淚水。「我……想是的，至少現在沒事了。」

「都過去了，」他說，手仍然停留在我的臉上，這次改為將我黏在臉上的髮絲撥開。「都過去了，一切都正常了。」

我搖了搖頭。「不，還沒有。你……你不知道，那是眞的！我擔心的所有事都是眞的！還記得安娜嗎？還有我接收了精神能力副作用的事？都實現了！迪米特里。莉莎對付傑西時喪失了心智，她失去了控制，可我阻止了她，因爲我將她的怒氣轉到自己身上了，這……太可怕了！好像我變成了……我不知道該怎麼講，我好像變成了一個提線木偶，控制不了自己。」

「妳很堅強，」他說，「這種事不會有第二次的。」

「不，」我掙扎著坐起來，能清楚地聽見自己聲音中的顫抖。「還會有第二次的，我最後會變得像安娜一樣，情況越來越糟。這次只是血腥和仇恨，我想殺了他們，可下次呢？我不知道，也許我會變成瘋子，就像卡普夫人一樣。又或者我已經瘋了，不然，我爲什麼能看見梅森呢？也許我還會像莉莎那樣，患上抑鬱症。我會一點一點陷下去，最後變成像安娜一樣，自殺……」

「不，」迪米特里溫柔地打斷了我，他的臉移向我，我們的額頭幾乎碰在一起。「這些事不會發生在妳身上的，妳很堅強，而且還懂得抗爭，就像之前一直做的那樣。」

「我能做到的唯一原因就是有你在……」他伸出雙臂摟住了我，我將臉埋在他的胸膛裡。「只有我自己是做不到的！」我喃喃地說。

「可以的。」他說，聲音中出現一絲膽顫。「妳很堅強，眞的，非常非常堅強，這就是我愛妳的原因。」

我緊緊閉上眼睛。「你不應該愛我的，我可能會變成很可怕的怪物，或者，我可能已經是怪物了。」我回想自己最近的舉動、我對待別人粗魯的方式，還有我恐嚇瑞恩和卡米莉的樣子。

迪米特里放開我，以便看著我的眼睛。他雙手捧起我的臉。「妳不是怪物，也不會變成怪物的。我不會不管妳，不管發生什麼，我都不會放著妳不管。」

我的內心又重新湧出一種情感，但這時已經不是仇恨與憤怒，而是暖暖的、美好的感覺，令人心頭爲之一緊，但卻是幸福的。

我緊緊摟住他的脖子，我們的嘴唇碰在一起，這是純愛之吻，甜甜的、幸福的，無關慾望與醜陋。但是，慢慢地，我們的慾望被這個吻勾了起來。這慾望充滿了愛意，但卻索要更多，我體內的電流傳到他身上，再反哺回來，緊緊將我們兩人裹在一起。

我想起中了維克多情慾咒的那個夜晚，我們兩人都沉浸在個人的慾望中，無法自拔。我們像是兩個饑腸轆轆的人，又或是即將溺斃的人，只有對方才能救自己。我抓著他，一隻胳膊勾住他的脖子，另一隻手用力地抓著他的背，指甲都嵌進了肉裡。他將我平放在床上，手握著我的腰，另一隻滑下我的大腿，將它們抬起來，環在自己身上。

與此同時，我們都有短暫的清醒，但仍然保持著親密的舉動，世界上所有事在此刻都不重要了。

「我們不能……」他對我說。

「我知道。」我點頭。

然後，他的唇再次吻住我的，這次，我知道沒有退縮的餘地了。這次再也沒有禁錮，我們的身體交纏在一起，他脫下我的大衣、他自己的襯衣、我的襯衣……這種感覺很像我們之前在廣場上的嗜好，同樣激情四射，同樣慾火焚身。我想，想要戰鬥的本能和慾望的本能其實沒有差多少，全都出自於我們動物性的那一面。

是的，衣服一件一件脫掉，剩下的只有動物性的衝動，同時爲我帶來甜蜜和美妙的感覺。我看著他的眼睛，可以看到他對我堅定不移的愛，看到我是這世界上他唯一的愛人，看到我是他的女神，而他也是我的唯一、我的神。

我從沒想過自己的第一次會是在森林的小木屋裡，但是地點並不重要，重要的是人。把自己獻給最愛的人，任何地方都可以發生、隨時都可以發生。如果你是和一個自己不愛的人在一起，哪怕躺在全世界最奢華的床上，也會覺得乏味。

哦，我是這麼愛他，愛到自己都心痛！

我們身上的衣服終於全都落在地上，丟得到處都是，他的皮膚貼合著我皮膚的溫度，比所有衣服都要溫暖，我不知道自己是否準備好，他便已經開始，我告訴自己這就是一直以來我最盼望的時刻，我不希望我們兩個從沒有結合過。

我希望自己能夠用語言描繪出性愛的美好，可我眞的找不出一個恰當的形容詞。我緊張、興奮，還有億萬種感覺。迪米特里好像看穿了我，有技巧地引導我，非常有耐心，就好像指導我進行訓練一樣。追隨他的指引似乎是一件再自然不過的事，但他同時也渴望著能由我來主導。我們終於平等了，每一次撫摸都充滿了力量，哪怕是他用指尖輕輕滑過……

當一切都結束之後，我躺在他身邊，雖然身體很疼，但是同時，也仍然回味著震驚、幸福和滿足。我希望這種美好自己能夠在更早之前便體驗過，但也清楚將它留到這一刻是正確的。

我枕在迪米特里的胸口，感受著他體溫帶來的溫暖。他輕吻我的額頭，手指玩弄著我的頭髮。

「我愛妳，蘿絲。」他又吻了我一下，「我會一直守在妳身旁，不會讓妳有事的。」

這句話既美妙又危險，他不應該對我說這些、他不應該許諾要保護我，尤其不應該在他要盡此一生保護莉莎這樣的莫里族時說出來。我不能佔據他心目中的第一位，正如他也不能佔據我的，這些令我說出了本不應該說的話，不過我已經說出來了。

「我也不會讓你有事的。」我發誓說，「我愛你。」

他繼續吻我，吞下了我後面要說的所有話。

我們就這麼一起躺著，彼此擁抱，沒有過多交談。我希望能永遠這樣下去，可到最後，我們還是要走的。其他人會來找我們，聽取我的證詞，如果被他們發現我們這個樣子，那眞的是難堪至極！

我們起身穿衣，可這並不容易，因爲我們一直無法停止親吻。終於，我們磨磨蹭蹭地離開了小木屋，我們手牽著手，彼此都心知肚明只有這短短的一段路可以這麼做。一旦我們走近校區，我們必須恢復到公事公辦的樣子。但是現在，世界還是玫瑰色般美好，我邁出去的每一步都充滿喜悅，我們身邊的空氣也似乎飄著動聽的樂曲。

但是，我的心中仍然充滿疑問——剛剛到底發生了什麼？我們所謂的自制力跑去哪裡了？此時此刻，我不在乎。我的身體仍然在燃燒，對他充滿渴望。

突然，我停住了腳步。另一種感覺，一種不怎麼好的感覺突然襲了過來。那感覺很奇怪，好像有點暈，又好像讓人有點反胃，同時皮膚上激起陣陣的雞皮疙瘩。

迪米特里立刻也停了下來，不解地看著我。

一個蒼白、半透明的影子站在我們面前，是梅森。他看起來沒什麼變化，還是那副悲傷的表情，但是我能看出來更多東西，不過還是沒法確切地說出來，是恐懼？是生氣？我幾乎可以發誓是恐懼，但是老實說，一個鬼還會怕什麼東西呢？

「怎麼了？」迪米特里問。

「你看見他了嗎？」我小聲說。

迪米特里順著我的目光望去。「看見誰？」

「梅森。」

梅森好像更加害怕了，我雖然不知道他明確的含義，但是也明白肯定沒什麼好事。反胃的感覺又開始了，我知道這不是因為他。

「蘿絲，我們應該回去……」迪米特里小心翼翼地說，他還是不太相信我能看見鬼魂。

但是我沒有動，梅森的樣子好像有什麼話要對我說。他肯定有什麼重要的事是必須告訴我的，可她說不出來。

「什麼？」我問，「你想說什麼？」

他臉上顯出一絲憤怒，指著我身後，然後放下了手。

「告訴我！」我變得和他一樣憤怒。

迪米特里看了看我，又看看梅森，不過「梅森」對於他來說，只是一片空地。

我專注地看著梅森，沒空去管迪米特里怎麼想。肯定有事！有大事！

梅森張開嘴，想像從前一樣說話，但是仍然沒法講出一個字。不過，這次，在努力了很久之後，他做到了，只不過那些話幾乎聽不清。

「他們……來了……」

24

整個世界全都凝固了，在夜裡的這個時間，已經見不到鳥獸的蹤跡，但仍比平時更加寧靜，甚至連風都停住了聲響。梅森懇求地看著我，我的胃更痛、雞皮疙瘩起得更厲害了。

突然間，我明白了！

「迪米特里，」我飛快地說，「有血……」

太晚了！我和迪米特里同時看見了那個血族，迪米特里比我離他更近。蒼白的面容、血紅的眼睛，那個血族向我們撲來，我差點以爲他是在飛，就像吸血鬼傳說裡經常描述的那樣。

迪米特里的反應很迅速，本事也不差，他拿著銀樁——眞正的銀樁，而不是練習用的，對上血族的突襲。他們打在一起，有一刻，兩人似乎同時收手，沒人能夠撲倒對方。這時，迪米特里迅速出手，將銀樁刺進血族的心臟，那雙紅眼睛驚訝地張大，血族的屍體撲倒在地上。

迪米特里轉身，看我是否安好，我們默默地看著對方，千言萬語盡在不言中。他轉身巡視著森林，盯住黑暗。我的胃翻湧得更加厲害，雖然不明白這是爲什麼，不過我能感覺到血族就在附近，就是這些血族讓我有不適的感覺。迪米特里回頭看著我，他的這種神情，我從來沒見到過。

「蘿絲，聽我說，跑，越快越好，用最快的速度跑回宿舍。通知其他的守護者。」

我點點頭，這是毋庸置疑的。

他伸出手，扶住我的肩頭，用力盯著我，以確保我是不是聽懂了他下面的話。「不要停！不管妳聽見什麼、看見什麼，都不要停，一定要確保通知到。如果沒有受到直接攻擊，千萬不要停，妳聽明白了嗎？」

我再次點了點頭。他鬆開了手。

「見到他們之後，告訴他們：布里亞！」

我第三次點點頭。

「快跑。」

我拔腿就跑，沒有回頭。我沒有問他爲什麼這麼做，因爲我已經知道了答案。他要力所能及地拖住那些血族，爲我的求助爭取時間。

過了一會兒，我聽見打鬥的聲音，知道他又發現了一個血族。我的心抽了一下，允許自己有一秒的時間來擔心他。如果他死了，我一定會隨他而去！

然後，我便不再去想這件事，我不能只考慮一個人，而置那些等著我報信的好幾百條性命於不顧。

校園裡有血族，這太不可思議了！怎麼可能會發生這種事？我的腳用力踩著地，啪啪地踩進融雪和泥地裡，任泥點飛濺。在我周圍，我好像聽見了各種聲音、看見了各種影子，不是機場裡的那些鬼魂，而是我一直擔心的怪物，但是，沒有人能擋住我，

我跟迪米特里一起訓練的第一天起，他就讓我每天跑步。我曾經抱怨過，可他總是不厭其煩地說這是基礎訓練，可以令我變得更強，而且，他又補充說，如果有一天我打不過了，還可以逃。我

想他說的就是現在這種情況！

拜爾族的宿舍出現在我面前，大約還有一半的窗戶是亮的。現在臨近熄燈時間，大部分的人都已經睡覺了。我衝進大門，覺得自己的心臟都要跳出來了。

我碰見的第一個人是斯坦，我差點把他撞倒。他抓住我的手腕，穩住我。

「蘿絲，什麼……」

「血族！」我喊，「學校裡有血族！」

他看著我，我是第一次看見他的嘴巴真的掉了下來。他很快就調整好自己，我立刻明白他在想什麼，差不多就是那些見鬼的事。「蘿絲，我不知道妳是不是……」

「我沒瘋！」我尖叫起來，宿舍大廳裡的所有人都看著我們這邊。「他們已經到了！就在學校周圍，迪米特里自己一個人在對付他們，你們必須趕去幫他！」

迪米特里讓我說什麼來著？那個字怎麼唸來著？

「布里亞！他讓我告訴你們，布里亞！」

聽到這個字，斯坦飛快地跑了。

我從來沒有看見過針對血族來襲的演習，但是守護者們肯定已經演習過無數次了。事情總是突如其來，他們必須提前做好準備。

宿舍裡的每個守護者，不管是不是已經睡著了，幾分鐘內全部在大廳集合完畢。任務下達，我和其他實習生一起站成一個半圓，看著比我們年長一些的人以驚人的效率整裝待發。

我看著周圍，想到了什麼，這裡除了我以外，沒有一個高年級的學生。今天是星期日的晚上，他們都已經重新投入實戰演練，去保護各自的莫里，這令人感到莫名的心安，莫里的宿舍又多了一道防線了。

至少，高年級的莫里是如此，但是初級生部可不是這樣，那裡的保全只處於一般狀態，保護措施和我們的宿舍差不多，比如一樓的窗戶上全都安裝了防護柵欄。但是，這種東西是擋不住血族的，只能拖延他們闖進去的速度，因爲從來沒血族闖進去過，他們認爲這樣就已經足夠了，不需要再有結界什麼的。

奧伯黛也加入進來，分派幾個小隊去校園裡四處查看。有的人被派去保護大樓，有的人被編到衝鋒小組，目的就是尋找血族，想辦法摸清他們的數量。

有鑑於守護者人數有限，我自動出列。「我能做點什麼？」

奧伯黛上上下下地打量著我，還有我身後的那些人，他們差不多只有十四歲左右，比我年輕一點。有什麼在奧伯黛的臉上一閃而過，我想，可能是悲傷。

「你們待在宿舍，」她說，「不許一個人擅自離開，現在整個校園都處於戒備狀態。回到自己住的樓層，會有守護者把你們分成小組。血族不太可能從外面闖到這裡，如果他們衝進來……」她看了我們一圈，又確保了大門和窗戶都有監視器。

她搖了搖頭。「嗯，就交給我們來處理。」

「我可以幫忙。」我對她說，「妳知道我可以的。」

我打賭她正想說不行，但是她突然改變了主意。

出人意料的，她點點頭。「把他們帶上樓，看好他們。」

我開始抗議，這簡直就和保母沒什麼兩樣！但，她似乎並沒有眞的生氣。她從她的大衣裡掏出一根銀樁，交給了我，那是一根眞正的銀樁。

「行動！」她說，「我們要把他們擋在外面！」

我剛要轉身，又停住了。「『布里亞』是什麼意思？」

「風暴，」她輕輕地說，「在俄語裡，是『風暴』的意思。」

我帶著實習生上了樓，將他們安置在各自的樓層裡。大部分的人都很害怕，不過這絕對可以理解，但是也有幾個年紀大一點的，感覺和我差不多，他們都想做點什麼，只要能盡自己的微薄之力就行。我將他們挑出來，讓他們站成一隊。

「別讓他們感到害怕。」我壓低了嗓音說，「時刻注意警惕，如果那些正規的守護者敗下陣來，就要靠你們了！」

他們的神情非常嚴肅，點頭表示同意我的安排。他們非常明白眼前的一切，雖然也有像迪恩一樣不明白生命可貴的實習生，但是大部分都很清醒，我們成長得很快。

我來到二樓，因爲覺得自己在這裡最有用，如果有血族衝進一樓，這就是他們的第二目標。我將銀樁拿給值勤的守護者看，告訴他們奧伯黛說過的話，他們尊重她的看法，但是我打賭他們並不希望我也摻進來，所以讓我去一邊的小窗前守著。

這個窗子小得要我這樣身材的人，或者更小一些的人才能鑽進來，而且我還知道這個位置幾乎不會有人爬上來，它的外形太怪異了。不過，我還是堅守崗位。

我非常想知道外面的情況怎麼樣，血族一共來了多少個人？他們從哪兒來的？我意識到自己可以有一個很好的方法找出答案——我仍然監視著窗子，但是意識已經溜進了莉莎的心底。

莉莎和另外幾名莫里聚在莫里宿舍的樓上，封鎖程序毫無疑問已經在整個校園同時執行，這裡的人情緒比守護者要緊張一些，雖然同樣都是菜鳥，但是我們這邊的實習生好歹還知道怎麼對抗血族，而那些莫里對此一竅不通，只有幾個政體整天叫嚣說要展開訓練，但是後勤部門對此還在開會研究中。

愛迪站在莉莎身邊，他的表情平靜又堅定，好像他可以單槍匹馬搞定校園裡所有的血族。我很高興在那麼多同學中，唯獨將他派給了莉莎。

我既然完全闖進了她的意識，便能百分之百體會她的感受。比起血族來襲，傑西的折磨似乎就算不得什麼了。毫無意外，莉莎很害怕，不過她不是在擔心自己，而是擔心我和克里斯蒂安。

「蘿絲很好。」一旁一個聲音說。莉莎轉過頭，看著艾德里安，很明顯，他寧可待在宿舍裡，也不願意留在賓館。他還是一如既往的那副吊兒郎當的樣子，但是我能看出藏在他那雙綠眼後面的恐懼。「她對付血族遊刃有餘，而且，克里斯蒂安說她和貝里科夫在一起，這比和我們一起要更安全。」

莉莎點點頭，非常想讓自己相信。「可是克里斯蒂安……」

艾德里安雖然拚命想表現出鎮定，這時卻也突然別開了眼。他不敢看著她的眼睛，也不敢說一些無用的安慰之詞。我不用聽也知道是怎麼回事，因為我可以透過莉莎的想法知道答案——

她和克里斯蒂安本來約了要單獨見面，談談她被傑西折磨的那件事。他們本來打算溜出去，到他在教堂閣樓上的祕密基地會面，但是她的動作不夠快，沒能趕在熄燈之前成功出逃，後來就出現了血族。也就是說，她雖然人在安全的宿舍，但克里斯蒂安卻在危險的外面。

愛迪開口安慰她：「如果他還在教堂也沒關係，說不定會是我們所有人裡最安全的一個！」血族是沒法闖進這種聖地的。

「除非他們放火把教堂燒掉，」莉莎說，「之前就發生過這種事。」

「那是四百年前的事了。」艾德里安說，「我覺得他們肯定更想來這種方便易攻的地方，才不會去自找苦吃。」

莉莎聽見他說「方便易攻」時打了個寒顫。她知道愛迪關於教堂的說法沒錯，但是仍然無法控制地想著，萬一克里斯蒂安是在回宿舍的路上遇見血族呢？這種擔心很快便困擾住她，她覺得很無助，不知該怎麼做，也不知要做什麼。

我回到自己的身體，站在二樓的走道上，終於開始眞正明白迪米特里曾經說的，守護一個和我沒有心電感應的人的重要性了。別誤會，我仍然擔心莉莎，全學校的莫里都比不上莉莎讓我擔心，只有當她在好幾公里以外，接受結界和守護者的雙重保護時，我才可能眞正放下心來，但是至少我知道她現在還是安全的，這多少有些安慰。

可是克里斯蒂安……我不知道，我不能透過感應得知他在哪裡，也無法感應到他是不是還活著。這就是迪米特里所說的，當你沒有心電感應的時候，整個遊戲的玩法就不同了，而且，遊戲的危險性也升級了。

我看著窗戶，兀自出神。克里斯蒂安還在外面，他是我要守護的莫里，就算實戰演練只是虛擬的，可這並不能改變什麼，他是一名莫里，他可能有危險，而我是一名可以幫助他的守護者，對守護者來說，莫里永遠是第一位的。

我深吸了一口氣，跟之前自己的決定作抗爭。我已經接受了命令，守護者應該服從命令，尤其是在危險的時候，服從命令可以確保我們的行動有組織、有效率，擅自行動有可能會導致別人喪命，梅森去斯波坎追蹤血族就是最好的證明。

但是，我並不是這裡唯一面對危險的人，所有人都有危險，沒有絕對的安全，最起碼在所有的血族被趕出校園之前沒有，我不知道究竟有多少個血族在這裡，守著這扇窗戶只是浪費時間，只爲了讓我離外面遠點。沒錯，血族確實有侵入二樓的可能，到時我會派上用場；沒錯，血族是可能會從這個窗子闖進來，但是這種可能性太低了！正如艾德里安所說，從這裡進來是自找苦吃，他們肯定會去找更簡單的辦法。

但是，我能從這裡溜出去。

我知道這麼做不對，但我還是打開了窗戶，內心仍然激烈的掙扎著。到底是服從命令，還是去保護莫里？結論是——我必須確保克里斯蒂安安然無恙。

夜晚寒冷的空氣從窗戶吹了進來，外面沒有聲音，聽不見到底發生了什麼事。我以前經常從自己房間的窗戶爬下去，稍微有點經驗，問題是，這扇窗戶外面的石頭特別的滑，而且也沒有手可以抓住的地方，雖然一樓有一個小窗台，可是兩層樓之間的距離超過我的身高，我不可能輕輕鬆鬆地滑下去。不過，如果我能落在窗台上，就能夠沿著它走到大樓的拐角，那裡有扇形的雕花，我可以抓住它，順利地爬下去。

我看著下面的窗台，打算跳下去。如果我失敗了，很可能會跌斷脖子。那就便宜血族了——艾德里安肯定會這麼說。

我飛快地祈禱了一下，誰聽見了誰保佑吧！接著爬出了窗戶，兩隻手緊緊抓住窗框，好讓身子掛住，盡可能地離窗台近一點，但是腳尖離它還是有兩英呎的距離。我默數三下，鬆開了手，落下的時候，手貼著牆壁。我的腳碰到窗台時站不太穩，還好我的拜爾天性彌補了這點。我保持好平衡後，站在原地，手貼著牆，輕鬆地向拐角走去，然後爬了下來。我成功了！

廣場上出奇的靜，但是我仍然能聽到遠處傳來的尖叫。如果我是血族，肯定不會費力來這棟宿舍。他們首先必須和守護者幹上一架，只有將這些實習生都收拾了，他們後面的計畫才會方便執行。可是，莫里卻連打架都不會，而且比起我們來，血族更喜歡他們的血。

我小心翼翼地向教堂走去，用夜幕作掩護，不過血族的視力遠遠好過我，我又用樹作爲掩護，仔細觀察能看到的每個方向，希望自己背後也長著眼睛。但，什麼都沒有，除了遠處不斷傳來的尖叫。

我意識到自己沒有之前那種噁心的感覺了，那種感覺似乎是一種預警，會告訴我附近是不是有血族。我無法放心地依靠這種直覺隨便亂走，但是我可以安慰自己擁有了這種算是預警系統的東西。

走到一半的時候，我看見有人從樹後跑出來。我轉了個身，手裡拿著銀樁，差點刺中克里斯蒂安的心臟。

「老天！你在幹嘛？」我小聲說。

「想辦法回宿舍。」他說，「發生什麼事了？我聽見尖叫聲。」

「學院裡有血族。」我說。

「什麼!?怎麼會!?」

「我也不知道，你必須回到教堂裡，那裡比較安全。」我已經看見教堂了，我們可以很快跑過去。

克里斯蒂安有時和我一樣大剌剌，滿不在乎，我本以為他會和我大吵一架，可他沒有。「好吧！妳和我一起嗎？」

我剛想說當然，突然感到胃裡一陣翻湧。

「趴下！」我大喊。他毫不猶豫地趴在地上。

兩名血族向我們衝來，他們的目標全都是我，知道他們兩個聯手起來，幹掉我之後再去追克里斯蒂安也還不遲。其中一個一拳將我打得撞上後面的樹，我的視線模糊了半秒，但是很快又看清了前面。我猛力回擊，心滿意足地發現她也晃了兩晃。另一個男性血族伸手來抓我，我避開他，滑出了他掌控的範圍。

這一對讓我想起了在斯波坎時遇到的以賽亞和伊蓮娜，但我不願再想起更多。面前這兩個血族都比我高，那女人只比我高一點點。我假裝攻向男的，半路上突然改變方向，向那個女的衝去。我的銀樁刺中了她的心臟。這可是我用銀樁刺中血族的第一擊！

我還沒來得及拔出銀樁，另外那個血族便從後面偷襲我，大聲地吼叫著。我踉蹌了幾步，但又穩住了身形，打量著他。他比我高、比我壯，讓我想起了和迪米特里對戰的情形。他的速度可能更快，我們僵持了一會兒，我衝過去，飛起一腳，他幾乎沒有動，反而伸手來抓我，我再次成功脫逃，想找個空檔好用銀樁刺他。

我極盡刁鑽的逃跑方向並沒有難倒他，他立刻做出反應，將我撞倒在地，鎖住了我的胳膊。我想將他推開，可是卻推不動。他低頭面對著我，唾液從尖牙上滴落下來。這血族不是以賽亞，不想浪費時間發表愚蠢的演說，他是眞的打算殺了我，吸乾我和克里斯蒂安的血。我感到他的牙已經碰到了我的脖子，知道自己必死無疑了。

太可怕了！我想活下去，非常非常想……但是現在，一切都結束了！我在最後一刻開始大喊要克里斯蒂安快逃，這時，我身上的血族突然像火把一樣燒了起來，他猛地向後一抬頭，我趁機從他的身子下面翻身滾開了。

他的身上燃燒著熊熊的火焰，幾乎沒放過一寸地方。他就像是一個人形的篝火，我聽見他拚死尖叫了幾聲，然後就沒有聲音了。他跌倒在地，扭曲著、滾動著，終於一動也不動了。被火融化的積雪匯在一起，火焰漸漸熄滅，除了一堆灰燼，什麼都沒留下。

我盯著燒焦的殘骸，一秒鐘以前，我還以爲自己必死無疑，而現在襲擊我的人已經死了。我不停反覆地想，自己離死亡居然那麼近，生與死是那麼難以預料，只有一線之隔。我們時時刻刻進行訓練，卻永遠不知道下一個離開我們的是誰。

我就這麼站著，不知所措，抬起頭，周圍的一切都是那麼甜蜜和美麗，那些樹、那些星星、那天上的月亮。我還活著，我很高興自己還活著。

我轉身去看克里斯蒂安，他正從地上爬起來。

「哇哦！」我說著，走過去把他拉起來。毫無疑問，救了我的人就是他。

「眞不賴！」他說，「還不知道我自己有這種本領。」他看了看四周，身體繃得緊緊的。「還有嗎？」

「沒了。」我說。

「妳好像很肯定。」

「嗯……雖然聽起來很不可思議，可我能夠感覺到他們。」我看見他張大了嘴。「別問爲什麼，知道就行了。我想這和我見鬼的事差不多，是影吻者的影響吧！管它的，我們回教堂裡去吧！」

他沒有動，臉上露出詭異、想要冒險的表情。「蘿絲……妳眞的想躲在教堂裡嗎？」

「你這是什麼意思？」

「我們剛剛幹掉了兩個血族。」他指指銀樁，又指了指地上的屍體。

我看著他的眼睛，完全對他的想法動了心。我能夠感應到血族，他可以用火來對付他們，我還有銀樁，如果我們面對的不是十個以上或者一大群的血族，我們完全是有很強的勝算的，這眞令人激動！

「我不能，」我緩緩地說，「我不能拿你的性命冒險！」

「蘿絲，妳看到了我們的本事，我也能看出妳的想法。這值得拿莫里的生命來賭一把，還有……嗯……你們的，我們可以幹掉一大片的血族！」

讓莫里置身於危險當中、讓他去跟血族戰鬥，這幾乎沒有一條是符合我的信條，但是突然之間，我記起了剛剛才說的那短暫的宣言，那種能夠活下來的喜悅。我還可以去救其他人，我必須去救他們，我可以拚盡全力，浴血奮戰。

「不要用全部的力氣，」我最後說，「你不用花十秒鐘的時間讓他們燒成灰，只要引開他們的注意力就行了，後面的事交給我，你可以保留一下實力。」

他露出微笑。「我們現在就去？」

哦，天哪！我的麻煩眞是越惹越大了！但是，這個主意眞是棒極了！我想要還擊，我想要保護自己愛的人，我眞正想做的，是去莉莎的宿舍保護她。不過這個想法不是最合適的，莉莎有我的同學在身邊，其他人就沒這麼幸運了。

我想起了那些學生，跟吉兒差不多大的學生。

「我們去初級生部。」我說。

我們幾乎是小跑著前進，選了一條我們希望能夠避開其他血族的路線。我還是不知道這裡有多少血族，想到這點我就有些抓狂。

我們終於來到初級生部的時候，我又是一陣胃痛，想警告克里斯蒂安的時候，正好看見他被一名血族抓住，不過他的動作很快，火球已經飛到了血族的頭上。那血族大聲尖叫，放開了手，想將身上的火撲滅。這個血族永遠不會看見我拿著銀樁向他衝過去的樣子，整個過程連一分鐘都不到，我和克里斯蒂安交換了個眼神。

太棒了！我們眞是天下無雙！

初級生部已經成了戰場，血族和守護者在其中一棟宿舍的門口打得不可開交。

我整個人愣住了，這裡差不多有二十名血族，但對抗的守護者充其量只有十個人。到目前爲止，我還沒聽過有這麼大規模的血族群，我們認爲殺死以賽亞以後，已經成功瓦解了一大群血族，但很明顯，我們太天眞了！

我只愣了一會兒，便投身於戰鬥中。

埃米爾守著側門，獨自對抗三名血族。他有些精疲力竭，臉上也掛了彩，他的腳下躺著四個血族的屍體。我大喊著向其中一個衝過去，她沒有看見我過來，我趁著她猶豫的時候，將銀樁刺進她的心臟，同時，克里斯蒂安也用火點燃了其他幾個。埃米爾臉上閃過一絲驚訝，但是手上的動作並沒有停，將銀樁刺向另外一個血族，我則幹掉了剩下的那個。

「妳不應該把他帶過來。」埃米爾和我們去支援其他守護者的時候對我說。「莫里不應該被捲進這種事裡。」

「莫里早就應該被捲進來了。」克里斯蒂安咬著牙說。

我後來並沒有怎麼交談，到處都是一片狼藉。我和克里斯蒂安從一處戰到另一處，他的魔法和我的銀樁聯手，我們的戰鬥過程並不像第一仗那般輕鬆迅速，有些戰鬥僵持的時間很長，也很耗費體力，埃米爾加入我們，老實說，我已經記不清我們到底幹掉了多少個血族了。

「我認識妳！」

這話將我嚇了一跳。在這種血腥時刻，不管是朋友還是敵人，沒有一個人還有力氣說話。講話的是一個血族，和我年紀相仿，可能只比我大一百歲。他留著及肩的金髮，眼神無法形容，總之，在瞳孔外面有一圈紅，這就足夠了。

我唯一的回答就是揮著自己的銀樁衝過去，但是他躲開了。克里斯蒂安正在另外兩個血族身上點火，所以我只能獨自一人對付他。

「雖然妳現在變化很大，不過我還是記得。幾年以前我見過妳，那時我還沒有覺醒。」好吧！看來沒有比我大上一百歲，不然他也不會在還是莫里的時候就見過我。我希望他能在說話的時候分神，但是他作爲一名年輕的血族，動作確實稱得上敏捷。

「妳總是跟著那個德拉格米爾家的女生，留著金髮的那個。」我踢中了他，在他抓住我之前猛地縮了回來，他差點滑倒。「她的父母希望妳成爲她的守護者，對不對？在他們被殺之前。」

「我已經是她的守護者了。」我不滿地說。我的銀樁差點就刺中他了！

「她還活著？有謠言說她去年就已經死了……」他的話中有一抹不容易爲人察覺的驚訝，同時還帶有一絲邪惡。「妳不知道我會獲得什麼樣的殊榮，如果我殺死最後一個活著的德拉格……啊！」

他雖然躲開了我刺向他胸膛的又一擊，但是這次，我設法在抬起手的時候，用銀樁的尖端劃過他的臉。這雖然殺不了他，但是被銀樁這種富有生命力的武器刺一下，也足以令他痛不欲生了。他尖叫著，卻沒有減慢防守的速度。

「等我解決掉她之後，會再來找妳算帳的！」他大吼著。

「你永遠都近不了她的身的！」我吼了回去。

有什麼從側面向我襲來，那是尤里對付的血族。我雖然步履蹣跚，但是仍然設法在他還沒站穩的時候將銀樁刺進他的心臟。尤里氣喘吁吁地向我道謝，我們繼續轉身投入戰鬥，只是，那個金髮的血族不見了，我到處都找不到他。有人補上了他的位置，我向這個血族跑去，火焰在他身邊燃燒，讓他成爲我手到擒來的目標。

「克里斯蒂安，那個血族……」

「我聽見了！」他喘著氣說。

「我們必須去找莉莎！」

「他被妳打傷了，而她在那邊的高級生部，身邊都是守護者和實習生，她很安全。」

「但是……」

「這裡更需要我們！」

我知道他說得對，也知道他能說出這番話有多麼不容易。和我一樣，他也想盡快回到莉莎身邊，先不說他在此可以大有作爲，我懷疑他可能會用盡自己所有的法術，換取莉莎的安全，爲她築起一道血族永遠都闖不進去的火牆。

我沒時間使用心電感應，但是我能知道最重要的一點——她還活著，也沒受傷。

於是我留下來，和克里斯蒂安以及尤里並肩作戰，腦子裡只有一個念頭——殺死血族。我不能讓他們闖進宿舍，也不能丟下這裡不管去找莉莎。我已經忘記時間了，眼前對付血族最重要，我決定速戰速決，然後爭取時間去殺下一個，直到一個都不剩。

我傷痕累累、精疲力竭，腎上腺素在我體內燃燒。克里斯蒂安站在我身邊，大口喘著氣。他和我一樣用盡了全力，今天晚上不能再使用魔法了。

「我們再去找下一個。」我說。

「沒有下一個了。」一個熟悉的聲音響起。

我轉身，看見了迪米特里，曾經對他所有的擔心一下子又都回來了。我想投進他的懷抱，抱著他，越緊越好。他還活著，雖然面容憔悴、渾身是血，可他還活著。

他像是用目光抱著我，我想起了木屋發生的那一幕幕。這好像已經是一百年以前的事了，但是從那短短的一瞥，我看到了愛和關心，還有放心。他也擔心我！

然後，迪米特里轉身指向東邊的天空，我順著他的手看過去，地平線處，粉色和紫色糅雜在一起，天已經快亮了。

「死的死、逃的逃，已經沒有血族了。」他對我說，看了看我，又看了看克里斯蒂安。「你們兩個眞是……」

「蠢嗎？」我替他說。

他搖了搖頭。「我見過最了不起的事情裡，有一半都是你們幹的！」

我回頭看著宿舍，震驚於地上躺著的成片屍體。我們殺死了血族，殺死了很多，殺戮是多麼可怕的事，但是我不後悔自己做的。我成功地抵禦了追蹤我和我關心的人的怪物入侵！

這時，我注意到一件事，我的胃仍然很痛，但不是之前感應到血族的那種，而是另一種完全不同的感覺。

我轉身看著迪米特里，很小聲地說：「這裡不只有血族的屍體。」

「我知道。」他說，「我們也失去了很多人，而且是再也見不到了。」

克里斯蒂安皺起眉頭。「這是什麼意思？」

迪米特里的表情既堅強又難過。「血族還是殺死了幾個莫里和拜爾，還有一些人……被他們抓走了！」

25

死的死、被抓的被抓。

血族來犯，偷襲對他們而言是不夠的，只是簡單殺掉幾個莫里和拜爾，對他們而言也是不夠的，他們還要再抓走幾個，這就是我們知道的血族。

血族不希望因爲一次有限的吸食就放過受害者，所以他們還會帶走幾個，作爲餓了時的點心。一些老牌血族已經不屑於親自出馬，不想讓殺戮玷污自己的雙手，便會派自己的下屬幫自己把食物抓回來。甚至，某些特定時候，他們會有意識地活捉幾個，將他們變成血族，以充實自己的隊伍。

不管帶走的目的爲何，都意味著那些被抓走的人可能還活著。

學生們，不管是莫里還是拜爾，都被帶到幾棟特定的大樓裡，那些地方已經確定沒有血族。成年的莫里和我們一起進去，剩下的守護者則負責清點損失。

我非常渴望和他們一起，力所能及地幫一點忙，但是他們非常明確地拒絕了我。我既然無事可做，便只能乾等著，替其他人擔心。

這件事仍然很蹊蹺，血族居然襲擊了我們的學校，怎麼可能發生這種事呢？學校應該是絕對安全的，它必須是安全的，這就是它能夠存在這麼多年，大批的莫里族家族願意忍受若干年的骨肉分離之苦，也要將孩子送到這裡來的主要原因。爲了孩子的安全，這麼做是值得的。

可是，這個眞理被推翻了！

他們只用了幾個小時，便統計出傷亡的數字，但是等待他們公佈報告卻讓人感覺度日如年。那些數字……那些數字眞是太驚人了！有十五名莫里遇害、十二名守護者殉職，還有十三名被帶走。而來襲的血族據估計差不多有五十五名，這遠遠超過了人們的預想。血族的屍體大概有二十八具，其他可能都逃跑了，大部分都帶著自己的俘虜。

由於血族的數量這麼龐大，因此我們的損失還不算太高，沒有超過人們的預期。有幾件事救了我們。第一，通知及時，我通知斯坦的時候，血族剛剛到達學校的邊緣地帶；第二，學校及時快速地進行了封閉，事實上，當時大部分人都在房間裡，也有宵禁的功勞。很多遇害的莫里，不管是死了的還是被抓走的，都是當時還在外面逗留的人。

血族沒能衝破初級生部的宿舍大門，迪米特里說這要多虧我和克里斯蒂安，不過他們還是闖進去一個莫里的宿舍，就是莉莎住的那棟樓。聽到這裡，我的胃好像整個翻了過來，雖然我透過心電感應知道她沒有事，可眼前彷彿又看見了那個金髮血族，假笑著告訴我他會先去幹掉德拉格米爾家的最後一員。我不知道他後來怎麼樣了，不過那些入侵的血族並沒能橫行太遠，謝天謝地，雖然還是有人員損失。

其中一個就是愛迪！

「什麼!?」艾德里安告訴我的時候，我失聲喊了出來。

我們正在咖啡廳吃飯，我不知道自己吃的是哪一頓，雖然整個學校又恢復了往日的秩序，可我已經不知道今夕是何夕。整個咖啡廳裡，所有人都竊竊私語著，吃飯，是學生們唯一被允許離開宿舍的原因。稍後這裡會舉行一個守護者的會議，我也在出席人員之列，但是現在，我只想知道我的朋友們都怎麼樣。

「他不是和你們在一起嗎？」我說，看著莉莎，幾乎是在指責她了。「我看見他和妳在一起，透過妳的眼睛。」

她抬起頭看著我，對自己盤子裡的食物不再有胃口，臉色蒼白，充滿內疚。「血族衝到樓下的時候，他和其他的實習生都跑下去幫忙了。」

「他們沒有找到愛迪的屍體，」艾德里安說，他的臉上沒有嘲諷，慣有的幽默也消失了。「他可能在被帶走的那些人裡。」

克里斯蒂安嘆了口氣，靠在椅背上。「那還不如死了！」

眼前的咖啡廳不見了，我誰都看不見，唯一能看見的，就是在斯波坎的那一刻，我們都被關在一起。他們折磨愛迪，差點殺了他。這種經歷讓他徹底變了樣，變成現在這樣一個稱職的守護者，一個非常富有奉獻精神的守護者，但是卻再也沒有那陽光般燦爛的笑容。

現在，這種戲碼又上演了一回，愛迪被抓了。他這麼努力地保護莉莎和其他人，冒著生命危險去應戰。事情發生時，我雖然離他們十分遙遠，可是仍然覺得自己對此負有責任，好像我有義務看好他，這是我欠梅森的。

哦……梅森，我眼睜睜看著他死去，他的鬼魂又出現只是爲了提醒我。我當時救不了他，現在連他最好的朋友也失去了！

我站起來，推開托盤，那種曾經被我壓抑下去的黑暗憤怒又重新冒了出來。如果血族還在附近，我一定會用怒火將他們燒光，而不用麻煩克里斯蒂安的魔法。

「怎麼了？」莉莎問。

我難以置信地看著她。「怎麼了？怎麼了？妳真的想知道這個嗎？」在安安靜靜的咖啡廳，我的聲音尤爲突出，人們都看著我。

「蘿絲，妳知道她的意思。」艾德里安難得的冷靜。「我們都很傷心。坐回去，事情會好起來的。」

有一刻，我幾乎就要聽他的了。這時，我甩了甩頭，知道他是想用催眠術讓我冷靜。

「根本就不會好起來的，至少在我們做點什麼之前。」我瞪著他。

「沒什麼是我們能做的。」克里斯蒂安說。莉莎坐在他身邊，靜靜地聽著，仍然爲我對她大聲吼叫而覺得傷心。

「我們走著瞧！」我說。

「蘿絲，等等！」她喊住我。

她很擔心我，還很害怕，雖然有一點點自私，可她不希望我離開她。她已經太習慣我在她身邊，我能帶給她安全感，但是我不能留下，至少現在不行。

我怒氣衝衝地走出大廳，走進外面明媚的陽光裡。守護者的會議還有幾個小時才開始，但我現在就要找人談談。

我闖進守護者的辦公室，有人和我同時走進來，我急匆匆的，差點撞上她。

「蘿絲？」

我的怒氣變成了驚訝。「媽！」

我著名的守護者母親大人——珍妮．海瑟薇正站在門邊。她和我新年看見她的時候差不多，留著短短的紅色捲髮，臉被太陽曬得黝黑，一雙棕色的眼睛似乎比上次更冷峻了，這多少能說明點事。

「妳在這裡做什麼？」我問。

正如我對迪爾德說過的，我和我媽媽的關係在我十七年的生命中，幾乎都是很惡劣的，主要原因是作為守護者的孩子，不可避免地會和父母兩地分離。我恨她恨了好幾年，到現在關係仍然不是很親密，但是梅森死的時候，她趕到我的身邊，我想，我們兩個都希望在未來的日子裡，能夠緩和這種緊張的局面。她過了新年就走了，我最近一次聽到她的消息，是她和她負責守護的澤爾斯基家族一起回到了歐洲。

她打開門，我跟在她後面也走了進去。她的動作粗暴，充滿了公事公辦的意味。眞是本性難移！

「補充人手，他們打電話給我，說要給學院增派人手，加強守護實力。」

補充人手？塡補那些在戰鬥中喪命的守護者的位子？所有的屍體都被清理乾淨了，不管是血族的、莫里的還是拜爾的，但是，人們心裡的洞是永遠也塡補不了的，我閉上眼，一切都歷歷在目。在這裡見到了她，我覺得機會來了。我抓住她的胳膊，嚇了她一跳。

「我們必須去追他們，」我說，「把那些被抓走的人救回來！」

她仔細地看著我，微蹙眉頭是她透露情感的唯一標誌。「我們從來不做這種事，妳知道的，我們必須保護好還在這裡的人。」

「那被抓走的十三個人怎麼辦？我們就不應該保護他們嗎？妳不是曾經參加過一次營救行動？」

她搖了搖頭。「情況不一樣。我們當時有線索。現在就算我們想，也不知道去哪裡找這些人。」

我知道她說得有道理，血族沒有給我們留下可供追蹤的痕跡。而且，到現在……

突然，我腦海中閃過一個念頭。

「他們已經重新佈好了結界，是吧？」我問。

「對，肯定當時就修補好了，我們還是不知道結界是怎麼被破壞的，沒有用銀樁刺穿的痕跡。」

我正打算告訴她我的計畫，可她根本沒時間聽我鬼扯。「妳知道迪米特里在哪兒嗎？」

她向遠處指了指，那裡有一群人正忙忙碌碌的。「他肯定在那邊的什麼地方忙得焦頭爛額，大家都是如此。現在我要去報到了，我知道妳也會出席會議，不過離現在還有一點時間，這種事妳不應該插手。」

「我想……我要先去見迪米特里。我有很重要的事，也許對一會兒的會議能發揮很重要的作用呢！」

「什麼事？」她懷疑地問。

「我現在還無法解釋……很複雜，解釋明白要花很長時間。幫我找找他，我們一會兒再解釋給妳聽。」

我媽媽聽了這話不太高興，畢竟，珍妮·海瑟薇很少被拒絕，但是，她還是答應替我找找迪米特里。經過了寒假的那次事件，我想她可能會認爲我是個不幸的倒楣蛋。

我們發現迪米特里正和其他幾個守護者一起研究學院的地圖，計畫著怎麼分派新補充的力量。圍著那張地圖的人很多，他溜走一會兒不會有人發現。

「發生什麼事了？」他和我走到房間的一邊後，立刻問道。哪怕是在這嚴峻的時候，我敢打賭他的心裡還是有一部分在掛念著我。「妳還好嗎？」

「我想我們應該研究一下怎麼去營救他們。」我說。

「你知道我們……」

「一般不這麼做，我明白，我也明白我們現在不知道他們的位置……不過，我可能會知道。」

他皺起眉頭。「怎麼做？」

我告訴他昨天晚上梅森曾經提醒我們的事，從那之後到現在，我和迪米特里都沒有時間單獨談談，所以我們從沒有眞正討論過這整件事，我們也沒有機會好好聊一聊在小木屋的事，這讓我覺得彆扭，我眞的很想談這件事，可就是開不了口，後來出了那麼多事就更不行了。所以，我試著將那些關於美妙體驗的事推後，只是那些畫面總是不聽話地跳出來，干擾我的思緒。

我希望自己的表現足夠冷靜和負責，然後繼續解釋我的想法。「梅森現在被關在外面，因爲結界已經重新佈下了，不過……我想他肯定知道血族的去向，我認爲他會告訴我們的。」迪米特里的表情讓我明白他對此仍然抱持懷疑。

「別這樣！發生了這些事之後，妳必須相信我。」

「我還是不太能說服自己。」他老實說，「不過，沒問題，如果這是眞的，妳認爲他會帶我們去嗎？妳認爲妳可以說服他這麼做？」

「是的，」我說，「我覺得可以。我最近一直在否認他是眞實存在的，不過我想如果我眞的去找他，他會幫忙的。我猜，他一直想告訴我們這件事，他知道結界的力量變弱了，還有那些血族正伺機而動。血族離我們不可能太遠，他們到天亮就必須要藏起來。我們也許能在他們殺死俘虜之前找到他們，一旦我們離得夠近，我會感應到的。」

然後我又跟他說了只要有血族在附近，我就會覺得噁心反胃這件事。迪米特里沒有對這點再提出質疑，我想最近發生的這些奇奇怪怪的事，他已經可以平靜地接受了。

「但是梅森不在這裡，妳說他不能穿過結界，那妳怎麼請他幫我們？」他問道。

我已經想過這點了。「帶我到大門去。」

迪米特里在簡短地對奧伯黛說要去「調查一點事」之後，便帶著我走了出來。我們順著路向學院的大門走去，路上誰都沒有說話。就算發生了這種悲劇，我還是不能自已地想著小木屋、想著他的胳膊。從某種方面來說，這是幫助我對付恐懼、平復心緒的最佳辦法。而我有種預感，他肯定也在想同樣的事。

學校的大門是一組長長的鐵柵欄門，上面全都佈滿了結界。一條離高速公路差不多二十英哩的路延伸到大門口，大門幾乎是緊閉的。守護者在這裡有一個小小的崗哨，整個地方處於二十四小時的監控之下。

他們對我們的請求很驚訝，不過迪米特里一直說花不了多久時間。他們滑開了沉重的鐵門，留出一條僅供一人通過的空隙。我和迪米特里依次走了出去，一陣強烈的頭痛立刻蔓延開來，我又看見了那些臉和黑影。和在機場時一模一樣，我離開結界的保護，就會看見各種異靈，但是我現在已經知道了來龍去脈，也就不再害怕了，我需要控制住局面。

「走開！」我對周圍那些半透明的哀怨鬼魂說，「我沒時間聽你們碎碎唸，走！」我用盡全力將我的願望裏在聲音裡吼了出去，令我驚訝的是，那些鬼魂眞的不見了，但我仍然覺得有些頭暈，知道他們其實還在這裡，我知道只要我鬆懈片刻，他們還會向我襲來。

迪米特里關切地看著我。「妳沒事吧？」

我點點頭，看看四周，這裡只有一個鬼魂是我想見的。

「梅森，」我說，「我需要你！」

沒有動靜。我重新聚集起剛剛喝退那些鬼魂的力氣，又試了一遍：「梅森，拜託，現身吧！」除了我們面前蜿蜒通往死寂山丘的公路以外，什麼都沒有，迪米特里又用昨晚那種表情看著我，那種對我的健康狀況深深擔憂的表情。事實上，我此刻也很擔心，昨晚的預警證明了梅森是眞實存在的，可是現在……

一分鐘之後，梅森慢慢地在我面前現形，看起來比之前稍微又透明了些。這是這麼長時間以來第一次，我很高興能看見他，他還是一臉悲傷。

「終於來了，你讓我很難堪耶！」他只是看著我，我立刻爲自己的笑話感到抱歉。「對不起，我需要你再幫我一次。我們必須要找到他們！我們必須要救出愛迪！」

他點點頭。

「你能告訴我他們在什麼地方嗎？」

他再次點點頭，伸手指向我的正後方。

「他們就是從後面進到學校的？」

還是點頭。

就這樣，我弄明白了到底是怎麼回事。我知道血族是怎麼進來的，但是沒時間在這件事上多作盤桓。

我轉身看向迪米特里。「我們需要地圖。」

他走回去，向值班的守護者說了幾句話，不一會兒，就拿著一張摺起來的地圖走了回來。上面畫著學院的形狀，當然還有周圍的公路和地形。我接過來，打開給梅森看，盡量在風中保持地圖的平整。

學校周邊唯一能算得上是公路的，就是我們面前這條，剩下環繞著學院的，不是森林就是懸崖峭壁。我指著學院操場後面的一個地方。「他們是從這裡進來的，對不對？也是結界最開始被破壞的地方？」

梅森點點頭，他抬起手，但是並沒有碰到地圖，沿著一條小山脈畫出了一條行進線路。順著他畫的路線，慢慢地出現了一條羊腸小徑，繼續幾公里之後，這條小路便與連結各州的公路匯合了。

我看著他指的路，突然懷疑起自己找他做嚮導是不是正確。

「不！這不對！」我說。「不可能！山上的這片森林裡沒有路，他們必須徒步行進，這樣從學院走到這條路上太遠了，他們沒有那麼充裕的時間，一定會走到天亮的。」

梅森搖了搖頭，很明顯不同意我的說法，然後再一次沿著那條線來回指了一遍。事實上，他一直指著離學院操場不遠的一個地方，至少，從地圖上來看，不是很遠，但是這地圖繪製得並不仔細，我猜那裡離操場可能只有幾英哩。他的手指指著那兒，抬頭看著我，然後又看了看地圖。

「他們現在不可能在那。」我爭辯說。「那是一片空地。他們也許是從後面進來的，可是不得不從前面出去，比如有汽車接應什麼的。」

梅森還是搖頭。

我看著迪米特里，皺著眉。我覺得時間好像跟我們開了個玩笑，但是梅森的奇怪宣言卻告訴我血族現在就在幾英哩之外，而且還是在光天化日之下，這令我又開始不耐煩起來。我差點就懷疑他們會不會在那裡搭帳篷露營了。

「那裡有什麼建築物之類的嗎？」我指著梅森指的地方問迪米特里。「他說他們會走這條路，他們不可能在日出前走這麼遠，但他說他們現在在這兒。」

迪米特里若有所思地眯起眼睛。「就我所知，沒有。」他拿走地圖，又指給門口的守護者看。

他們談話的時候，我看著梅森。

「你最好保證沒有弄錯。」我警告他說。

他點點頭。

「你……你真的看見他們了？那些血族，還有他們抓走的人？」

他點頭。

「愛迪還活著嗎？」

再點頭。

這時，迪米特里走了回來。

「蘿絲……」迪米特里把地圖還給我的時候，聲音怪怪的，好像他也不敢相信自己說的話。「史蒂芬說那座山的山腳正好有個山洞。」

我看著迪米特里的眼睛，毫不意外地露出和他一樣震驚的表情。「那些山洞夠大……」

「足夠他們藏進去，一直躲到晚上？」迪米特里點點頭，「是的，那些山洞足有五英哩那麼長！」

26

眞是令人難以置信，血族居然就藏在我們身邊，等著趁夜幕再度降臨時繼續逃跑！在當時的一片混亂中，血族趁機抹去了他們眞正的行蹤，並令其他人製造出鳥獸散的假象。我們在戰鬥結束後只關注自己這方的人員傷亡，沒有人注意這件事，結界已經修復好，我們目前只關心血族是不是都跑了，這才是最重要的。

我們現在面對著前所未有的情況。按照一般情況，我們是絕對不會再去追他們的。那些被血族抓走的人通常被視作死亡了，正如我媽媽說過的，守護者很少能知道他們的去向。可是，這一次不一樣，我們不僅知道他們的行蹤，還知道他們藏匿的地點！

事情發展到一個進退兩難的地步，好吧！對我來說不是，我完全想不通爲什麼我們現在還不衝進山洞，圍剿血族，救出那些倖存者。我和迪米特里匆匆趕回來，迫切地想要宣佈我們的發現，可我們必須等到所有守護者都齊聚的那一刻。

「別中途打斷別人的發言！」迪米特里告誡我。我們正要去參加會議，屆時將在會議上決定下一步到底要怎麼做。我們快走到門口的時候停了下來，全都壓低了聲音。「我瞭解妳的感受，也知道妳想做什麼，不過對他們大呼小叫並不能讓妳達到目的。」

「大呼小叫？」我喊著，完全忘記了要壓低嗓門。

「我已經看出來了，」他說，「妳的那股無名火又來了，因爲妳的樣子好像要將別人撕成兩半。這的確會讓妳在戰場上所向無敵，不過我們現在不是在打仗，守護者已經掌握了所有的情報，他們會作出正確的選擇，妳只需要耐心、耐心再耐心。」

他的話有點道理。在準備會議的時候，我們已經將掌握到的情報都作了彙報，同時還做了點調查。調查結果顯示，在好幾年前，一名教地理的莫里族老師曾經繪製過這些山洞的地圖，上面有我們需要知道的所有資訊。

山洞入口離學院的後牆有五英哩，最長的一個洞有半英哩之長；根據地圖顯示，另外一個出口離那條土路約有二十英哩。原本這兩個洞口因爲山體滑坡的原因，都被石塊堵住了，現在我們才意識到，將那些石塊清理乾淨對力大無窮的血族來說，根本就是舉手之勞。

可我還是不相信迪米特里說那些守護者會作出正確選擇的事，會議還有幾分鐘才開始，我去求我媽媽。

「拜託！」我對她說，「我們必須這麼做。」

她看了我一眼。「如果眞的有營救行動，也不是『我們去』。妳不能參加！」

「爲什麼？因爲我們派出去的，破天荒都是打遍天下無敵手的人，人手夠用而且不會有人員傷亡？」她有些語塞。「妳知道我能幫上忙的，妳知道我的本事。我還有一個星期就十八歲了，再幾個月就可以正式上任了，妳認爲到時我會像變魔術一樣突然就變得厲害了嗎？我還有很多東西要學，這話不假，可我認爲還沒有多到成爲不讓我去的理由。你們不是幫手越多越好嗎？還有很多我這樣的實習生想去幫忙，只要帶上克里斯蒂安，我們就是天下無敵！」

「不行！」她飛快地說，「不能帶他！妳應該記住，永遠都不能讓莫里捲進來，像妳和他這樣就更不行。」

「可妳也見識到他的本事了。」

她沒有否認，我看得出來她很猶豫。她看了看錶，嘆了口氣。「我先去忙點事情。」

我不知道她去了哪兒，但是會議開始後十五分鐘，她才現身，這時，奧伯黛已經將我們查到的情報告訴了所有的守護者。不過，她慈悲爲懷地略去了我們獲取情報的細節，這樣就不必浪費時間在鬼魂這些事上。山洞的地形被摸得一清二楚，人們又提了幾個問題，終於，決定性的時刻到了。

我屏住呼吸。同血族抗爭通常是建立在大量的人員傷亡的基礎上，我們只有在被襲擊的時候才會出擊。之前同樣類型的爭論通常會以被否定收場，我現在等著接受同樣的結果。

只是，我沒有等到。

一個又一個守護者們起身宣誓願意出征，他們發言時，我看到了迪米特里說的那種熱情。所有人都準備投身戰鬥，他們是發自肺腑的。血族做得太過分了！在我們的世界裡，稱得上安全的地方屈指可數，只有皇宮和幾間學校。孩子們被送到像聖弗拉米爾學院這樣的地方，就是希望能夠得到庇護，可現在，連僅有的希望都沒有了，我們不能再忍下去，特別是我們還有能力讓更多人存活下來的此刻。

一股熱烈而驕傲的感情在我胸口燃燒。

「那，好吧！」奧伯黛看了看大家，我想她應該和我一樣驚訝，雖然她也很贊同去救人。「我們計畫一下戰鬥部署，然後就出發。現在天還亮著，在天黑他們動身之前，我們還有九個小時。」

「等一下！」我媽媽說著站了起來，所有人都看向她，但是她在眾人的目光下，連眼睛都沒有眨一下，沉著冷靜又大義凜然，我立刻為她生出一股自豪之情。「我認為還有件事也可以考慮一下，我想，我們可以允許讓幾名高年級的實習生也參加。」

這話引起了小小的騷動，不過只有少數幾個強烈表示不同意。我媽媽用來辯論的話和我對她說的差不多。她還補充說，實習生不必上前線，只要在後方支援，防止血族逃跑就行。當其他人基本上接受了她的這個建議時，她又拋出了另一顆炸彈。

「我想，我們還應該帶幾個莫里。」

塞萊斯跳了起來，她臉上有一條長長的劃傷，相比之下，我前幾天看見的擦傷就像是被蚊子叮過一樣。「什麼!?妳瘋了嗎？」

媽媽還是用她慣有的平靜面孔相對。「沒有，我們都知道蘿絲和克里斯蒂安．歐澤拉做的事了。我們面對血族，最大的一個問題就是他們的力量和速度都在我們之上，很難找到殺死他們的機會。如果我們有使用火的莫里在旁，就可以令血族分心，讓我們有機可乘，將他們一舉拿下。」

一場辯論大爆發了，我盡最大限度控制住自己，沒有參與他們的辯論。迪米特里說過不要去打斷別人的發言，所以我只是聽著，但是卻控制不了自己的脾氣。多浪費一分鐘，我們就少了能夠救出愛迪和其他人的一分鐘，每分鐘都可能有人會死！

我轉身看著身邊的迪米特里。「現在吵這種事太蠢了吧！」我悄悄地說。

他看著奧伯黛，她和一名在初級生部工作的守護者正爭論著。

「不是的，」迪米特里也小聲說，「看著吧！變革就在妳的眼皮底下發生著，人們會記住這個轉捩點的。」

他說得對。再一次，守護者們慢慢接受了這個建議，我想有一部分原因是他們首先希望能夠成功出征，我們必須要對血族還以顏色，這不只是我們的戰鬥，同時也是莫里的戰鬥。要不是我媽媽說她已經爭取到幾名莫里老師的同意，他們肯定不會同意讓學生去參戰的。

最終的決議達成了，守護者們要去追捕血族，實習生和莫里也會參戰。我覺得歡欣鼓舞、得意洋洋。迪米特里說對了，這是我們的世界開始發生變革的一刻！

但是，還要再等四個小時。

「還有一些守護者在趕來的路上。」我再次顯得暴躁的時候，迪米特里安撫我說。

「四個小時，血族可能就開始喝下午茶了！」

「我們需要先增強力量。」他說，「集合每一個可以幫得上我們的人。對，可能有些人會在我們趕到之前遇害，我也不想這樣，可是相信我，如果我們沒有做好周全的準備，遇害的就不只這幾個人了！」

我的血液沸騰，知道又被他說中了，而我對此無能為力。我討厭這樣！我討厭無助的感覺！

「來吧！」他說著指了指門口。「我們去走走。」

「去哪兒？」

「哪兒都可以，只要能讓妳冷靜下來，不然妳這樣子是沒法去參加戰鬥的。」

「哦？你怕我又會控制不住，讓那股戾氣佔了上風嗎？」

「不，我是怕妳正常的蘿絲．海瑟薇的一面佔了上風，這樣的她，面對自己覺得是正確的事時，做事總是不經大腦。」

我白了他一眼。「兩者有什麼區別嗎？」

「當然，第二種情況會令我害怕。」

我克制住用手肘給他一下的慾望，有那麼一瞬間，我希望自己可以閉上眼睛，忘掉周圍所有的傷痛和血腥。我想和他躺在床上，說說笑笑，兩個人都不必過問俗事。可是，這太不現實了，眼下的事，才是現實。

「你不用留在這裡嗎？」我問。

「不用，大部分人都在等那幾個人，他們現在制定戰略部署的人已經很多了，妳媽媽正在負責這一切。」

我順著他的目光，看見我媽媽站在一群守護者中間，以激昂飽滿的情緒在一張可能是地圖的東西上指指點點。我還是不知道應該怎麼評價她，可是看到她現在的樣子，我由衷地對她的敬業精神感到欽佩，心裡對她的偏見漸漸消除了。

「好吧！」我說，「我們走。」

他帶著我沿著學院散步，順便去看了看那些曾經是戰場的地方。被破壞最多的不是學院的設備，這是理所當然的，因為最大的損失是人員的傷亡，但是，我們也能看到遭受侵襲之後的痕跡，比如那些受到破壞的建築物和斑駁的血漬。可最值得注意的是校園中瀰漫的氛圍，哪怕是在大白天，我們的心頭仍然籠罩著黑影，所到之地，哀鴻遍野；目及之處，人人垂淚。

我半帶希望地請求迪米特里帶我去看看那些傷患，可是卻被他嚴正地拒絕了，箇中緣由，我能猜出個大概。

莉莎在那裡幫忙，用她的能力幫著處理一些傷勢不太嚴重的傷患。艾德里安也在，雖然他治療的能力比莉莎的要弱一些，但他們終於還是這麼做了，即使是冒著精神能力有可能曝光的風險，但那也是值得的，這種事太悲慘了，再說，公審的時候，精神能力已經被人看到了，傳到眾人的耳朵裡不過是時間問題。

迪米特里不希望我在莉莎使用魔法的時候出現，這讓我覺得很有意思。他雖然不知道我是不是眞的可以「接受」她的負面情緒，不過，顯然他並不願意冒這個風險。

「妳說妳大概知道結界爲什麼失效？」他說，我們來到了學院的邊緣，離昨晚傑西那個祕密社團聚會的地方不太遠。

我幾乎已經把這件事忘了，我曾經將所有事情聯繫起來思考過，答案呼之欲出，不過到目前爲止，還沒有人正式問過我。最要緊的事是重新佈下結界，然後安撫學校的人心，因此，對這種事的調查要推後一陣子了。

「傑西的社團在結界附近舉行入會儀式。你還記得銀樁能破壞結界，就是因爲各種魔法元素相互抵消的事嗎？我認爲這次的原理是相同的，他們的入會儀式也需要用到各種元素，我推測這些魔法和銀樁一樣，抵消了結界包含的魔法元素的作用。」

「可是，學院裡一直有在使用魔法。」迪米特里指出不合理的地方，「而且各種元素都有，爲什麼以前從來沒有出現過這種情況？」

「因爲那些魔法使用時，並不是在結界附近，所以兩相抵觸的情況很少發生。而且，我想魔法的用途也是原因之一，魔法是有生命的，所以才能對血族造成傷害，也能阻止他們越過結界。注入銀樁裡的魔法，是被當作武器來用的，而入會儀式時使用的魔法也是如此。當使用魔法的目的不純時，它可能就會變成抵消正當用途魔法的力量。」

我不寒而慄，又想起莉莎用精神能力折磨傑西時那種可怕的感覺。那種情況太恐怖了！

迪米特里盯著一處用來圍起學院的柵欄。「太不可思議了！我從來沒想過這種可能性，但是好像很有道理，這確實和銀樁的原理是一樣的。」他笑著看我。「妳肯定想了很久吧？」

「我不知道，這些自動就在我腦子裡拼起來了。」我低吼著，想起傑西那幫蠢貨的愚蠢社團。他們對莉莎做的事已經夠惡劣了，足夠讓我將他們狠揍一頓，可是這件事呢？居然將血族放進了學院，他們到底有多蠢、多卑劣，才能引發出這種災難？如果他們是有意這麼做的，倒也罷了，可是，這一切的起因居然源自於為了滿足他們虛榮心的弱智遊戲。

「一群白癡！」我喃喃說道。

起風了，我打了個冷顫，這次是因為寒冷的天氣，不是因為我的情緒波動。春天是近了，可畢竟還沒有真的到來。

「我們回去吧！」迪米特里說。

我們轉身往回走，這時，有樣東西映入我眼簾——是那座小木屋。我們兩個都沒有放慢腳步，也沒有人敢直視它，但是我知道他肯定也看見了，他後來的話證明了我的猜測。

「蘿絲，對於那件事……」

我低吼起來：「我知道！我就知道會這樣！」

他看著我，大吃一驚。「妳知道我們會那樣做？」

「不是，是我知道你肯定會跟我講很多大道理，說我們那麼做是錯的、不應該發生那種事，而且以後也絕對不可能再有了。」直到我把這些話說出口，我才發現自己是多麼害怕他會這麼說。

他還是一臉震驚的樣子。「爲什麼妳會這麼想？」

「因爲你就是這樣的人！」我對他說，我想，我的話聽起來可能有一點歇斯底里。「你一直都想做到完美，如果做錯了什麼，也會很快彌補，讓它變得完美。我知道你肯定想說我們不應該這麼做，而且你希望……」

我後面的話都消失在迪米特里溫暖的懷抱中。他摟住我的腰，將我拉向他，然後一同藏在樹蔭之下。我們的唇相接，吻在一起，我忘掉了所有的擔心和恐懼。雖然不太可能，我甚至忘掉了死亡和血族的襲擊，只有短短幾秒。

我們終於分開後，他仍然摟著我。「我不覺得我們做錯了。」他溫柔地說，「我很高興發生那種事，如果重回那時，我還會那麼做的。」

一股暖流湧上胸口。「眞的?是什麼讓你改變了想法？」

「因爲要拒絕妳太難了！」他說，很顯然對我的好奇感到有趣。「妳還記得蘭達說的話嗎？」

聽見她的名字，又令我一驚，緊接著便想起他聽蘭達解讀塔羅牌時的表情，還有他說的關於他外婆的那些話。我努力回想蘭達到底是怎麼說的。

「好像是說你會失去什麼什麼的……」我眞的已經想不起來了。

「你會失去你最珍貴的，所以在失去之前好好珍惜吧！」

眞奇怪，他居然記得一字不漏。當時我對她的話完全不屑一顧，但是現在我試著重新理解它。一開始，我只是覺得很高興，因爲我是他最珍惜的，但是後來我想明白了，驚訝地看著他。

「等一下，你認爲我會死？所以才和我上床的？」

「不，當然不是。我這麼做是因爲……相信我，並不是妳想的那樣。不要去管她的措辭，也不用去想到底會不會說中，她的話還是有道理的。世事是變化無常，我們一直想要做正確的事，或者說，按照別人的正確標準來做，但是有時候，當這些和我們的本性相抵時，必須作出選擇。在血族來襲之前，我看著妳陷入自我掙扎的時候，就知道妳對我有多麼重要了，這令我推翻了以往的想法。我很擔心妳，非常非常的擔心，妳根本無法想像的擔心。就算我一直努力將莫里放在第一位，也不能減少對妳的擔心，我做不到，不管別人認爲這麼做有多麼大逆不道。所以我認爲自己必須作個決斷，當我作出了選擇之後，就沒有什麼能讓我們回頭了。」

他猶豫了一下，好像在心中將這句話又默唸了一遍，同時手不自覺地撫摸著我的頭髮、我的臉。「或者是，讓我回頭。我只是說說我自己的想法，並不代表妳也是這麼想的。」

「我這麼做是因爲我愛你。」我說，似乎認爲這是世界上最理所當然的答案，而說實話，確實是。

他大笑了起來。「妳一句話就抵過了我剛才的長篇大論。」

「因爲事情就是這麼簡單，我愛你，而且也不想假裝不愛。」

「我也是。」他的手從我臉上滑落下來，握住我的手。我們十指交纏，繼續趕路。「我也不想再騙自己了。」

「那現在怎麼辦？我是說，等這一切全都結束之後……消滅了血族……」

「哦，雖然我不喜歡妳脆弱的樣子，不過有件事妳說得對，我們還是不能在一起，至少妳畢業之前不行，我們還是要保持一定的距離。」

聽到這些話，我不禁有些失望，可我知道他說的百分之百正確。我們可能不必再否認兩個人之間的感情，但是，在我還是他的學生時，還不能公開。

我們踩過一片泥水，幾隻小鳥散落地棲在樹上，嘰嘰喳喳地叫著，毫無疑問覺得很奇怪——怎麼這裡大白天還有這麼多人？迪米特里抬頭望著天空，陷入了沉思。

「畢業和莉莎一起離開之後……」他沒有說下去。我想了一會兒，才想明白他想說什麼，心幾乎停止了跳動。

「你想說分派的問題是不是？你不想成爲她的守護者？」

「這是唯一能讓我們在一起的辦法。」

「可那樣我們就眞的不能在一起了！」我指出明顯的事實。

「我們一起保護她會遇到同一個問題——我對妳的擔心要多過她，她需要兩名全心全意爲她的守護者。如果我可以在皇宮謀到一份差事，我們也可以一直在一起。而且在那種保安措施非常嚴密的地方，守護者的時間表彈性會更大一些。」

我自私的、哀怨的一面讓我想立刻就跳起來反對，說他的這個想法有多麼糟糕，不過說眞的，也沒有那麼糟糕。我們沒有能夠兩全其美的選擇，每一種都有缺憾。我知道放棄莉莎對他來說很難，他很關心她，希望能夠保護她的安全，這種感情不亞於我對莉莎的擔心，可是他擔心我更多一些，如果他想保住自己盡職盡責的名譽，就必須作出犧牲。

「好吧！」我想通了，「如果我們守護的是不同的人，也許見面的時間眞的會更多，我們可以一起休假，如果我們都是莉莎的守護者，就得輪流値班，那樣就永遠都沒時間見面了。」

前面的樹越來越少，眞令人遺憾，因爲我不想放開他的手，但同時，我卻又心花朵朵開，仍然充滿希望。在經歷了那樣一場悲劇之後，有這種感覺似乎很不應該，可我眞的控制不了。

在漫長的等待、無數次的心碎之後，我和迪米特里終於見到了曙光。他可能不會被分派到皇宮裡，不過就算是這樣，我們還是可以設法找時間見面，那時，分別雖然會很痛苦，但我們可以挺過去，總比繼續過著自欺欺人的日子要好得多。

是的，這一刻終於來了。迪爾德擔心我在面對生活的難題時只會逃避的想法已經不攻自破，我會面對它們的。莉莎和迪米特里，認爲我能兩個人都不失去的想法令我變得堅強，這種想法可以讓我通過這次血族來襲的考驗。我會將它深深地烙在心底，作爲自己的幸運符。

我和迪米特里沉默了一會兒，如同以往一樣，盡在不言中。我知道他和我同樣幸福，除了不能再有肌膚之親這一點。

我們差不多已經走出了森林，重新回到其他人之中，這時，他開了口：「妳就快滿十八歲了，不過就算是這樣……」他嘆了一口氣，「當這件事公之於眾的時候，還是會有很多人不高興。」

「對，沒錯，但沒什麼大不了。」對付流言蜚語我最拿手了。

「我還有預感，妳媽媽可能會找我『好好地』談一談。」

「血族你都可以不放在眼裡了，還會怕我媽媽？」

我看見他的嘴角扯出一絲淺笑。「她可是不容忽視的大人物。妳以爲妳的脾氣是來自於誰？」

我大笑起來。「看來我是你的心頭大患。」

「妳値得的，相信我。」

他又吻了吻我，藉著森林的最後一點陰影作掩護。在平凡的世界裡，一番纏綿之後再在清晨散步是件很幸福、很羅曼蒂克的事。我們不用準備戰鬥，也不用擔心自己愛人的生命安危。我們可以有說有笑地祕密計畫另外一次的清晨散步。

可我們並不是生活在平凡的世界裡，這一吻，可以讓我們有更多想像的空間。

我和他難分難捨地走出了森林，向守護者的辦公大樓走去。最艱鉅的時刻在前面等著我們，可那一吻的感覺仍然停留在我的唇上，我覺得自己無所不能。

哪怕是面對一大群血族！

27

我們回去時，大家似乎這才發現我們之前的缺席。

更多的守護者如約而至，我們現在差不多也有五十五個人了，這是一支名副其實的軍隊，如同那大批的血族一樣，我們這麼龐大的隊伍也是空前的，唯一可以與我們相媲美的，便是歐洲大陸古老的傳說中，這兩個種族展開的史詩般的偉大戰役。

校園裡的守護者更多了，不過必須留下一部分人來保護學校。我的很多同學都自告奮勇地報名參加，不過只有大約十個人（包括我）加入了去山洞營救的隊伍。離出發還有一個小時，我們重新集合，聽取作戰任務分派。

在石洞的另一端有很多個分支，血族很可能都聚集在那裡，這樣等到天黑便可立即出發。我們將採取兩頭堵的作戰方式，每邊分別派出十五名守護者和三名莫里，再各留十名守護者守住洞口，防止有血族逃跑。

我被分派看守遠方那端的洞口，迪米特里和我媽媽及其他人衝進洞裡。我非常希望自己也可以跟他們一起進去，但是我知道我能夠參加行動已經是很幸運了，在這種規模的行動中，每一個崗位都很重要。

我們的小軍隊就這樣出發了，以急行軍的速度走過五英哩，估計需要一個小時多一點，這樣的話，還有足夠的時間趕在天黑之前結束戰鬥，踏上回程。因爲沒有血族會在山洞外面站崗放哨，所以我們可以悄無聲息地抵達洞口。可是一旦走了進去，憑著血族超靈敏的聽力，可能立刻就會發出警報，知道有人偷襲了。

我們行進的過程中很少出現對話，沒人願意聊天，偶爾的話題也是提醒後面注意地形。我和實習生走在一起，但是每隔一會兒，我就會轉頭看一下，總能看見迪米特里注視我的目光。我覺得我們兩個之間現在也有了看不見的心電感應了，這將我們連接得緊緊的、牢牢的，但是並不易爲人察覺。他的表情是臨戰前的嚴肅，但是從他的眼中，我能看到笑意。

我們在抵達比較近的洞口這邊時，便分成了兩隊。迪米特里和我媽媽留在這裡，我回過頭看了他們最後一眼，心裡仍然想著之前那浪漫的片刻。我突如其來地感到心慌，害怕自己再也看不見他們，我必須要提醒自己他們是多麼勇猛，如果有人能活著回來，那也只會是他們，我才是令人擔心的那個人。

我們已經走出一半的時候，我小心翼翼地將自己的情緒藏在心底的某個角落。他們必須留在那裡，直到戰事結束。我現在應該處於戰鬥狀態，不能再爲自己的個人情感分神。

我們快要抵達目的地的時候，我的餘光瞥見一道銀光。我在結界外面一直盡量避免受到各種鬼魂的干擾，不過這隻鬼是我想見的。我轉過頭去，不意外地看見了梅森，他就站在那裡，一言不發，臉上仍然是那副一成不變的悲傷。我看著他慘白的臉色，仍然很不習慣，我們的隊伍經過他身邊時，他舉起一隻手，不知是在向我道別還是祝我好運。

抵達洞口之後，我們各就各位。奧伯黛和斯坦領著要進去的那隊人。他們沉著地守在洞口，等著約定好的那一刻，兩邊人馬同時衝進去。卡馬克夫人——我的魔法課老師，和其他的莫里也要一起隨同他們進去。她看起來緊張得很，可是表情也很堅定。

衝鋒的一刻終於到了，正式編隊的守護者都衝了進去。剩下的人站在外面，沿著洞口站成一圈。烏雲飄過，太陽開始西斜，我們必須等候。

「這沒什麼好緊張的。」梅爾黛絲自言自語地說，她是高中部另外三名女生中的一個，說話的時候非常含糊，我想她可能比我還要緊張。「就像灌籃，他們會在血族發覺之前搞定一切的，我們什麼都不用做。」

我希望她說的是對的。我已經做好了戰鬥的準備，但是如果輪不到我出手，就意味著所有事都在掌握之中。

我們等待著，沒有其他事可做，每一分鐘都像永遠那麼長。這時，我們聽見了動靜——是打鬥的聲音、沉悶的哭喊聲和悶哼聲，還有幾聲尖叫。我們所有人都警惕起來，身體緊繃得快要斷了。

埃米爾是這裡的負責人，他站得離洞口最近，手裡拿著銀樁，額頭上已經滲出了汗珠。他望著黑漆漆的洞裡，時刻準備發現血族的身影。

幾分鐘之後，我們聽見有腳步聲離我們越來越近，我們的銀樁都已經舉了起來。埃米爾和其他的守護者又離得更近了些，準備跳起來給予逃跑的血族致命的一擊。

可是，出現的不是血族，而是艾比·巴蒂卡。她渾身是傷、滿身泥土，不過，她還活著。她害怕極了，臉上佈滿了淚痕。起初，她看到我們的時候大聲地尖叫著，後來當她看清了我們，才慌不擇人地抱住了離她最近的人——梅爾黛絲。

梅爾黛絲很是驚訝，不過她還是安慰地抱了抱艾比。

「沒事了。」梅爾黛絲說。「都沒事了，妳已經在太陽底下了。」

慢慢地，梅爾黛絲將艾比的胳膊拉下來，領著她走到附近的一棵樹下。艾比坐在樹根下，將臉埋進胳膊裡。

梅爾黛絲回到她的位置，我想去安慰一下艾比，我想，大家應該都想這麼做，可是現在不行。

一分鐘之後，又有一名莫里跑了出來，是埃爾斯沃先生，他是我十五年級時的老師。他的樣子也很惶恐，脖子上有被咬過的痕跡。血族只是用他來塡飽肚子，並沒有殺掉他。不管怎麼樣，拋開他的恐怖遭遇，他的樣子還算冷靜，只是眼神充滿警覺和小心。他弄明白了眼前的情況後，立刻加入了我們的行列。

「裡面情況怎麼樣？」埃米爾問。他的眼睛沒有離開山洞，雖然守護者配備了呼叫器，但是我想裡面的戰鬥肯定十分激烈，很難分神報告情況。

「一團亂！」埃爾斯沃先生說，「不過我們獲救了，往哪邊跑的都有，很難說是誰和誰在打，不過血族已經被打散了，有幾個人……」他皺著眉頭說，「我看見有幾個人在用火燒血族。」

沒有人答話，現在這種情況要解釋太複雜了。他似乎明白了什麼，退後和艾比坐在一起。

不久，又有我不認識的兩名莫里和一名拜爾加入了艾比和埃爾斯沃先生的行列，每次有人跑出來，我都祈禱那人是愛迪。目前爲止，我們這邊已經有五名被俘的人逃了出來，我不得不安慰自己剩下的人都從那邊的洞口逃出去了。

又過了幾分鐘，沒人再出來了，我的襯衣已經被汗浸得濕透。我每隔一會兒就換個拿銀樁的姿勢，手握得那麼緊，手指緊緊地掐在一起。

突然，我看見埃米爾動了一下，我知道他肯定是從呼叫器裡聽見了什麼。他變得高度集中，然後又喃喃地回覆了些什麼，看著我們，指了指其中的三名實習生。

「你們，帶著他們回學院。」他指了指那些獲救的人，然後又轉向另外三名正式守護者。「進去，大部分被抓的人都逃出來了，不過我們的人被困在裡面，陷入了僵局。」這三人聽到命令，毫不猶豫地走了進去，不到片刻，那些實習生也奉命出發了。

剩下的人還有四個，兩名正式的：埃米爾和史蒂芬；兩名實習生：我和肖恩。我們的神經都繃得更加緊，幾乎屏住了呼吸。沒有人出來，也沒有報告，埃米爾抬起頭，警惕地看著四周，我追隨著他的目光，也四下觀察。戰鬥的時間比我想的還要久，太陽已經很低了。

埃米爾突然又收到了另一條消息，他變了個臉，看著我們幾個，露出爲難的神色。「裡面需要增援人手，掩護他們從另外一端出去。我們的傷亡不大，只是無法順利撤退。」

不大，不是沒有，這也就是說，我們至少損失了一個人！我覺得全身冰涼。

「史蒂芬，你進去。」埃米爾說。他猶豫了一下，我幾乎能看穿他心底是怎麼想的。他也想進去，但是他是這邊的負責人，必須要堅守崗位，直到最後一刻。

我知道，他在想要不要違抗命令。他在思索如果他和史蒂芬進去了，外面就只有我和肖恩兩個人，與此同時，他也想到他不能獨自抽身，只留兩名實習生在這裡，以防有意外發生。

埃米爾又想了一下，看著我們倆。「蘿絲，妳和他進去。」

我沒有浪費一秒，跟著史蒂芬走進了山洞，立刻，一陣噁心翻湧上來。外面已經很冷了，可是隨著我們不斷深入，裡面變得越來越冷，而且一片漆黑，我們只能勉強看清周圍，不過很快就適應了。

他從外衣裡拿出一枝小手電筒。「我眞希望自己能告訴妳該怎麼做，可是我也不知道。」他對我說，「作好應對任何事的準備吧！」

我們眼前的黑暗逐漸退卻，裡面打鬥的聲音越來越大，我們不知道該往哪邊走，只能各個方向都走一遍。突然，我們發現自己已經來到了地圖上標著的那個最大的山洞裡，角落裡有一堆篝火，是血族生起的，與魔法無關，這可以讓他們看清這裡。我打量著四周，立刻明白這裡發生過什麼事。

有一部分的洞壁已經塌陷了，落成了一個石堆，雖然沒有人被壓死，但是幾乎完全封住了通往另一邊洞口的通道。我不知道這是魔法造成的，還是在打鬥中造成的，也許只是巧合，不管理由爲何，有七名守護者和十名血族被困在裡面，包括迪米特里和奧伯黛。

在裡面，我們沒有看到會用火的莫里，不過藉著裡面透出來的光線，可以看出來他們還在戰鬥。我看見地上躺著屍體，是兩名血族，不過我不知道是不是還有其他的屍體。

問題來了！要想從僅有的入口過去，肯定需要人爬過去，這會給爬過去的人帶來很大的風險，同時也意味著裡面的守護者要想出來，就要幹掉所有的血族。雖然勝算不大，我和史蒂芬還是要去幫忙的，我們繞到血族身後，不過有三個已經提前發現，轉身對付我們，有兩個向史蒂芬撲去，另一個朝我而來。

立刻，我進入了戰鬥狀態，所有的憤怒和仇恨都沖了上來。因爲山洞的侷限，活動的空間有限，不過我仍然避開了他。事實上，這種狹小的空間對我十分有利，因爲血族身軀龐大，連閃躲都很困難，我盡量待在他搆不到的地方，不過他還是一把抓住我，將我扔到牆上。我甚至不感覺到疼，只是不斷移動，繼續防守。我躲過了他的又一次進攻，藉著自己身體的優勢，彎腰從他胳膊底下鑽過去，在他反應過來之前給了他致命的一擊。我痛快地拔出銀樁，跑去支援史蒂芬，他也已經解決掉了一個，我們兩個齊心協力地幹掉了第三個。

現在，只剩下七名血族，不，是六名。那些被圍在裡面的守護者，在狹小的空間內又幹掉了一個！

我和史蒂芬猛地向離我們最近的血族撲過去，他是個非常強大的對手，資歷夠老、力量夠足，我們兩個聯手都很難擊倒他，不過，最終我們還是做到了。隨著血族的數量一個一個減少，其他的守護者戰鬥起來也格外輕鬆。他們擺脫了被動的局面，在人數方面就已經佔了上風。

現在，血族只剩下兩名了，奧伯黛要我們開始撤離，我們在這裡的隊形開始變化。現在只有最後兩名血族要搞定，這讓三名守護者可以從我進來的地方跑出去，同時，史蒂芬也從另外一個入口撤離了。

迪米特里幹掉了其中的一個，現在只剩最後的一個了。史蒂芬又從洞口伸出頭，對奧伯黛喊了幾句我聽不懂的話。奧伯黛頭也不回地說了幾句，她、迪米特里和另外兩名守護者逼近了最後一個血族。

「蘿絲！」史蒂芬大喊著向我招招手。

服從命令，這是我們的天職，我從戰場抽身，輕而易舉地從通道爬出去，心中暗自感激自己身材的嬌小。另一個守護者也跟著我爬了出來，這邊的洞裡沒有人，可能是戰鬥結束了，也可能是轉移了戰場。地上的屍體顯示這裡的戰況曾經很激烈，我看見了許多血族，但是也看見了一張熟悉的面孔——尤里。我忍痛轉過頭看向史蒂芬，他正幫其他的守護者從通道爬過來，奧伯黛也出來了。

「他們都死了！」她喊，「這裡還有幾處通道被封死了，我們必須在太陽下山之前把這裡搞定。」

迪米特里最後一個爬出來，他和我飛快地交換了個眼色，同時都鬆了一口氣。

我們繼續前進，這是最長的一條通道，我們急急忙忙地趕路，焦急地想要找到還被困在這裡的人。一開始，我們一路通行無阻，不過幾處閃光預示著前方還有戰事，卡馬克夫人和我媽媽正在跟三名血族糾纏。我們的人衝過去，三兩下就解決了。

「這一群血族都解決了。」我媽媽大口喘著氣。看見她還活著，我很激動。「不過我想這裡的血族要比我們想得多，可能除了襲擊學校的那些之外，他們還留了一些在山洞裡。我們的人……就是那些沒被殺死的已經都弄明白了。」

「這個山洞裡還有其他幾個小洞。」奧伯黛說，「可能還有血族藏在裡面。」

我媽媽點頭表示同意。「一定是這樣。有些人知道打不過就藏起來，準備等我們出去之後再逃跑，還可能會有跟蹤我們的。」

「我們該怎麼做？」史蒂芬問，「把他們一網打盡，還是撤退？」

我們都看著奧伯黛，她飛快地作出決定。「撤退，我們已經殺了夠多了，而且太陽就要下山，我們必須盡快回到結界裡面。」

我們開始往外走，離凱旋如此接近，內心的激動逐漸平復。

迪米特里走在我身邊。

「愛迪逃出去了嗎？」我沒有看見他的屍體，不過我也沒有仔細找過就是了。

「是的，」他喘著氣回答。天知道他今天到底幹掉了多少個血族。「我們特別命令他撤離，他本來想要幫忙的。」

這聽起來的確很像是愛迪的作法。

「我記得這個標記。」我們轉過一個拐角的時候，我媽媽說。「離出口已經不遠了，我們很快就能看見太陽了。」到目前爲止，我們只用手電筒照著路。

我的噁心感剛出現不到一秒，他們就衝了出來。這裡是一個T字路口，有七名血族攔住了我們，不過我們正處於這條通道最窄的部分，不能所有人同時衝向血族。我們只能後退，卡馬克夫人就在我身邊，她已經快速地在幾個血族身上點了火，讓守護者用銀樁刺向他們的時候變得更容易。

奧伯黛對我和其他幾名守護者使了個眼色。「撤退！」她喊。

我們不想離開，可是留下來也沒有什麼用，我看見一名守護者倒了下去，心裡一沉。我不認識他，可這並不重要。下一秒，我媽媽已經解決了攻擊她的血族，用手裡的銀樁刺穿了他的心臟。

我和另外三名守護者繞過另一個拐角的時候，就再也看不見戰鬥的情況了。沿著通道繼續走，我看見了那迷人的紫光。

是洞口！我們互相對視了一下。我們成功了！可是其他人呢？

我們迎著吹進來的風，向洞口跑去，跑到洞口的時候，我們停了下來，焦急地等著後面的人跟上來。

太陽已經幾乎看不見了，這令我十分沮喪。我的胃還在翻湧，這說明還有血族活著。

又過了一會兒，我媽媽他們也趕了過來，但是看看人數，又少了一個！

我們已經離得很近了，所有人的心都提到了喉嚨。很近了，很近了，但是還不夠，山洞的凹處還藏著三個血族。我們經過時，他們並沒有阻攔，這一切發生得太快了，根本沒有人能反應過來。其中一個血族抓住了塞萊斯，他張大嘴咬住她的脖子，我聽見一聲尖叫，血光飛濺。另一個血族衝向卡馬克夫人，但是我媽媽將她猛地一推，推到了我們這邊。

第三名血族抓住了迪米特里，我認識他這麼久以來，從來沒見過他有失手的時候。他總是比其他人動作更敏捷、更加強壯，可是這一次不是，那血族趁他驚訝的時候抓住了他，唯一能看見的，就是他尖牙露出的冷光。

我瞪大眼睛。是那個金髮的血族！那個在戰鬥中跟我聊天的血族！

他抓起迪米特里，將他扔在地上，他們扭打在一起，那是力量與力量的較量，這時，我看見那副尖牙咬進迪米特里的脖子，那雙血紅的眼睛抬了起來，直直地對上我的目光。

我聽見另一聲尖叫，這次，是我自己的尖叫。

我媽媽再次向我們跑來，這時又出現了五名血族。一場混戰之中，我再也看不到迪米特里，也不知道他到底怎麼樣了。我媽媽眼中閃過一絲猶豫，在想是要逃跑還是要繼續戰鬥，這時她臉上滿是悔恨，繼續跑過來帶著我們向洞口跑去。與此同時，我仍試圖跑回洞裡，但是有人攔住了我，是斯坦。

「妳要幹什麼？蘿絲，追來的更多了！」

他不知道嗎？迪米特里還在裡面，我必須找到他。

我媽媽和奧伯黛也衝了出來，拉著卡馬克夫人，她們身後有一群血族追過來，在剛到洞口能見到陽光的地方停了下來。我還在跟斯坦糾纏，可我媽媽一把摟住我，將我拖走了。

「蘿絲，我們必須離開這裡！」

「他還在裡面！」我尖叫著，拚盡自己全身的力氣喊。我可以殺死血族，可是怎麼掙不過這兩個人？

「迪米特里還在裡面！我們必須回去救他！我們不能丟下他！」我大喊大叫，歇斯底里，向他們大聲嚷嚷著我們必須回去救他。我媽媽用力搖著我，湊過來看著我，我們兩個之間的距離可能只有幾英吋。

「他死了！蘿絲，我們不能再回去！太陽還有十五分鐘就完全下山了，他們還在等著追我們。我們必須在天完全黑下來之前回到學院去，我們需要爭分奪秒，時間已經不夠了！」

我可以看見血族聚在洞口，他們的紅眼睛露出希望之光，已經將洞口完全堵住了，我想最少也有十個，可能還要多。我媽媽說得對，以他們的速度，讓我們十五分鐘完全不算什麼，可是，我就是不能動，我的眼睛一直盯著山洞，盯著迪米特里在的地方，盯著我另一半靈魂在的地方。

他不能死！如果他死了，我肯定也會隨他而去的！

我媽媽打了我一耳光，疼痛讓我回過神來。

「跑！」她向我喊，「他死了！妳不能也和他一起死！」

我看見她惶恐的樣子，那是對我的恐懼，對她的女兒可能會被殺死的恐懼。我想起迪米特里說過，他寧願自己死，也不想看見我死。如果我還傻呆呆地站在這裡，等著血族來抓我，我會同時令他們兩人失望。

「跑！」她又喊。

眼淚順著我的臉頰流成了河，我終於拔開了腿。

28

接下來的十二個小時是我人生中最漫長的十二個小時。

我們的人安全地回到學校，大部分都是跑回來的，這對傷痕累累的人來說很不容易。整個過程中，我一直覺得胃不舒服，很可能是因爲後面就是血族，但更大的可能性是因爲我對在山洞裡發生的一切反應過度了。

一回到結界之內，我和另外幾個實習生就被人遺忘了。我們已經安全了，而正式的守護者還有很多事要操心。所有還活著的人都救出來了，正如我擔心的那樣，在我們抵達之前，他們已經決定吸乾一個，這也就是說，我們一共救出了十二個人，但是有六名守護者，包括迪米特里，卻徹底地失去了。

考慮到我們面對的血族的數量，這個數字並不算特別慘重。可是你計算一下，我們其實等於只救了六個人，這六條人命值得用那些守護者的命來換嗎？

「妳不能那麼想！」我們走去急診室的時候，愛迪對我說。所有人，包括被抓的人和救人的人，都被要求要接受檢查，「你們不只是去救人，同時還殺了將近三十名血族，還不算在學校幹掉的那些。想想他們這麼多人能夠取多少條人命，你們等於也救了所有這些人。」

我的理智告訴我，他說的是對的。可這種理性卻讓我怎麼也想不明白，爲什麼迪米特里會死？

雖然自私又小心眼，可在那一刻，我真的想用所有那些人的命來換迪米特里一個人。不過，他不會同意的，我瞭解他。

不過我還是抱著一絲極小的希望，認爲他可能沒有死。雖然哪一咬似乎非常嚴重，不過血族也可能之後就丟下他不管，自己跑了。他可能現在還躺在山洞裡，奄奄一息，等著有人去救。

一想到有這種可能而我們卻沒法去救他，我就覺得自己快瘋了！可是，我們不可能再回去了，最起碼在日出之前不行。另一組人會在天亮以後過去將陣亡的人的屍體收回來好好安葬，在那之前，我還必須要等。

奧蘭德斯基快速地替我檢查了一下，覺得我沒有腦震盪的危險，然後叫我自己替自己包紮。她現在還有很多傷勢比我更嚴重的病人。

我知道最好的辦法是回自己的宿舍，或者是去找莉莎。我可以用上回剩下的繃帶，而且透過心電感應，我聽見她在呼喚我。她非常擔心、非常害怕，我知道她很快就會知道發生的一切。

她不需要我，我也不想見她，我誰都不想見，所以，我放棄回宿舍，轉身去了教堂。我需要在他們檢查山洞之前給自己找點事做，而祈禱應該是最好的選擇。

教堂在午間時分經常是空無一人的，可今天不同。我不應該感到驚訝的，在一天當中發生了這麼多悲劇、死了這麼多人，人們尋求內心的平靜是天性使然。有的獨自一個、有的三兩成群，他們哀泣、他們下跪、他們祈禱，還有的只是愣愣地出神，很顯然根本不相信發生的一切。安德魯神父在教堂內走來走去，安慰人們。

我在最後排的一個角落裡找了個空位坐下來，蜷起膝蓋，雙臂抱住它們，將頭埋了下去。牆壁上，各種聖徒和天使的畫像都從天上看著我。

迪米特里不會死的，他不可能死，當然了，如果他死了的話，我會知道的。沒人能夠在世界上將這個人的性命奪去，昨天還那麼溫柔地摟著我的人，不可能真的就此消失，我們曾經那麼溫暖、那麼有活力，死神是不會跟著這種人的。

莉莎的念珠還戴在我的手腕上，我的手指摸著上面的十字架和珠子，盡最大的努力回想正式的祈禱是什麼樣的，可我根本不知道。如果眞的有上帝，我想祂的力量足以知曉我的心意，哪怕我連一句正經的禱告詞都說不出來。

幾個小時過去，人們陸續離開，我也坐累了，慢慢改變姿勢，我躺在長椅上。金碧輝煌的天花板上，有更多的聖徒和天使在看著我，有這麼多聖人相助，但是他們眞的能實現我的願望嗎？

我不知道自己是什麼時候漸漸睡去的，直到莉莎叫醒了我。她的樣子看起來就像是一個天使，亞麻色的頭髮垂下來，鬆鬆地貼著臉頰，眼神是那麼溫柔、有愛，就和那些聖徒一模一樣。

「蘿絲，」她說，「我們找妳找了好久。妳一直都待在這裡嗎？」

我坐起來，覺得疲憊不堪、睡眼惺忪。我已經一整晚都沒合過眼，心靈又遭到了重創，這種疲憊的感覺並不奇怪。

「待了很久了？」我問她。

她搖了搖頭。「妳應該去吃點東西。」

「我不餓。」我抓住她的胳膊。「現在幾點？太陽已經升起來了嗎？」

「沒有，還要等……五個小時。」

五個小時？我怎麼熬得過去！

莉莎撫摸著我的臉，我透過心電感應感受她的魔法聚起，然後冷暖交替的兩股氣流穿過我的皮膚，那些傷全都不見了。

「妳不應該這麼做的。」我說。

她露出一個迷人的微笑。「我已經這麼做一整天了，我一直在幫奧蘭德斯基醫生的忙。」

「聽說了，不過，這有點奇怪。我們一直打算瞞住這件事的，妳還記得吧？」

「現在如果大家都知道了也沒關係。」她說著聳了聳肩，「在發生了這麼多事之後，我必須出手幫忙。有太多人受傷了，如果這意味著我的祕密會洩露出去……嗯，這種事反正早晚都會發生的，艾德里安也去幫忙了，不過他的速度很慢。」

這時，我突然想到了什麼，一下子坐了起來。

「哦，我的上帝！莉茲，妳可以救他！妳可以幫迪米特里！」

她的臉上和心電感應都顯示出沉沉的愧疚。「蘿絲，」她靜靜地說，「他們說迪米特里已經死了。」

「不，」我說，「他不會死的！妳不知道……我想他只是受傷了，也許傷得很嚴重，不過如果他們把他帶回來的時候有妳在，妳可以治好他！」這時，一個更加瘋狂的念頭冒了出來。「如果……如果他真的死了……」這些話很難說出口，「妳也可以把他救回來！就像妳救我一樣，他也會成為影吻者的！」

她臉上的內疚更甚了些。「我不能這麼做，起死回生是需要很大力量的！而且，我也不認為我能夠將一名死了……呃……那麼久的人救回來，我想我的能力只對剛死的人有作用。」

我聽見自己的聲音已經接近瘋狂的絕望。「可妳必須試一試！」

「我不能……」她嚥了口唾沫，「妳也知道我對女王說過的話，我是認真的，我不能把每個死去的人都帶回來，不然就和維克多濫用我的能力差不多了，這也是我們要保密的原因。」

「那妳就準備放著他不管了？妳不能這麼做嗎？爲了我也不行嗎？」我沒有大喊，可我的聲音對整個教堂來說，已經算吼了。

現在，所有人都走了，教堂裡一片哀愁，我很懷疑還有人能在這種情況下嚷出來。「我可以爲妳做任何事，妳是知道的。妳就不能爲我這麼做嗎？」我已經接近哀求了。

莉莎仔細地看著我，腦中閃過千萬種想法。她咀嚼著我的話、看著我的表情、研究著我的聲音，就這樣，她終於明白了。當她終於發現我對迪米特里的感情並不只是師生之間那麼單純的時候，我感到她腦中突然一亮，數不清的瞬間突然全都湧向了她：我對他的評語、我和迪米特里對待彼此的方式……

她現在全都明白了，這些她一直都過於疏忽的事。問號一個接一個跳了出來，不過她最終沒有問出口，甚至連她猜到的事情都沒有提，她只是拉著我的手，將我拉得更近。

「我很抱歉！蘿絲，我非常非常抱歉！眞的不能……」

我就任她這樣拉著我，假裝想吃東西，但是我坐在咖啡廳的餐桌前，看著面前的托盤時，一想到要吃東西時，那種噁心比有血族在的時候還要強烈。她見狀，只得放棄了讓我吃東西的想法，知道我在得到迪米特里的消息之前什麼都做不了。

我們走去她的房間，我躺在床上，她坐在我身邊，可我不想說話，很快又睡著了。

我再次醒來時，發現媽媽坐在我身邊。

「蘿絲，我們要去檢查山洞了，妳不能進去，但是如果妳願意的話，可以跟我們走到結界旁。」

這是我能得到的最好結果了，如果這代表我能早一刻得到他的消息，我會做的。

莉莎陪著我一起去，我們靜靜地跟在全副武裝的守護者後面。我很傷心她不願意救他，不過仍然偷偷地想：等到她看見他的那一刻，可能就會忍不住出手了。

這次守護者去檢查山洞的隊伍浩浩蕩蕩，只是爲了以防萬一。我們非常肯定血族已經都逃跑了，他們失去了人數上的優勢，而且很清楚如果我們回去收屍體，肯定會帶更多的人來，到時，他們一個都活不了。

守護者穿過結界，我們其他人停下來，站在結界邊等著。幾乎沒人說話，算上來回路途的話，大概還要等三個小時他們才能回來。我努力不去想心裡那黑暗的一面，坐在地上，頭靠在莉莎的肩膀上，希望時間飛逝。一名用火的莫里點燃了一堆篝火，我們都坐在它旁邊取暖。

時間並沒有飛逝，但仍在一分一秒地走。有人大喊說他們回來了。我站起來跑過去看，眼前的景象嚇了我一跳。

擔架抬著那些被害者的屍體，死去的守護者臉色慘白，眼睛再也睜不開了。我旁邊的一個莫里看著看著，跑去灌木叢旁吐了，莉莎也嚇得哭了起來。這些死亡的擔架一個接一個從我們身邊過去，我張大眼，覺得冰冷又空虛，不知道下次我再走出結界的時候，是不是也會看到他們的鬼魂？

終於，他們都走過去了。一共是五具屍體，但是看起來好像是五百具。還有一個人的屍體我沒看見，那個我最怕見到的屍體我沒看見。我向我媽媽跑過去，她正幫忙抬一副擔架，她不必抬頭看也知道我會跑過來問她的。

「迪米特里呢？」我問，「他……」這句話裡有太多的希望，太多的疑問。「他還活著？」

哦，上帝！是我的禱告起作用了嗎？是他受了傷留在原地，等著我們派醫生過去嗎？

我媽媽沒有立刻回答我的問題，她終於開口時，我幾乎認不出這是她的聲音。

「他不在那兒，蘿絲。」

我被凹凸不平的地面絆了一下，急忙重新追上去。「等一下，這是什麼意思？也許他受傷了，然後去找人求助……」

她還是沒有看我。「茉莉也不在。」

茉莉是一名被抓走的莫里，她和我同歲，高高瘦瘦的，非常漂亮。我在山洞裡看見了她的屍體，全身的血液都被吸乾了。她肯定已經死了，不可能受傷然後又逃走。茉莉和迪米特里的屍體都不見了！

「不，」我失聲喊道，「妳的意思不是……」

一滴眼淚從她的眼角流下來，我從來沒有見過她這個樣子。「我不知道還能怎麼想，蘿絲。如果他還活著，很可能……很可能是他們後來把他帶走了。」

迪米特里被當成「點心」，這種想法太可怕了，可是這與他變成血族比起來，還不是最可怕的事，我們彼此心知肚明。

「可他們爲什麼要帶走茉莉？」茉莉已經死了很久了。

媽媽點點頭。「我很抱歉，蘿絲，我們無法確定，也有可能是他們剛死的時候，血族把他們的屍體帶走了。」

她在說謊，這是我這輩子第一次聽見我媽媽爲了保護我而對我說謊。她並不擅長這個，不是那種可以編一個圓滿的故事，讓人們感覺好過一點的人，她經常會說一些赤裸裸的事實，可是這次沒有！

我不再跟過去，任人群繼續從身邊走過。莉莎趕上來，既擔心又迷惑。

「怎麼了？」她問。

我沒有回答，只是轉身向後跑，跑回到結界邊。莉莎追著我，喊著我的名字。沒人注意我們，說實話，在發生了這種事之後，還有誰會蠢到主動跑出結界呢？

可我會，現在是白天，我不用害怕。我跑過傑西折磨莉莎的地方、跨過那條看不見的線、穿過圍起學院的柵欄。

「蘿絲，妳要幹什……」

「梅森！」我大喊，「梅森，我需要你！」

過了一會兒，他才完全現身，這次，他並沒有那麼透明，但身上仍然泛著微光，像是快要壞掉的燈管。他站在那裡，看著我，表情一如既往。我有種奇怪的預感，認爲他已經知道我要問什麼。

莉莎站在我身邊，一直在我和我對梅森講話的地方來回看。

「梅森，迪米特里死了嗎？」

梅森搖搖頭。

「還活著？」

梅森搖搖頭。

沒有活著，也沒有死!?我的四周在旋轉，眼前亂冒金星，長時間沒有進食已經讓我頭暈了，我幾乎馬上就要昏倒，但我必須要清醒，我必須要問出下一個問題。所有那些遇害者……他們有很多人可以選，肯定不會單單挑上他的。

下一個問題卡在我的喉嚨，我開口問他的時候，一下子跪在地上。

「他……迪米特里變成血族了？」

梅森猶豫了一下，好像很怕回答我，然後才點了點頭。

我的心碎了，我的世界也碎了。

你會失去你最珍貴的……

蘭達說的最珍貴指的並不是我，也不是迪米特里的生命。

最珍貴的……

是他的靈魂！

29

差不多一個星期之後，我出現在艾德里安的房門口。

自從偷襲事件之後，我們就停課了，但是日常的作息時間安排並沒有改變。現在已經快到熄燈時間了，艾德里安看見我，大大地吃一驚，這是我第一次主動找上門，近似於主動墮落了！

「小拜爾，」他往裡讓了一步。「請進。」

我走進房間，走過他身邊時，差點被刺鼻的酒味熏倒。學院的賓館條件非常好，不過他顯然不怎麼在意自己的衣服是不是整潔。我有種感覺，自從襲擊之後，他可能就沒有停止過喝酒。電視還開著，沙發邊的小桌子上放著半瓶伏特加，我拿起來看著上面的標籤，產自俄國。

「心情不好？」我說著，將酒瓶又放了回去。

「沒有見不到妳的時候差。」他殷勤地說。

他的樣子有點憔悴，但是還像以前一樣好看，不過嚴重的黑眼圈顯示出他睡得並不好。他對我指了指一旁的椅子，自己坐在沙發上。「很久沒有見到妳了。」

「我不想見人。」我也坐下來，老實承認道。

自從偷襲事件之後，我幾乎不怎麼和人說話，大多一個人獨處，或者和莉莎在一起。和她在一起，我覺得很舒服，可我們也沒有談很多。她明白我需要自己處理，只是在旁邊陪著我，並沒有逼我說一些不想談的話題——雖然她有很多問題想問。

學院的遇難者都在集體追悼會上被授予光榮的稱號，雖然他們各自的家人又爲每個人安排了單獨的、體面的葬禮。我參加了最大的那個，當時教堂裡人滿爲患，只能站著。安德魯神父唸著罹難人員的名單，迪米特里和茉莉的名字也在其中，沒有人提起發生在他們身上的眞相，總之教堂裡充滿了各種悲傷，我們都沉溺其中，甚至沒有人想過要怎麼挽救學院的名聲，重整河山。

「你看起來狀況比我還差。」我對艾德里安說，「我不敢相信這是眞的。」

他將酒瓶舉到嘴邊，灌了一大口。「對，妳看起來一直不錯。至於我……哦，這很難解釋，那靈光跑到了我的身上，裡面有太多悲傷了。妳可能無法理解，它吸收了每個人的精神，根本抗拒不了。妳的靈光倒是看起來明亮了很多。」

「這是你酗酒的原因嗎？」

「對，我的靈光識別能力被關掉了，謝天謝地，所以我今天沒法告訴妳妳的靈光是什麼樣子了。」他將酒瓶遞給我，我搖了搖頭。他聳聳肩，又喝了一口。「那麼，我能爲妳做什麼呢？蘿絲，我認爲妳到這裡來不是爲了看我這麼簡單。」

他說中了，我對自己來這裡的原因有一點點自責。這一星期，我想了很多，對梅森的愧疚之情更深了。事實上，我還沒有完全從這件事中走出來，就發生見鬼的事了，而現在，我還要再從頭經歷一遍，畢竟，不是只有失去迪米特里一個人，老師們有遇難的，守護者有殉職的，莫里也有傷亡的，雖然我最親近的好朋友都沒事，可是我知道有別班的同學。他們都是和我一樣，從小就在這裡，直到長大，我很疑惑自己怎麼可能從來沒有見過他們。

有很多悲傷需要處理，有很多人需要道別。但是……迪米特里，他的情況又不同了。畢竟，你怎麼能和一個事實上並沒有死的人道別呢？這是一個大問題。

「我需要錢，」我對艾德里安說，一點都不拐彎抹角。

他揚起了一邊眉毛。「眞沒想到……我經常收到類似的請求，但沒想到妳會這麼做。那麼，我能得到什麼？」

我隔著他，看著他身後的電視。

「我要離開學院。」我終於開口。

「妳還有幾個月就畢業了！」

我直視著他的眼睛。「那不重要，現在有更要緊的事等著我。」

「我從沒想過妳會放棄成爲守護者。妳不會是想去做吸血妓女吧？」

「不！」我說，「當然不！」

「別裝得這麼義憤塡膺，不可能有比這個更合理的解釋。如果妳不做守護者，那麼妳要幹什麼？」

「我說了，有要緊事。」

他又挑起了眉毛。「可能給妳帶來麻煩的事？」

我聳聳肩。他大笑起來。

「眞是個蠢問題，嗯？妳做的所有事都是在惹麻煩。」他將胳膊放到沙發的扶手上，手撐著下巴。「妳爲什麼來找我借錢？」

「因爲你有。」

他又笑了。「爲什麼你覺得我會借給妳？」

我什麼都沒說，只是看著他，強迫自己用最嫵媚的表情看著他。他的笑容不見了，帶著怒意的綠眸瞇了起來，猛地別開眼。

「該死！蘿絲，別這樣，現在別。妳是在利用我對妳的感情，這不公平！」他繼續灌下好幾口伏特加。

他說得對，我來找他最重要的原因，就是可以利用他對我的好感達到目的。這很卑鄙，可我別無選擇。我站起來，走過去坐在他身邊，拉起他的手。

「拜託！艾德里安。」我說，「拜託你幫幫我！你是唯一一個能夠幫我的人了。」

「這不公平。」他重複著，匆忙說下去。「妳雖然用那種勾人的眼睛看我，可妳心裡的人不是我，永遠都不會是我，一直都是貝里科夫。天知道他不在之後，妳現在會做出什麼事來。」

他又說對了！

「你會幫我嗎？」我問，仍然做出那副風情萬種的樣子。「你是唯一一個我能談心、唯一一個眞正理解我的……」

「妳會回來嗎？」他問道。

「總有一天會的。」

他揚起頭，重重地嘆了一口氣。他的頭髮雖然在我看來總是亂糟糟的，但今天是眞的變得亂七八糟的。

「也許妳離開比較好，也許妳出去散散心，就能快點忘記他，也不會受到莉莎靈感的傷害，說不定還能減輕妳自己心裡的黑暗，阻止妳的情況繼續惡化下去。妳應該可以更加快樂的，而且也可以不再見鬼了。」

我的引誘計畫暫停片刻。「莉莎不是我看見鬼魂的原因……好吧！她是，不過不是你想的那樣。我能夠看見鬼，是因爲我影吻者的身分。我已經和死神的世界有了關聯，我殺死的人越多，那種關聯就越強，這就是爲什麼我能看見鬼，還能感覺到附近有血族。我現在可以感應到他們了，他們也是和那個世界有關聯的人。」

他皺起眉。「妳是說與靈光一點關係都沒有？妳沒有接收到精神能力的負面影響？」

「不，靈光的事也是有的，這就是這件事這麼複雜的原因。我本來以爲只有一種因素，結果是兩種。我見鬼是因爲影吻者，我變得……沮喪和暴躁……甚至是……是因爲我接收到了莉莎的副作用，這是我靈光變黑的原因，也是我最近脾氣不好的原因。不過現在，我的脾氣好像眞的變得很不好……」我微蹙著眉，想起那天晚上傑西事件之後，迪米特里阻止我時的情景，「不過我不知道之後會變成什麼樣。」

艾德里安嘆了口氣。「怎麼妳身上的每件事都那麼複雜？」

「你會幫我嗎？拜託，艾德里安……」我的手指劃著他的手心，「拜託，幫幫我。」

卑鄙！我這樣做眞是太卑鄙了！可沒關係，一切都是爲了迪米特里。

終於，艾德里安看著我，這是有史以來第一次，他看起來那麼脆弱。「妳回來的時候，會給我一個公平競爭的機會嗎？」

我有些驚訝。「你這是什麼意思？」

「就是我說過，妳的心裡永遠不會有我，甚至可能連考慮我一下都不會。那些花、那些甜言蜜語……對妳都不管用，妳對他用情這麼深，可是居然沒人發現。如果妳做完了要做的事，會認眞地考慮我嗎？妳回來以後會給我一個機會嗎？」

我瞪著他，完全沒有想到他會這麼說。我的本能想說：不！我不會再愛上其他人了，我的心已經碎了，我的半個靈魂已經被迪米特里帶走了。但是艾德里安看著我的眼神是那麼眞摯，一點都沒有他平時嘻嘻哈哈的樣子。

他是認眞的，我終於知道他平時打趣我的那些話不全是玩笑話，在這件事上，莉莎的直覺是對的！

「妳會嗎？」他又問了一遍。

「當然。」不是最甜蜜的回答，不過是個必須的回答。

艾德里安轉過頭又喝了一口酒，酒瓶裡已經沒剩多少了。「妳什麼時候走？」

「明天。」

他放下酒瓶，站起身走進臥室，回來的時候，手裡多了一大把現鈔。我很好奇，他是不是把錢塞在床墊下面什麼的。他一言不發地把錢塞給我，然後拿起電話，撥了幾個號碼。

太陽高高掛著，在人類的世界，掌管著莫里族大部分財產的人類世界裡，此時正是起床的時間。

他在講電話的時候，我看著電視，卻怎麼也集中不了注意力，一直想要撓脖子後面。因爲已經計算不出我和其他守護者到底幹掉了多少個血族，他們用不同形狀的紋身取代了普通的閃電紋身。我忘記它叫什麼了，不過這種紋身的形狀看起來比較像小星星，這代表紋身的人在一次戰役中殺死了許多的血族。

他終於講完電話，交給我一張紙，上面寫了米蘇拉一家銀行的名稱和地址。

「妳去那兒，」他說，「如果眞的要去人類世界的什麼地方，我建議妳先去米蘇拉。那裡有一個用妳的名字開的戶頭，裡面有很多錢。妳只要說名字，他們就會幫妳辦完剩下的手續。」

我站起來，將那些鈔票放進衣服口袋。「謝謝你。」我說。

我沒有猶豫地伸出手抱了抱他，那刺鼻的酒味撲面而來，但我還是覺得自己欠他。我利用了他對我的感情，來達成自己的目的。他也抱著我，抱了好一會兒才鬆開。我輕輕在他的臉頰上啄了一下，我們分開時，我猜他可能忘了呼吸。

「我不會忘記這一切的。」我喃喃地在他耳畔低語。

「我不認爲妳會告訴我妳要去哪兒。」他說。

「對，」我說，「對不起。」

「只要記得妳承諾我的，一定會回來。」

「我並沒有用『承諾』這個詞喲！」我特地指出來。

他笑著，在我額頭上輕輕一吻。「妳說得對，我會想妳的，小拜爾。小心點，如果妳需要什麼，告訴我，我會等妳的。」

我再次謝過他，走出了房間，不想費心告訴他，他可能要等上很久，有非常大的可能，我永遠都回不來了。

第二天，我早早就起了床，學校裡大部分人還剛醒，我幾乎徹夜未眠。

我將背包甩在身後，向行政大樓的主管辦公室走去。辦公室的門還沒有開，於是我坐在外面走道的地上等，在等的過程中，我仔細地看著自己的雙手，注意到大拇指上還有一塊小小的金色，那是上次做指甲時僅存的兩片指甲油了。大約二十分鐘後，祕書長拿著鑰匙走過來，讓我走了進去。

「我能幫妳什麼？」她一坐下之後便問我說。

我交給她一疊已經拿了很久的資料。「我要申請退學。」

她的眼睛瞪得令人難以置信的大。「什麼!?妳不能……」

我敲了敲它們。「我可以，這些已經都簽好字了。」

她還是很吃驚，要我等一下，然後便飛也似地跑了出去。一會兒之後，她帶著校長奇洛娃回來了。奇洛娃很顯然也被嚇了一跳，仰著她那個鷹鉤鼻子，一臉不滿地看著我。

「海瑟薇小姐，妳這是什麼意思？」

「我要走了，」我說，「退學、退出，隨便妳怎麼說。」

「妳不能這麼做！」她說。

「哦，我當然能，因爲這些必要的資料上都已經簽過字了。」

她的憤怒變成了悲傷，但更多的是焦慮。「我知道最近發生了很多事，我們對這些事都負有責任，不過妳沒有理由作出這麼突然的決定。如果有什麼事，我們比以前更需要妳。」她幾乎是在懇求了，眞不敢相信她在半年之前還想把我開除。

「這不是臨時起意。」我說，「我已經反覆考慮過了。」

「至少讓我先通知一下妳的母親，然後我們再談。」

「她三天以前已經飛去歐洲了，而且，通不通知都沒關係了。」我指著資料上出生日期那一欄，「今天我就滿十八歲了，她也管不了我，這是我自己的選擇。現在，妳們在資料上蓋章吧！難不成妳們眞的想要把我關起來嗎？妳打不過我的，奇洛娃。」

她們在我的所有資料上都蓋了章，一副鬱鬱寡歡的樣子。祕書又複印了一份給我存底，上面寫明我不再是聖弗拉米爾學院的學生，我需要在出校門時把它交給門衛。

走到學院的前門是一段長長的路程，西方的天空已經泛紅，太陽正慢慢地向地平線滑去。天氣已經轉暖，甚至連夜裡都不那麼冷了。春天終於到了！在這種天氣下漫步，會讓我在走到高速公路之前的這段路變得很愉快。

在那裡，我可以搭上去米蘇拉的便車。中途攔車並不安全，可是我大衣口袋裡的銀樁可以確保在面對任何事時，都有一定的保障。在那次襲擊之後，沒人把它從我這裡要回去，而且它對付惡人的效果，跟對付血族一樣好。

我就要走到大門的時候，感應到了她，是莉莎。我停下來，轉身看向一叢結滿花苞的大樹。她站在那裡，面無表情，非常好地把自己隱蔽起來，以至於我離她這麼近了才感應出來。她的頭髮和眼睛在落日的餘暉中閃閃發光，看起來太美了，美得像是不屬於凡間的精靈。

「嘿。」我說。

「嘿。」她抱著胳膊，在大衣裡瑟瑟發抖。

莫里對溫暖的感知和拜爾是不同的，我們覺得溫暖的早春，對他們來說仍然十分寒冷。

「我就知道！」她說。「自從那天他們說他的屍體不見了以後，有種感覺告訴我，妳肯定會這麼做的，我一直在等這天的到來。」

「妳也會讀心術了嗎？」我可憐兮兮地問。

「不，但是我會讀妳，眞的。我眞是不敢相信自己居然那麼眼瞎，不敢相信我從來沒有注意過。維克多說的那件事……是眞的。」她看了一眼落日，又看回我。一絲憤怒透過心電感應，也透過她的眼睛傳達給我。「爲什麼妳不告訴我？」她喊道，「爲什麼妳不告訴我妳愛迪米特里？」

我看著她，想不起她最後一次吼人是什麼時候，也許是去年秋天被維克多瘋狂折磨的時候。大吼大叫是我的專利，不是她的，哪怕在折磨傑西時，她的聲音都是靜靜的。

「我誰都不能說。」我說。

「我是妳最好的朋友，蘿絲，我們做什麼都在一起，妳眞的認爲我會大嘴巴？我會嚴格保密的。」

我低頭看著地。「我知道妳會，我只是……我也不知道，我就是不能說，哪怕是對妳也不行，我沒法解釋。」

「妳有……」她繼續想著該怎麼把已經想好的問題問出來，「有多認眞？是只有妳，還是……」

「我們都這麼想。」我對她說，「他也愛我，但是我們都知道不可以在一起，不是因爲年齡……呃……我們如果一起保護妳的話就不行。」

莉莎皺著眉。「什麼意思？」

「迪米特里總是說，如果我們陷進去了，對彼此的擔心會超過對妳的擔心，我們不能這麼做。」

她的心中升起一絲歉疚，覺得她要對我們兩個不能在一起負起些責任。

「不是妳的錯。」我飛快地說。

「好吧！不過肯定會有辦法解決的，這不會一直是個問題……」

我聳聳肩，不想提起或是回想起我們在森林裡的最後一吻，當時我們兩個還在想解決這些事的辦法。

「我不知道。」我說，「我們試著保持距離，但有時候可以，有時候卻做不到。」

她這才恍然大悟，認爲很對不起我，但是同時又很生氣。「妳還是應該告訴我，」她又重複了一遍，「我覺得妳好像不信任我。」

「我當然信任妳。」

「所以妳就偷偷溜走了？」

「確實和信任沒有關係，」我老實承認，「是我……呃……我不想告訴妳。我不能想像告訴妳我要離開的情景，也不能告訴妳原因。」

「已經知道了，」她說，「我猜的。」

「怎麼會？」我問。莉莎今天帶給我太多驚奇了。

「我當時就在一旁。去年秋天我們坐著車去米蘇拉，去購物對吧？妳和迪米特里談起了血族，還談起了變成血族會讓一個人變得多麼扭曲邪惡……還有怎麼幹掉一個人認識的人和其他可怕的事。我聽見……」她說不出口，我不想聽，眼睛濕潤了。那個記憶太殘酷了！想到那天和他坐在一起，彷彿回到了我們初墜愛河的日子。

莉莎嚥了下唾沫繼續說：「我聽見你們兩個都說，如果變成那樣的怪物，寧願去死。」

我們兩個都沉默了，風將我們的頭髮吹起，黑白分明。

「我必須去做，莉茲。為了他，我必須這麼做。」

「不，」她平靜地說，「妳不必這麼做的，妳沒有對他承諾過任何事。」

「雖然沒有說出來，但是，妳……妳不會明白的。」

「我明白妳想努力走出來，而這是最好的辦法，妳可以用其他的方法忘掉他。」

我搖搖頭。「我必須這麼做。」

「就算那意味著要丟下我？」

她說話的語氣、她看著我的眼神……哦，上帝啊！記憶如潮水般湧過來。我們自從孩提時代就在一起，形影不離，還有心電感應……可是，迪米特里也是我關心的人。該死！我從沒想過要在他們兩人中間作出選擇。

「我必須這麼做。」我又重複了一遍，「對不起。」

「妳不是要成為我的守護者，和我一起去念大學嗎？」她爭辯說，「妳是影吻者，我們注定要在一起的。如果妳丟下我……」

那醜陋的陰暗的一團又開始抬頭了，我說話時，聲音已經變得嚴厲。「如果我丟下妳，他們會分派給妳其他的守護者。妳是德拉格米爾家族的最後一員，他們肯定會保證妳的安全的。」

「可他們不是妳，蘿絲。」她說，那雙魅惑的綠眸看著我的眼睛，我的憤怒平復了。她眞美、眞甜……她說的好像有道理。她說的對，是我欠她的，我應該……

「停！」我大喊著轉過頭去。「別對我催眠！妳是我的朋友，朋友之間是不應該用這種手段的。」

「朋友也不會放棄彼此，」她也不甘示弱，「如果妳是我的朋友，就不應該這麼做！」

我轉身背對著她，小心地不去看她的眼睛，防止她再對我催眠。

「這不是妳的事，好不好？這次是我自己的事，不是妳。我的一生……莉莎，我的一生總是這樣，莫里永遠是第一位，我存在的意義就是爲了保護妳。我訓練自己成爲妳的影子，可妳知道嗎？我也想把自己放在第一位，我也希望有一次能夠照顧一下自己的感受。

我已經厭倦了去照顧每個人，而將自己的需求放在一旁。我和迪米特里已經盡力了，但是發生了什麼？他不見了！我永遠都不能再抱抱他了！現在我欠他一份情，必須這麼做。如果這傷害了妳，我很抱歉，可這就是我的選擇！」

我喊出這些話，連氣都沒有喘，我猜想自己的聲音應該不會傳到門口值班的守護者耳朵裡。

莉莎看著我，既震驚又難過，眼淚順著臉頰流下來。我內心微微顫抖著，不知道自己怎麼會傷害曾經發誓要守護一生的人。

「妳愛他多過愛我。」她很小聲地說，聽起來很孩子氣。

「他現在需要我。」

「我也需要妳！他走了，蘿絲。」

「不，」我說，「但是很快就會眞正走了。」我挽起袖子，摘下她送給我當作聖誕禮物的念珠，將念珠遞過去，她猶豫著接下。

「這是做什麼？」她問。

「我不配再戴著它了，這是給德拉格米爾家的守護者的。但我會重新把它要回來，等我……等我回來的時候。」

她的手緊緊地捏著珠子。「拜託！蘿絲，拜託不要離開我！」

「對不起！」我說，此刻已經沒有更合適的詞了，「對不起！」

我丟下她一個人在風中啜泣，自己向大門走去。我的靈魂有一半在迪米特里被咬的一剎那已經死了，現在我背對著她，感覺另一半也死了，很快我的身體裡就什麼都不剩了！

大門的守護者看見祕書和奇洛娃的簽名很是震驚，不管他們也管不了。

祝我生日快樂！我痛苦地想。永遠的十八歲，已經沒有什麼生日禮物是我想要的了。

他們打開大門，我走了出去，走出學校的領地、走出結界。那條線雖然看不見，但是我有種怪異的感覺，好像跨過了一條大裂縫，同時，我感到了自由和自我。

我開始向那條小路走去。太陽已經下山，我只能靠月光指路。

我一走出守護者能聽見的範圍，立刻停下來喊道：「梅森。」

我等了很長時間。當他終於現身時，我幾乎看不見，他已經完全透明了。

「時候到了，對不對？你終於……終於要去……」

好吧！我根本不知道他要去哪裡，也根本不知道等著他的會是什麼地方，有可能是安德魯神父相信的煉獄，也有可能和我去的地方完全不同。不管怎麼樣，梅森聽明白了我的意思，點了點頭。

「已經超過四十天了，」我細心地發現，「所以我猜你已經遲到了。我很高興……我是說，我希望你能獲得內心的安寧，雖然我有點希望你能帶我去找他。」

梅森搖了搖頭，他不用說我也知道他想說什麼——

妳現在只能靠自己了！蘿絲。

「沒關係，你是該好好休息了。另外，我想我知道要先去哪裡。」

我想起了上個星期的甜蜜，如果迪米特里就在我確信的地方，前面還有很多事等著我去做呢！有梅森的幫助固然好，不過我也不想一直麻煩他，而且，他好像也只能幫到這裡了。

「再見！」我對他說，「謝謝你的幫助，我……我會想念你的。」

他的形象越來越弱、越來越淡，在他完全消失之前，我看見了一抹微笑，那是我曾經愛過的帥氣爽朗的笑容。我很難過，也眞的會想念他，可是當我想到他也在往好的方向努力，眞正的好方向，我就不再內疚了。

我轉過身，望著前面看不到盡頭的路，嘆了口氣。

「那就上路囉！蘿絲。」我對自己說。

出發吧！出發去殺死自己心愛的人。

（未完待續）

國家圖書館出版品預行編目資料

吸血鬼學院3影之吻 / 蕾夏爾．米德；
初版. -- 高雄市：耕林，民100. 04
面 ； 公分. --（魅小說；23）
譯自：Shadow Kiss
ISBN 978-986-286-043-4（平裝）
874.57　　　100003625

吸血鬼學院3影之吻
Shadow Kiss

作者：Richelle Mead 蕾夏爾．米德
發行人：陳嘉怡
總編輯：陳曉慧
主編：方如菁
譯者：吳雪
責任編輯：黃譯嫺、高琬禎
文字排版：謝育帆
出版者：耕林出版社有限公司
發行地址：807 高雄市三民區通化街47巷3-1號
電話：07-3130172　　傳眞：07-3130178
讀者服務專線：0800211215
劃撥帳號：42205480 耕林出版社有限公司
網址：www.kingin.com.tw
E-mail：kingin.com@msa.hinet.net
總經銷：宇林文化事業股份有限公司
總經銷電話：07-3130172
總經銷地址：807 高雄市三民區通化街47巷3-1號
物流中心電話：07-3747525　07-3747195
物流中心傳眞：07-3744702
物流中心地址：高雄市仁武區仁心路236之1號A棟

初版：2011年04月
定價：台幣250元

耕林 Just Novel 就是小說